エンサイクロネット／編

裏ネタ全書

どこか怪しい世間のカラクリ551

『ネタばらし！』改題

光文社

本当に盛り上がれる「雑学ネタ」とは？——まえがきに代えて

雑学本の〝まえがき〟といえば、「ちょっとした雑談のネタに」「人に話せば盛り上がること請け合い」といったフレーズが並んでいるもの。しかし、「鳥居はなぜ赤い？」「ハンカチはなぜ四角？」といった古典的な雑学ネタを披露したところで、座が盛り上がることはありえないだろう。むしろ、「ウンチク自慢」と鼻白まれるのがオチである。

一方、たとえば商談に入るまえ、業界の外部には知られていないネタをちょっと紹介すれば、聞き手は「ほう⁉」と身を乗り出してくるだろう。要するに、大人の雑談の味つけになるのは、世の中のカラクリをめぐる「裏ネタ」だけなのである。

そもそも、この世の中、表あるところには、かならず裏がある。近頃、タマネギ炒めを作るのに時間がかかることにも理由があれば、目玉商品が通路の右側ではなく、左側に置かれるところにも、売る側の狙いがある。世の中、人間が活動しているところは、すべて裏ネタの宝庫である。

というわけで、世間の裏情報を総まとめしたこの本。女子アナたちの職業病から、警察官の制服の処分法まで、他の本では読めない裏ネタを、ご堪能いただければ幸いです。

エンサイクロネット

●もくじ●

6章 ●あなたも「被害者」になりかねない〝危ない裏手口〟の数々……157

●7章 聞いて驚きの「食」をめぐる“裏話”の数々 ……188

9章 誰もが気になる「男と女」の〝裏腹〟の数々

*本文イラスト　フリップクセル
（西岡りき）

裏ネタ全書

◆1章◆

「ビジネス・儲け」にまつわる〝裏事情〟の数々

マンションの「完売御礼広告」って……?

◐花火師が冬でもセーターを着ない理由

花火を打ち上げる花火師は、秋風が吹き始め、花火シーズンが終わった後、何をしているのだろうか?

花火作りの最盛期は、じつは真冬である。火薬を使う花火の大敵は、湿気。だから、湿度の低い冬場は、花火製造にはベストの時期なのだ。

そもそも、花火師たちは、夏の花火シーズンは打ち上げ準備に追われ、花火を製造している暇はない。春や秋も、運動会や文化祭、スポーツイベントなどでの打ち上げ作業が中心になる。というわけで花火師が花火づくりに専念できるのは、冬場だけなのである。

ただし、花火作りでは静電気を警戒しなければならない。冬場は静電気が発生しやすい季節だから、花火師たちはどんなに寒くても、作業中にセーターを着ることはない。

◐キヨスクのおばさんたちの勤務時間

キヨスクのおばさんの勤務時間は、朝九時

から翌朝の九時三〇分までが基本。じつに、二四時間半勤務である。

朝九時に出勤すると、まず前任者と引き継ぎをする。あとは、ひとりで夜の一〇時頃まで働いて店を閉めて、自宅へ帰るか近くの仮眠施設で睡眠をとる。

さらに、翌朝六時に店を開け、次の人がやってきて引き継ぎの終わる午前九時半まで働く。その間、実働にして一六時間程度も働く。

おばさんたちは、これを二サイクルこなすと、一日休むというリズムで暮らしている。

◐サービスルームという言葉にひそむカラクリ

不動産業者のチラシを見ると、「サービスルーム」「コミュニティホール」など、多くのカタカナが使われている。

これは、漢字やひらがなよりも、カタカナ言葉のほうがイメージをアップさせる力があるため。たとえば、「集会場」というとダサく聞こえても、「コミュニティホール」というと何か新しい出会いがありそうな感じがする。

一方、「サービスルーム」もよく使われるが、これを日本語でいえば、単なる「納戸《なんど》」である。物件を探すとき、くれぐれもカタカナ言葉に惑わされないように。

◐結婚式場のエレクトーン奏者のマル秘テクニック

結婚式場のエレクトーン演奏には、独特のテクニックが必要である。とくに難しいのは、キャンドルサービスの間、場内が真っ暗になるときだという。新郎新婦を照らすスポットライト以外の照明が消えるため、奏者は楽譜も鍵盤も見えない状態で、演奏しなければならない。これが大変なのである。

また、ケーキカットでは、入刀の瞬間に曲

のサビを合わせる技術がいる。会場の都合で、ケーキカットの場所は、エレクトーン奏者の背中の方向に設置されていることが多いから、奏者はうしろを振り返りながら演奏しなければならない。やはり楽譜も鍵盤も見ることができない。

そこで、結婚式場の奏者たちは、譜面も鍵盤も見なくても弾けるように、ふだんから練習を積んでいる。

◐お坊さんになるにはどうすればいい？

お坊さんへの道は、宗派によっても違いがあるが、だいたい次のようなものである。

・師匠となるお坊さん「師僧《しそう》」を見つける。親類縁者、自分の菩提寺《ぼだいじ》、仏教系大学ならゼミの教授などのほか、個人的に尊敬するお坊さんに頼むケースもある。

・「得度《とくど》」を受ける。得度では、剃髪《ていはつ》の儀式を受け、数珠《じゅず》や袈裟《けさ》をいただく。

・本山に申告して僧侶として登録し、僧籍をもらう。これで仏門に入ったことになるが、正式な僧侶ではなく「出家した」という扱い。

・お坊さんとしての知識と作法を身につけるため、勉強や修行をする。修行のきつさや期間は宗派によってまちまち。

・厳しい合宿研修を終え、お坊さんの資格をもらう。

資格がないと寺の住職にはなれない。お坊さんにも読経《どきょう》や説法などの鍛錬度によって級があり、講義を受け修行を修めると位が上がっていくシステムになっている。

◐探偵に文章力が必要な理由

探偵の仕事の基本は尾行だが、写真撮影が下手では話にならない。尾行した相手が愛人とラブホテルに入った――その瞬間を撮影できなければ、ギャラはもらえない。そこで、探偵にはカメラを趣味としている人も多い。

　そして、探偵にはもうひとつ「文章力」も必要である。調査が終了すると、クライアントに報告書を書かなければならないが、そのとき、意味のよくわからない報告書しか書けないようでは、いい仕事はまわってこない。

　報告書を書く基本は、他の仕事と同様、５Ｗ１Ｈ。「いつ」「どこで」「誰が」「何を」「なぜ」「どうした」を、具体的にわかりやすく書く必要がある。回数、時間など「数字」をふんだんに盛り込むのが、報告書をよりリアルにするコツだそうで、たとえばデートの現場なら、「一時間に四回手を握り合った」というように書ければ申し分ないという。

◐サディストでなければ彫り師になれない

　刺青《いれずみ》を彫る「彫り師」志望者は、親方に弟子入りして、修行を積むことになる。

　新弟子が将来彫り師として伸びるかどうか、親方たちは入門初日にわかるという。自分がお客の体を彫るそばに、新弟子をしばらく座らせる。お客は麻酔なしで体に針を刺し込まれ、ときおり悲鳴をあげる。

　その声を聞いたとき、新弟子が顔を青ざめさせるようでは、見込みがないという。一流の彫り師になるのは、むしろ目を輝かせて、客の肌から流れる鮮血をじっと見つめているような弟子だそうである。

彫り師がいい仕事をするためには、お客により多くの苦痛を与えなければならない。お客の痛みに気を遣うような彫り師は「逃げ」の彫りしかできないというわけだ。

◐スーパーのレジチェッカーの腕の見抜き方

スーパーのレジを打つ人を「チェッカー」と呼ぶ。このチェッカーの腕を見抜けば、行列に並ぶ時間を確実に短縮できる。

見抜き方の第一ポイントは、レジの番号にある。一〇台のレジがある店なら、1〜10までの番号がレジ台に表示されているが、その中で1番もしくはレジ番号の最後のレジには、優秀なチェッカーが配置されていることが多い。ともに出口に近い場所なので、お客の目につくし、店を一周してきた客にとって並びやすい位置だからである。

一般的に、番号の若いレジには、レジ打ち専門の人が配置されることが多く、ミスは少なく手際もいい。逆に、数字の大きなレジに立っている人（最後をのぞく）は、あまり慣れていない人の可能性が高い。

◐「一年に一度は人間ドック」は宣伝文句

人間ドックは、病院経営の重要な収入源である。各病院の間では、お客を獲得するための熾烈《しれつ》な営業合戦がつづいている。

むろん、医療の専門家が「一年に一度は、人間ドックに入ったほうがいい」と連呼してきたのも、お客を増やす意図があったことは間違いない。

たしかに、ガンを含めて、人間ドックで病気が早期発見された人は少なくなく、「一年に一度」というのは、医学的に一理ある数字ではあるが、だからといって人間ドックに入れば、かならず病気が見つかるわけでもない。

また、ある人が実験的に、同時期に複数の人間ドックを受診してみたところ、検査結果は「異常なし」から、「肝腫瘍の疑いあり」まで、まちまちだった。血液検査の数値も、誤差と呼べる範囲を超え、バラバラだったという。

◐新装開店という名の在庫一掃セール

既存の店が再オープンする「新装開店セール」。しかし、経営が順調であればわざわざ新装開店する必要もないわけで、新装開店するのは、たいてい客足が落ちて経営の苦しくなっている店である。そのため、新装開店は事実上、在庫品の処分セールというケースが多くなる。

実際、新装開店した店の陳列棚を見ると、改装前の「在庫一掃セール」と同じ商品が並んでいることがよくある。処分に困っている在庫品を、ともかく「新装開店」の機会に売りさばこうとしているのだ。

そもそも、新装開店するような店は、もともと客足が落ちていたうえ、新装にあたって工事費をかけている。いい品物を「出血大サービス」する資金的な余裕なんて、とてもないはずなのである。

◐デパートの売り場にデパートの社員がいないわけ

デパートの売り場には、百貨店の社員はほとんどいない。

たとえば、アパレル売り場で働いている女性は、テナントやアパレルメーカーからの派遣社員。催事場でも出店企業から派遣された人が接客している。

では、デパートの社員はどこにいるかというと、売り場ではなく、オフィス。デパートにも、総務部や人事部があるわけで、そこの課員たちはデパートとは別の建物にあるオフィスで働いている。

また、仕入れ担当者も、売り場にいては仕事にならない。次の仕入れのために出払っていたり、商談していることが多く、売り場にはいない。

売り場担当の社員は、フロアの責任者として売り場にはいるが、お客にお釣りを渡したり、商品を包んでいるわけではない。定期的に売り場を歩いて様子を見る程度で、いつも売り場にいるわけではないのだ。

◐歯科医はこうやって客の懐具合を見抜く

一般に、歯医者で健康保険を利用して治療すると、患者負担は三割程度ですむ。ところが、新しい技術による治療を受けるには、健康保険が適用されない「自由診療」を選ばなければならない。

自由診療を選ぶと、値段は大幅アップ、患者負担は格段に大きくなる。それは歯科医師から見れば、売り上げの大幅アップであり、利益もハネ上がる。そのため、歯医者も、お金を持っていそうな患者には、熱心に自由診療を勧めることになる。

その方法は、窓口で提出した保険証の社会保険番号を見ることから始まる。

通常、社会保険番号の数字が若いほど役職は上になる。1番が社長、2番が副社長、3番が専務というようになっているから、その番号で患者が会社の幹部とわかれば、歯科医師はなんとか自由診療を選ばせようとする。

また、会社幹部の家族も、同じように保険証の番号は若い。このような人をうまく口説ければ、素直に自由診療を受け入れてくれることが多いという。

◐歯医者特有のニオイのもと

歯医者さんの特有のニオイは、いったい何のニオイなのだろうか？

あのニオイのもとは、消毒用として使われているオイゲノールという薬品。オイゲノールは優秀な薬品で、消毒剤や鎮痛剤として使うことができるうえ、詰め物の接着剤としても利用されている。

オイゲノールの正体は、スパイスの一種であるクローブの精油成分。天然素材で、体にも副作用がないときているので、歯科医には欠かすことのできない薬品となっている。

◐ナースの技量と手を洗う回数の関係

ナースは一日に一〇〇回くらいは手を洗う。患者に触れたり、いろんな薬品を扱うため、つねに手を洗う必要があるのだ。

しかも、毎回消毒液で洗うため、手が荒れやすくなる。だから、優秀でよく働くナースほど、手を洗う回数が増え、そのぶん荒れた手をしているものなのだ。

むろん、そういう真面目なナースの働きぶりを、院長ら病院幹部はよく見ている。そこで、この業界では、「手荒れしているナースほどエラくなる」といわれている。

◐試食テストの成績がよい食品は売れないわけ

食品メーカーでは頻繁に試食テストをおこなっているが、消費者を対象にした試食テストの結果を鵜呑みにするメーカーはない。むしろ、試食テストの結果はあてにならないというのが、この業界の常識である。

たとえば、ある食品メーカーが、味付けや色などを変えた多種類のカレーを用意し、主婦に食べ比べてもらったところ、大半の主婦は味や香り、色、油脂の濃厚なもののほうを「おいしい」と答えた。

このようなことが起きるのは、試食テストでは、食品を少量ずつしか味見しないので、より味の濃いほうをおいしいと感じる傾向があるためだ。

むろん、各メーカーは、そのような傾向についても熟知しているので、一般人を対象にした試食テスト結果は、あくまで参考資料程度に受け止めている。一方、メーカーがより重視するのは、社内テストのほう。社員から選ばれた、舌の感度のよい人だけでおこなわれるテストである。

◐北では白が売れ、南では赤が売れるわけ

商品マーケティングの世界では、全国それぞれの地域で、どんな「色」が好まれるかが分析されている。

一般に、北に向かうと白が好まれ、南に行くと赤が好まれるが、こうした好みの違いは、その地域の人々がふだん目にしている自然の色彩が関係しているとみられている。

太陽光線は地上に届く前、空気中で分光現象を起こし、たとえば九州地方には赤い光がたくさん降りそそぐ。そして、日本列島を北上するにつれて、降りそそぐ色はオレンジ、

黄、緑、青と変わっていく。

つまり、九州人はふだんから赤系統の色に親しんでいるため、赤を好む傾向が現れ、一方、東北や北海道では青系統の寒色が好まれることになる。

また、東北や北海道では、白も好まれる。これは雪の影響と考えられ、一年の半分近く、空から降る雪、根雪を見つづけているうち、しぜんと白を好むようになると分析されている。

◐雨が多いと、ウールの品質が悪くなるわけ

牧羊の世界では、降雨量の少ない年のほうが「豊作」になる。羊毛の品質は、降雨量が少ないときのほうがよくなるためだ。

一方、降雨量の多い年に刈り取った羊毛は、先端がちぎれやすいため、短い毛を刈ったのと同じことになる。また、染色したときの色ののりも悪い。

要するに、雨が多いと羊毛は品質が落ちて、価格も落ち、牧羊業者は収益が上がらなくなるのだ。

とはいえ、牧羊にとって、雨は降らないほうがいいというわけでもない。まったく降らないと、羊のエサである牧草が育たなくなってしまう。もともと羊の飼育には広大な土地が必要だが、放し飼いの場合、降雨量が半減した年には三倍の土地が必要になるという。

◐夕方五時の気温とビアガーデンの客入り

ビアガーデン業界では、午後五時の気温が二八度以上の晴れた日は、ほぼ満席になる店が多い。そこで、ビール専門店には、気象予報会社と契約を結んで、夕方の天気と気温情報を入手している店もある。その情報によって、仕入れるビールやつまみの数量を調整す

るためだ。

一方、ビアガーデンにとっての厄日は、「今日の暑さなら、満員間違いなし」と予測していたのに、突然の夕立に見舞われた日。午後五時頃、夕立が降って急激に気温が下がると、その後雨が降りやんでも、客はもう入らないという。

◐水着の売り上げと気温の相関関係

水着の売り上げは、気温の高低に大きく左右され、平均気温が一度違うと、売り上げが三パーセントは違ってくるといわれる。

基本的に、水着は最高気温が二八度になると売れ始めるので、水着業界とすれば、夏休みの前から、気温が安定して二八度を超えていることがベスト。そうなれば、夏休み最初の週末に向けて、水着がドンドン売れる。

だが、夏休み前に気温が上がらず、その後も冷夏となると、例年に比べて一〇パーセント近くも売り上げが落ちることになる。

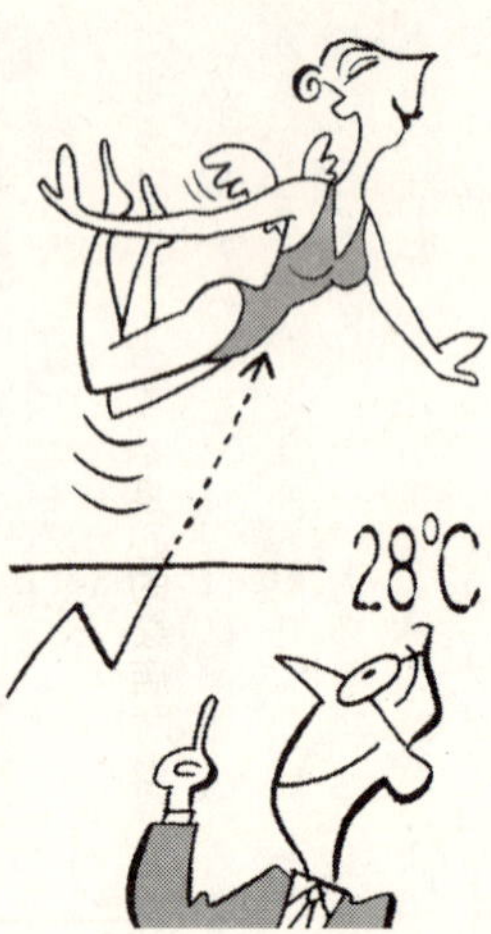

◐冬に雪が降らないと野菜の値段が上がる理由

冬に雪が降らないと、雪害も霜害《そうがい》もないから、野菜はよく育つのではないかと思う人もいるだろう。だが、現実はその反対。野菜の値段は上昇傾向になる。

もちろん、暖冬だと、気温が高い分、作物の成長はよくなり、その間の野菜の供給は安定する。だが、問題はその後。暖冬の年には、春先の春野菜を大量出荷しようとする時期、寒波が襲ってくることが多いのだ。

とくに、関東地方では、暖冬の年ほど、南海上から湿った空気が吹き込みやすくなる。これが、北方からの寒波とぶつかると、三月の大雪となって首都圏を大混乱に陥れる。同時に、この寒波と降雪は、収穫直前の春野菜に大打撃を与えるのである。

すると、首都圏で野菜は品薄状態になり、影響は他の地域にも波及する。そして投機的な動きも起きて、野菜の値段は全国的に高騰することになる。

◐人気ラーメン店がもっと麺を作らないわけ

人気のラーメン店は、なぜ「一日五〇食まで」などと、麺の量を限定しているのだろうか？　麺をもっとたくさん打ったほうが儲かるはずである。

その理由は、自家製の手打ち麺は、打つ量を増やすことはできても、その後の品質管理が非常に難しいから。たとえば、打った麺を厨房に置いておくと、ゆでる前に湿気で伸びてしまう。といって、乾燥した場所に置くと、ヒビが入って商品価値がなくなってしまう。

また、自家製麺は防腐剤を使用していないので日持ちがしない。麺を多く作って売れ残ったら、その日のうちに捨てるしかない。作り置きができないのだ。

つまり、「本日、手打ち麺は売り切れ」という店は、おいしい麺をおいしいうちに食べてもらいたいという「良心的な店」といえる。

◐お子様ランチとエビの切っても切れない関係

近頃では、お子様ランチの六〇パーセントには、エビを使った料理が入っている。とくにエビフライが多いが、なぜお子様ランチにはエビフライが欠かせないのか。

これには、いくつかの理由がある。

ひとつは、エビフライが子供でも食べやすいメニューであること。ハシを使えない幼児でも、エビフライならフォークで食べられる。また、小骨もないから、大人が世話を焼く必要もない。

二つ目は、エビが赤いこと。色彩心理学では、子供が赤い色の食品を好むのは常識。赤い尻尾と赤っぽい身が、子供の食欲をそそるというわけだ。

三つ目は、調理に手間がかからないこと。子供連れの客に対しては、子供の料理は親よりも早く出すのが飲食店の鉄則。その点、エビフライは下ごしらえさえしておけば、時間はほとんどかからないというわけである。

◐外食に「豚脂」が乱用される理由

外食料理のいちばんの問題点は、豚脂が多量に使われていること。豚脂は、適度にとる分には問題ないが、過度に摂取すると、有害物質になる。肥満や高血圧の原因となり、血中コレステロールと中性脂肪を増加させ、成人病を招きよせる。

もちろん、日本の外食産業もそのことを承知しているが、それでも豚脂を使うのは、豚脂が〝客寄せ〟に欠かせないものになっているからだ。

まず、外食産業を支える若い世代の嗜好の問題がある。豚脂を使うと、味に厚みが出て「こってり」とする。この「こってり感」がないと、最近の若い世代からは見向きもされない。

また、フライドポテトやナゲットなど、直

接、手で食べるものにも豚脂が多用されているが、これは植物油を使うよりも、豚脂にしたほうが、手がべとつかなくなるためである。

◐屋台のたこ焼きの原価率

駅前などに店を出している屋台のたこ焼きの一個あたりの原価は一〇円程度。八個入りワンパックだと、原価は八〇円。それを四〇〇円程度で売るのだから、利益はワンパックあたり三二〇円、利益率は八〇パーセントにもなる。

しかし、問題はその売り上げである。これを一日三〇パック売ったとしても、売り上げは一万二〇〇〇円。原価を差し引いた収益は九六〇〇円。月に二〇日働いて一九万二〇〇〇円だ。

そして、この商売は火を使うので、夏場はとくにキツく、また立ちっぱなしの商売だから、体力のない人はつづかない。さらに、天候にいたってはどうすることもできないから、利益率がいいとはいっても、うま味のある商売とは言い難い。

◐ファミレスの儲け頭のメニューは？

ファミリーレストランでは、平均的にいって価格の三〇パーセントは人件費。家賃やその他の経費が二五パーセント。そして、残りの四五パーセントが食材原価と利益になる。

ということは、食材原価が低いほど、ファミレスの儲けは大きく、食材原価が高いほど、儲けは小さいということになる。

ファミレスのメニューの中で、いちばん利益率が低いのは、ステーキだという。たとえば、二〇〇〇円のステーキを食べれば、野菜、スープ、ライス（パン）などで八〇〇円はかかっている。

ステーキは、輸入牛肉を使っても、それなりに原価がかかる。そのため、食材原価が値段の四〇パーセントを占め、利益はわずか五パーセントにすぎなくなる。

それに比べて、雑炊やリゾットは食材原価が二〇パーセント前後という。原料の値段は安いし、作り方も簡単。工場で、一括して大量に作れば、原価をかなり抑えられる。

その他、ファミレスで儲けの大きいメニューは、デザート、コーヒー、ジュース、スパゲッティである。

◐駅弁がコンビニ弁当よりも割高なわけ

ローカル色が旅情を誘う駅弁だが、五〇〇円あたりが中心価格帯のコンビニ弁当に対し、一〇〇〇円、一五〇〇円といった値段がつけられているのはどうも納得がいかない、という人もいるのでは？

しかし、駅弁が高いのには、それなりの理由がある。駅弁業者のほとんどは、家族経営の「家内制手工業」で弁当を作っているので、機械で大量生産されるコンビニ弁当のようにはコストを下げられない。それでも、最近の駅弁はグルメもうならせる美味《おい》しいものが多く、素材にもこだわっているため、原価率が五〇％は下らないという。

また、駅構内で販売するには、鉄道会社に契約料を払わなければならず、しかもローカル線では日に数十個しか売れないため、どうしても単価は高くなる。駅弁だけではやっていけないため、大半の業者は、ホテルや立ち食いそば屋と兼業しているのが実情だ。

小さな業者が少量生産でがんばっている駅弁。コンビニ弁当と比べてはいけないのだ。

おでん屋の利益がどんどん減っているわけ

　おでん屋は、食べ物商売の中では、比較的楽な商売といわれる。特別な調理技術がいらない分、腕のいい料理人を雇う必要はなく、そのぶん人件費を抑えられるからだ。

　ところが、数年前から、おでん屋の利益率が落ちてきている。はんぺんやちくわなどの練り製品の価格上昇がつづいて、原価率が上がっているのである。

　そもそも、練り製品は、ベーリング海を中心に獲れるスケトウダラを輸入し、製造されてきた。だが、近年、スケトウダラの漁獲量が減って品薄状態になっている。おまけに、世界的な健康ブームで、欧米でフィレー（魚の切り身）の需要が急増している。

　原料は少なくなっているのに、需要が増えれば、値段が上がって当たり前。しかし、庶民の味であるおでんの値段を引き上げるわけにもいかない。こうして、おでん屋の経営は苦しくなっている。

焼きなすがベトナムで焼かれるわけ

　高級和食店で出されている料理はすべて手作りとはかぎらない。和食は、手間暇が必要な料理のオンパレード。いかにも手をかけて仕込んだように見えるものにも、実際には、冷凍食品やレトルト食品など調理済みの食材が使われていることもあるのだ。

　たとえば、彩りを添えるために数粒ずつしか使わない煮豆などは、自家製だと作るのに数日かかるため、既製品を使う店が少なくない。

　また、人気メニューの焼きなすも、つきっきりで火加減を見ながら焼き、熱いうちに皮をむくという、けっこうな手間のかかる料理のひとつ。多店舗化にともない、味の均一化を図るために、この焼きなすを外国に外注することにしたという店もある。日本のなすをベトナムに輸出して、現地の工場で焼きなすを製造。それを冷凍にして、日本に逆輸入するという仕組みだ。

◐病人を乗せたベッドを移動させるときの〝掟〟とは？

病院を舞台にしたテレビドラマの中で、かならずといっていいほどお目にかかるのが、容態が急変した患者を集中治療室に運んだり、手術室から病室に移すシーン。

しかし、ここにとんでもない間違いが隠されていることがある。それは、患者を乗せたベッドの向き。正しい向きは「患者の足を先にして移動させる」のだが、ときに、頭を先にして運んでいることがあるのだ。

ある病院関係者によると、「頭を先にして運ぶのは亡くなった患者を運ぶとき」だけだとか。

ドラマで患者役の俳優が頭を先にして手術室から出てくれば、その手術は失敗だったということになる？

◐深海をものともしない海底ケーブル敷設法

海底ケーブルは、海底に敷設《ふせつ》される電力用・通信用のケーブルのこと。陸上ケーブルに比べて、①地震や台風などの自然災害に強い、②工事期間が短い、③建設コストが安い（陸上ケーブルの数分の一から数十分の一）といったメリットがある。

この海底ケーブルの敷設は、次のような手順でおこなわれている。

①海洋調査をおこない、ケーブルを通すルートを決める。海底の地形、土質、水温を調べる他、大型船の航路に当たっていないかど

うかや漁業の操業状況なども考慮する。

②最適ルートが決まると、「ケーブル敷設船」による敷設作業に入る。敷設のさい、注意が必要なのは、海底の起伏に沿ってケーブルを這わせること。たとえば、海溝を横切るとき、橋をかけるように海溝にケーブルを渡すと、宙ぶらりん部分のケーブルが揺れて、通信状態に悪影響が生じる。

そのため、海底の地形によっては、数千メートルという深海にケーブルを敷設する場合もある。

飲み物は二九度で売れ筋が一変する

飲料の売れ筋は気温二九度を境にして一変する。それ以下では、果汁のジュース類がよく売れるのだが、二九度以上になると炭酸飲料の売れ行きが伸びるのだ。

ただ、最近は、炭酸飲料の中でも微炭酸のものが好まれるようになっている。しかも、世界的な自然回帰的傾向として、炭酸飲料に代わって、果汁ジュースや紅茶、スポーツドリンク、ミネラルウォーターの売り上げが伸びてきている。

この炭酸離れの傾向がつづくと、「二九度になると、炭酸飲料の売り上げが伸びる」という飲料業界の法則も、やがてくつがえされることになるかもしれない。

◐ゴールデンウイークの天気とビールの売れ行き

ビールがもっとも売れるのは夏真っ盛りだが、売り上げの伸び率が急伸するのは五月である。

そこで、ビールメーカーでは、三月から四月にかけて新製品を売り出す。春先からじょじょに新しい銘柄に馴染んでもらい、五月の売り上げが伸びる時期に、一気に販売攻勢をかけたいからである。そこで、味を覚えてもらえば、夏本番のピーク時に向けて、大きな売り上げが期待できるという計算だ。

一方、ビールメーカーにとって最悪の展開は、五月のゴールデンウイークに雨が降ること。

この時期、暑ければビール愛飲家の手はビールに向かうが、雨が降って気温が下がると、売れ行きはがくんと落ちる。メーカーとしては新製品の味試しをしてもらう機会を失い、それが真夏のビール商戦に暗雲を投げかけるというわけである。

◐リストラ確率と通勤時間の法則

「通勤時間が一時間半以上の長距離通勤者はリストラ対象者になりやすい」という説がある。

通勤時間が長いと、短い人に比べて、体に負担がかかり、心身ともに老化の進行が早くなる。そこで、遠距離通勤者ほど〝戦力外通告〟される確率が高くなるというのだ。

たしかに、遠距離通勤者には、年齢的に早くから老眼鏡をかけたり、肩こりや腰痛を訴える人が多いことがわかっている。さらに、人付き合いがおっくうになるのも、遠距離通勤者に多く見られる現象である。

それだけ、遠距離通勤者は、〝痛勤〟とい

う連日の〝激務〟に、心身が弱りやすいというわけ。その重い負担が業務に悪影響をもたらし、やがて人事考課にも反映され、リストラの憂き目にあうというわけである。

◐狭い機内で大量の機内食を温めるテク

旅客機では、機内食をどうやって温めているのだろうか？

ジャンボ機といえども、キッチンスペースは非常に狭く、電子レンジでチンしているわけではなさそうである。

その仕掛けは、意外なところに隠されている。食事を運ぶカート自体がオーブンの機能を備えているのだ。

スッチーが運んでくるあのおなじみのカートは、一台で三〇人分の食事を収納でき、スイッチひとつで料理を温められる。しかも、「ヒーターパッド」という加熱用具によって、温めたい料理だけが温められるようになっている。メインディッシュの皿の下には、パッドを敷いて温め、一方、サラダの下にはこのパッドを敷かなければいいわけである。

◐気圧の低い日の会議はアイデアが出ないわけ

多くの人は、ふだん気圧の変化を自覚してはいない。しかし、空気を吸って生きている以上、気圧が下がる（空気が薄くなる）ことは、ストレスの原因になる。本能的に不安を感じたり、イライラしやすくなる傾向があるのだ。

だから、雨が降って気圧が低下したときに、会議を開いてもいいアイデアが出るはずもない。アメリカの心理学者によると、気圧の下降時、人は軽い憂鬱状態となり、問題解決能力が低下するという。そんなときに会議を開いても、活発な議論は期待できないというわけである。

また、実験によれば、そういう状態のとき、会議を活発にしようと、冷暖房を調節したり、熱いコーヒーを飲んでも、効果はほとんどないという。

反対に、雨上がりの晴れた日のように、気圧が上昇中時の企画会議は、いいアイデアが期待できるという。

◐旅行代理店の社員の旅行事情

旅行代理店は、旅行会社から旅行商品を仕入れている。その仕入れ価格は、旅費のおよそ八五パーセント前後。

だから、社員割引できる余地はほとんどない。割引制度がある代理店でも、せいぜい一〇パーセント程度だ。

しかも、代理店の社員は仕事が忙しい。まとまった休みがなかなかとれないため、利用する暇もなく、割引の恩恵などあってないようなものだという。

◐花屋の売り上げはサンパチに伸びる

花屋は例年、三月と八月に売り上げが伸びる。これは〝御先祖様〟のおかげである。

まず、三月に花がよく売れるのは、お彼岸があるから。お彼岸の前後、ご先祖の墓、仏壇に花を供える人が増える。

一方、八月に花がよく売れるのは、お盆が

あるから。この国で花を贈られるのは、もっぱらご先祖様というわけである。

だから、花屋というビジネスを軌道に乗せるには、ショッピング街よりも、霊園のそばに出店したほうが、成功率ははるかに高くなる。

◐四つ葉のクローバーがどんどん増えているわけ

幸運を呼ぶといわれる四つ葉のクローバーだが、最近は、この四つ葉のクローバーを使ったグッズが、たくさん出回っている。アクリル樹脂に本物の葉っぱを閉じ込めたアクセサリーなどだが、これは、四つ葉のクローバーが商品化できるほどたくさん見つかるようになったからだ。

クローバーはマメ科の「シロツメクサ」で、ふつう葉は三枚ある。それが四枚になるのは、突然変異による。四つ葉のクローバーは、そうした遺伝子情報をもっており、その遺伝子を受け継いだ個体も、四つ葉が出やすくなる。そこで人為的に交配を繰り返し、四つ葉どころか五つ葉や一八枚葉まで生み出した人もいる。

こうして四つ葉が出やすいクローバーが生み出された。その株からはかなりの確率で四つ葉がとれる。ということになると、ありがたみが薄れてしまうような気がするが、商品化は、そんな品種改良が支えていたのだ。

◐三年に一度、日焼けサロンが流行るわけ

日焼けサロンは、季節や天候に関係なく、室内で肌を焼けることが売りのビジネス。ところが、その売り上げは天候に大きく左右される。長梅雨の年は客入りが多く、空梅雨の年は客入りが悪くなるのである。

その理由は、長梅雨の年は、屋外プールや

海で日焼けできない人が続々と訪れるから。

一方、空梅雨の年は、梅雨明け宣言前から真夏のような晴天がつづく。すると、六月中から海や山で肌を焼く人が増え、日焼けサロンでお金をかけて焼こうというお客が少なくなるというわけ。

気象データによれば、日本には三年に一度は冷夏が訪れる。というわけで、日焼けサロンは三年に一度は繁盛し、三年のうち二年は客の入りが悪くなる。

◐銀行と同じビルに入った店が繁盛しないわけ

雑居ビルの二階以上に出店するとき、一階に銀行が入っていると、先行きが懸念される。

銀行は人を集める施設ではあるが、集まってくるのは、銀行に目的があって訪れる人。銀行が集める客は、ぶらりと訪れる買い物客ではないのだ。

さらに問題なのは、銀行が午後三時に閉店してしまうことである。それ以降はビルの正面に重々しいシャッターが下り、ますます人を寄せつけない寒々しい場所になる。

たとえ、駅前のテナントビルへの出店であっても、一階が銀行だと、その店の前途は多難である。

◐メニューが多い店が儲からない理由

飲食店の売り上げは「回転率」と「客単価」の掛け算によって決まる。メニュー数の多い店は、このうち回転率が落ちる傾向にある。

まず、メニュー数が増えると、調理に手間がかかる。注文されてから料理を出すまでの時間が長くなれば、おのずと客が店に滞在する時間は長くなる。すると、新しい客入れが遅れ、回転率が落ちる。

じっさい、繁盛店では、客の集中する昼時などは、「ランチメニュー」として二、三通りのメニューしか置いていないもの。これも回転率を考慮してのことだ。

ただし、回転率を気にしてメニュー数を絞ると、客に「いつも、同じものだな」と思われかねない。そこで、繁盛店では、「本日のランチ」を設けるなど、客の不満を解消する工夫を重ねている。

ファミレスの店員用サービス価格

各ファミレスチェーンが、どのくらいの値段で「まかない」（従業員用の食事）を出しているのか、リサーチしてみた。

まず、ファミレスの中では、全体に値段設定が高めのA店。このチェーンのまかない価格は全品六〇パーセントオフ。一品三〇〇〜六〇〇円程度で食べられることになる。

値段がお手ごろ価格のB店とC店は、両店とも三〇〇円台でまかないが食べられるという。そして、リーズナブルな価格帯のD店。この店では、まかないの値段も他店よりも安く、二四一円だった。

閉店が増えるほど儲かる「閉店ビジネス」

近年、「閉店ビジネス」が売り上げを伸ばしてきた。スーパーや商店が閉店したとき、不用になった機器を買い取り、リサイクルするビジネスである。

たとえば、スーパーマーケットが閉店に追い込まれると、商品棚、厨房施設などが不要になる。一方で、新規開店しようとする人もいるが、コスト削減のため、割安の中古品が求められるケースが増えている。

そこで両者のニーズをつなぎ、不要となった備品や機器を修理し、安い価格で売る業者が繁盛しているのだ。不況時代ならではの供給と需要を直結させたビジネスといえようか。今後も、閉店ビジネスはますます繁盛するとみられている。

スーパーのそばの飲食店がつぶれるわけ

スーパー周辺は、多くの人々でにぎわっているもの。だから、飲食店を開くには格好の立地条件と思う人もいるだろう。

しかし、現実はその反対である。スーパー近隣の飲食店は、なぜか流行らないのである。

その理由は二つ挙げられる。第一に、スーパーを訪れる客の多くは、夕食のおかずなど、生活必需品を買いにくる客。その帰りに、飲食店で食事をしようとする人は、まれである。

第二には、買い物客の訪れる時間帯の問題がある。スーパーに買い物に訪れる客は、午後三時～五時にかけてもっとも多くなる。その時間帯に、食事をしようという人はまずいないというわけだ。

調味料が目玉商品に使われるわけ

「調味料」は、よくスーパーの特売に使われる。保存がきく分、「安いときに買いだめしておいてもムダにならない」と主婦に思わせるからである。

また、調味料が特売される背景には、メーカーの「リベート制」がある。リベート制とは、大量販売してくれたスーパーに、メーカーが報奨金を出す制度。この報奨金分を売値から差し引けば、安値で叩き売ってもスーパーの利益はさほど変わらない。

たとえば、定価二〇〇円の調味料があったとすると、仕入れ値は小売店で一二〇円くらい。大量仕入れできる大型スーパーなら、一〇〇円を割る。そこから、報奨金（五円程度）を差し引けば、九〇円前半の仕入れ値になる。こうして、メーカー希望小売価格二〇〇円の調味料を「一個九八円」で特売できるのである。

デザートが食事の最後に出されるほんとうの理由

西洋料理では、食事のあとに、甘いケーキなどのデザートが供される。

後に出されるのには、生理的な理由がある。それは、糖分を最初にとると、直接、胃壁に当たって糖反射を起こし、胃の活動が止まってしまうということ。こうなると、せっかくの食事もきちんと消化されないし、そもそも食欲すらなくなってしまうというわけである。それでは注文数が減り、売り上げが伸びなくなってしまう。

もっとも、日本料理では、宴会の最初に甘いものが出てくることがある。これは、少ない料理でも、お腹がいっぱいになるための仕掛けかも。

高級クラブにおける〝トイレ後のオシボリ〟の秘密

たとえば、あなたが高級クラブでいい気分で飲んでいるとき、尿意をもよおしてトイレに行ったとする。

〝放水中〟というのは、案外、冷静である。腕時計を見て、「おや、もうこんな時間か」と思ったりする。さらに、手を洗おうと洗面所に行くと、前には鏡があり、そこには顔を真っ赤にした自分が映っている。そこで、あなたは思う。「そろそろ帰るか」と。

ところが、トイレから出てくると、ホステスが待ってましたとばかりにオシボリを差し出す。あなたは、手だけでなく、顔や首スジあたりを拭う。

なんとなくさっぱりしたあなたはこう思う。

「いや、もうちょっと飲むか……」

すなわち、ホステスが差し出すオシボリは、あなたを帰さないための作戦というわけである。

◐夏暑いと、せんべいが売れなくなるわけ

猛暑になると、売れ行きががくんと落ちるお菓子がある。せんべいである。

一見、せんべいは、季節や気温に関係なく、安定して売れそうだが、夏バテで食欲が落ちているときは、やはりかき氷やシャーベットなどが食べたくなるもの。せんべいは熱いお茶の友として食べると、もっともおいしいわけで、猛暑の夏には向かないのである。

また、せんべいはお中元などの贈答品によく使われるが、これも夏の気温が例年より高くなると、「今年は水羊羹《ようかん》のほうが喜ばれそうね」ということになって、やはりせんべいの売れ行きは落ちてしまう。

◐天丼と親子丼の売れ行き地図

丼物の人気ベスト5をみると、関東と関西で四種類までは同じなのだが、一位だけが違っている。関東では天丼がいちばん人気、関西では親子丼が一位なのである。

関東と関西の違いは、高級志向と大衆志向の差とも考えられる。天丼の中心となるタネはエビであり、エビは丼物のタネとしては高級食材。その高級品を好むのが、関東人である。

一方、親子丼の具は鶏肉と卵であり、ともに物価の優等生。栄養面では、親子丼はヘルシーな鶏肉に栄養価の高い卵の組み合わせであり、値段は安いが栄養満点のメニューと言える。そこが、関西人の気持ちをくすぐるのだろう。

◐ミニトマトが示すスーパーの経営状態

スーパー業界では「ミニトマトの鮮度がいい店は他の野菜の鮮度もいい」といわれる。ミニトマトが指標になるのは、野菜のなかでもとくに傷みやすく、管理が難しいから。そこで、ミニトマトの管理がしっかりしていれば、他の野菜の管理も行き届いていると判断できるというわけだ。

ちなみに、ミニトマトの鮮度を見抜くには、トマトの表面とトマトが入っているパックの底を見ればいい。ミニトマトの表面がひび割れていて、パックの底に汁気がたまっているようなら、その店の鮮度管理はいいかげん、他の野菜の鮮度・味も期待できないとみていい。

◐マンションの「完売御礼広告」のカラクリ

マンションの広告チラシでは「完売御礼」という言葉をよく目にする。しかし、なぜ売り切れたものに、お金をかけて広告を打つのだろうか？

そこには、むろんカラクリがあり、チラシの隅には「第一期販売」と印刷されているはずである。大型マンションを一度に全室売り出すと、特定の間取りや階数に人気が集まって、売れ残る物件が出てくる。そこで、売り手は、第一期、第二期といった具合に小分けにして販売、順に売り切るという販売戦略をとる。そして、一期分が売り切れると、「完売御礼」の広告を打って、二期分の見込み客を集めるというわけである。

だから、「完売」広告が出ていても、かならずしも人気物件とは言えない。そこを「売り切れるほど人気があるのか」と勘違いすると、いい物件はゲットできない。

◐「当店人気ナンバーワン商品」の読み方

量販店では「当店人気ナンバーワン」というPOPをよく目にする。しかし、その言葉をあまり信じないほうがいい。

もちろん、本当にいちばん売れている商品という場合もあるが、そうでないことのほうが多いという。店にとって〝売れると儲かるもの〟を「人気商品」としていることが多いのだ。

量販店の仕入れ値は、メーカーによっても商品によっても仕入れる量によっても変わってくる。とくに、決め手となるのが量。極端な場合、メーカーに「倍仕入れる」といえば、一台当たりの単価が半分になることもある。

だが、安く仕入れても、売れなくては意味がない。そこで登場するのが、「人気商品」のPOPというわけだ。「全国売り上げナンバーワン」といえばウソでも、「当店の人気商品」という分には不当表示にはならないというわけ。

◐うなぎ屋が団扇でバタバタあおぐ理由

うなぎ屋には、店先で炭火をおこし、団扇《うちわ》でバタバタあおぎながらうなぎを焼くというスタイルのところが多い。

うなぎの焼ける香りが店の外にまで漂ってくると、思わず店に入りたくなってしまうものだが、このパフォーマンス、客寄せのためだけにやっているのではない。

うなぎのような脂っこい魚は、炭火で急激に加熱されると、刺激の強いいやな臭いが発生。さらに、火の上に落ちた脂が燃えて、その煙がうなぎにつくと味が落ちてしまう。

つまり、団扇でバタバタあおっているのは、いやな臭いや煙がうなぎにつかないよう振り払っているわけ。店先でそうするのは、もちろん店内に煙や匂いをこもらせないためだ。

というわけで、団扇でバタバタあおいでいるうなぎ屋なら、満足な味を期待していい。

商品の売れ行きは〝高さ〟で決まる

商品は、床から七〇センチから一六〇センチぐらいの高さに陳列するのが、商品ディスプレイの基本。人の目線の高さは身長×〇・九くらいだから、通路を歩く買い物客には、このくらいの高さに置かれた商品が、もっとも自然に目に入ってくる。

また、立ったまま商品を手に取るとき、手が届くのは、肩の高さから上下六〇センチぐらい。といっても、自分の身長よりも高い位置にある商品には手を伸ばしにくいから、手軽に商品を取れるのは、床から七〇センチから一六〇センチの間となる。

つまり、売れ筋商品はこの高さに並べれば、さらに売り上げを伸ばせるというわけである。

安い商品を陳列棚の下段に置く理由

スーパーでは、陳列棚の下段には、かならず低価格商品を並べる。顧客心理とは不思議なもので、腰をかがめるような低い場所に、高額商品が陳列されていても、手に取る気にはならないのだ。一方、低価格商品なら、低い位置にあっても、そういう拒否感は生じない。

一方、店舗の陳列棚の上段には、高額商品が並んでいるはずである。たとえば、青果店では箱入りのマスクメロンなど、とっておきの商品ほど、陳列棚の高いところに置かれているものだ。

◐右側より左側の商品がよく売れるわけ

右利きの人は、体をひねるとき、左足を軸足にして、左側へひねるとスムーズにいく。それは、店内の通路を歩くときも同じで、体を左へひねるほうが楽なものだから、無意識のうちに左側に陳列されている商品に手が伸びることになる。

そこで、スーパーでは、お客の動線の左側に陳列した商品のほうがよく売れるという法則が生まれた。

そもそも、お客の多くは、通路の左側を歩く傾向がある。これは「左偏性」と呼ばれる人間共通の現象で、心臓が左にあることが理由といわれる。左側を歩けば、当然、左側に陳列された商品がよく目に入るし、手も伸ばしやすい。これも、左側の商品がよく売れる理由である。

◐不景気になると、スカーフの売り上げが伸びるわけ

景気が悪くなると、スカーフの売り上げが伸びる。そして、景気が好転すると、売り上げが落ちていく。これはほぼ確実な法則で、石油ショック、円高不況、バブル崩壊時と歴史は繰り返されてきた。

この現象には、次のような背景がある。オシャレな女性も、不景気になれば、ファッション費を切り詰めなければならない。されど、

オシャレはしたい……。そこで、彼女たちはスカーフに注目する。同じ洋服でも、首にスカーフを巻くだけで、雰囲気を変えられる。そこで、洋服の一〇分の一ほどの値段で買えるスカーフに手が伸びることになる。

かくして、景気の悪いときにはスカーフの売り上げが伸びるのである。

◐気温差が大きいほど、景気がよくなる理由

夏はより暑く、冬はより寒いほうが、季節ごとの主力商品の売れ行きが伸び、景気に弾みがつく。夏は暑いほど、エアコンやビール、清涼飲料類、水着などの夏モノがよく売れ、冬は寒いほど、暖房具や冬物衣料、コーヒーやお茶、鍋物など冬の季節商品の売れ行きが伸びるのである。

その意味で、エルニーニョ現象は景気にとって要警戒である。この現象が起きると、日本では冬は暖冬、夏は冷夏になる。年間の温度差が小さくなって、個人消費が伸び悩み、景気は悪化ということになりやすい。

とくに、冷夏は七～九月期の個人消費を落ち込ませ、景気悪化の引き金を引くことになりやすい。

◐ペットの葬式を人間用の葬儀場でおこなうのは可能か？

ペットの犬を「うちの子」と呼ぶ飼い主が増えている。わが子同然、家族同然に暮らしているから、ペットが死んだときのショックは大きく、ペットを失って、まるで抜け殻のようになってしまう人もいる。葬儀社に「お葬式をちゃんとしたい」「火葬して葬ってあげたい」と相談する人も増えている。

もちろん、民間のセレモニーホールなら、たいていのペットは、人間と同じような葬式をすることができる。幼児用の棺に納められ、

葬儀も火葬もできる。書類をととのえれば火葬だけでも可能である。

ただし、費用も人間並みで、数十万円以上かかる。そのため、現実には、ペット専用の葬儀社に依頼する人のほうが圧倒的に多い。牛や馬のように大きすぎる動物以外ならOK。遺影を飾り、希望すれば、お坊さんを呼んで読経もしてもらえる。

費用は大型犬で五万円ほど、金魚で五〇〇〇円ぐらいから。

◐日本人がノーベル経済学賞を取れない理由

ノーベル賞の中で経済学賞だけは、日本人受賞者が一人もいない。経済大国といわれているのに、なぜ日本からは、経済学賞受賞者が出ないのだろうか。

その大きな理由は、日本ではこの分野の独創的研究がおこなわれていないことがある。

日本の経済学者は、欧米の論文を翻訳し、国内で発表するのが精一杯。国内的には業績を残している学者でも、欧米で構築された理論を用いて、日本国内の経済を分析する研究が中心。オリジナルな経済理論を打ち立てたり、国際経済を新しい視点で分析したという業績はほとんど見当たらない。

新理論を構築するという独創性の点で、外国の研究者と比べると、はるかに見劣りがし、英語で国際的にアピールできる人も少なく、ノーベル経済学賞には縁遠いということになっているのだ。

◐大阪の老舗は、なぜ薄暗いのか？

江戸時代、大阪の商人のあいだでは、「家を明るくしておくと、福の神が逃げる」という言い伝えがあった。暖簾《のれん》をかけるのも、福の神を逃がさないためといわれた。

しかし、この話は、どうやら、あとからこじつけたものらしい。というのも、店を薄暗くする風習には、いかにも大阪商人ならではの理由があったからだ。

ひとつは、照明代をケチるため。さらに、店内を明るくしておくと、ほこりなどが目立つため、つねに掃除しておかなければならなくなる。店員の衣服だって汚いままでは目立つし、家具や調度もそれなりのものを揃えなければならない。それに、肝心の商品も、アラが目についたり、色あせたりしかねない。

そんなわけで、店内は薄暗いほうがなにかと好都合だったというわけである。

◐「節分には恵方巻」の仕掛け人は？

節分といえば豆まきと相場が決まっていたが、最近にわかに「恵方巻《えほうまき》」派が増えている。

恵方巻とは、節分の日にその年の恵方（歳徳人の在する方位）に向いてかぶりつく太巻き寿司のこと。福を巻き込み、縁を切らないように、太巻き寿司を切らずに丸ごと食べる。また、願い事を念じながら無言で丸かぶりすると福を呼ぶといわれている。

起源については、江戸時代末期から明治時代初期にかけて、大阪・船場の商人による商売繁盛の祈願事として始まったといわれる。戦後にいったんすたれたが、大阪の海苔問屋組合が一九七七年に節分の恵方巻イベントを道頓堀で実施したのがきっかけで復活。テレビなどで取り上げられたことで、全国に知られるようになった。「恵方寿司」「丸かぶり寿司」などとも呼ばれている「恵方巻」。最近ではコンビニでも発売され、ヒットしている。海苔問屋組合の販促作戦は大成功といったところである。

◐大阪のほうがティッシュを配りやすいわけ

街頭でのティッシュ配りにもコツがある。ただ差し出せば、通りすがりの人がすんなり受け取ってくれるわけではない。やはり黙って差し出すより、挨拶をしながら配るほうが受け取ってもらえる確率は高くなる。

配りやすさに地域性もある。たとえば、東京と大阪を比べると、大阪のほうが配りやすい。これには、受け取り率アップの必須テクである挨拶言葉が関係してくる。

東京では、「おはようございます」「よろしくお願いします」などと、言葉がどうしても長くなる。より丁寧な感じをアピールするためにお辞儀も必要だったりする。

ところが、大阪だと、「毎度!」。このたったひと言ですんでしまう。お辞儀もしないで、パッと勢いで渡すことが多い。丁寧さより、間の取り方とノリのよさの勝負である。

挨拶の長短といってもけっこうバカにならなくて、大阪は、手渡すまでの所要時間が東京より短い。そのぶん、大阪のほうがティッシュは早くはけていくのだ。

◐「戦争代行業者」ってどんな仕事?

イラク戦争でその存在がつとに知られるようになった民間軍事企業（Private Military Company）。略してPMCは、その名のとおり、軍事に関する仕事を請け負う民間企業の総称だ。

戦争代行というと、まずイメージするのが傭兵だが、PMCの場合、特殊部隊出身者を数多く擁し、その任務遂行能力は通常の正規軍をしのぐ企業が少なくない。また、そうした戦闘以外の業務内容にもPMCは多岐にわたって対応する。傭兵稼業はPMCの業務のほんの一部であり、ほかに、兵の訓練、ロジスティックなどの後方支援、情報収集・分析、コンサルティングなども丸ごと請け負い、まさに軍需ソフト面のすべてを担っている。

特殊な軍事技術をもつ人たちの集団だけに、大手ともなると、民間企業といえども、その軍事力は小国の軍隊など軽く凌駕する。いまや軍事・戦争は庶民の想像以上のレベルで民営化されているのだ。

◐これが「倒産の前兆」だ！

会社は、ある日突然、倒産するのではない。そこにいたるまでには、次のような前兆があるのだ。

たとえば、倒産の前には、取引先からの請求書が未着という事件がしばしば起こる。しかし、これはたいてい経理の苦しいウソ。請求書はちゃんと届いているのだが、払う金がない。そこでしらばっくれて、請求書が手違いで届かなかったことにするのだ。

社長の出社が不規則になるのもヤバい前兆。これは、たいてい金策で走り回っている証拠だ。また、幹部社員が自社商品の横流しや横領などの不正に手を染めるのも、彼らが倒産の危機を早くから知っており、ヤケクソになって手を染めたという場合が多い。

女子社員がいっせいにやめるのも倒産の前兆。彼女たちは、いわば「難破船のネズミ」。カンの鋭い女性たちの行動は、外部から倒産を察知する大切な要件になる。

◆2章◆

「政治と役所」の周辺に流れる〝裏情報〟の数々

もしも「誤認逮捕」されたら……？

◐国会議事堂に使われている石

国会議事堂はさながら〝石の博物館〟である。

まず、一階の外壁には「黒髪石」が使用されている。これは山口県の黒髪島名産の石。二階以上には「尾立石」が使われ、これは広島県倉橋島の名産で「桜みかげ」と呼ばれる種類。ほかに、新潟県蒲原郡の「草水みかげ」も、中庭の通路に使われている。

これらは外壁に使われている石で、内装には別の石が使われている。大量に使われているのは、茨城県常陸太田市の「茨城白」と呼ばれる石灰岩。

他に、山口県秋吉台産の「薄雲」「霞」と呼ばれる石や、岐阜県の「赤坂石灰岩」も使用されている。

そして、要所にはとびきり高級の石が配されている。天皇陛下が休息される部屋の暖炉に使われている「紅葉石」は、静岡県千葉山の産で、紅葉を思わせる赤褐色が美しい非常に珍しい石である。

◐市町村が成人式をやめたくてもやめられない理由

成人式が荒れたり形骸化しても、各市町村にはかんたんにやめられない理由がある。市町村長が「存続は疑問」と発言するだけで、地元の呉服商組合から抗議が殺到するからである。

ただでさえ、着物の売り上げはジリ貧状態である。その中で、成人式用の晴れ着は、年間売り上げの二、三割を占めるドル箱商品。もし、成人式がなくなれば、呉服店の売り上げはさらに落ち込み、閉店に追い込まれる店が相次ぐかもしれない。

つまり、成人式は呉服業界にとっては生命線。なんとか開催がつづくよう、市町村長らに根回しをしている。

そもそも呉服店には老舗が多い。当然、その商店主は地元で顔が広く、商店街などの役員についている人が多い。選挙をかかえている政治家にとっては、呉服商の団体を怒らせるわけにはいかないというわけで、成人式はなくなりそうで、なくならないのである。

◐警察官の死体処理手当事情

警察官に「もっともつらい仕事は？」と問うと、死体処理と答える人が多い。

殺人事件の現場でも、交通事故の現場でも、真っ先に駆けつけるのは警察官だ。

そこには、寝ているかのような穏やかな死体もあれば、バラバラにされた死体もある。さらに、腐乱した死体もあって、警察官も新米の頃は夢にまで出てくるという。経験を重ねると、死体が単なるモノとしか見えなくなるというが、それはそれで、人間として大きな悩みとなるらしい。

というわけで、死体の処理は警察官にとっ

ても厳しい仕事であるため、これをおこなった警察官には手当が出ることになっている。その値段は都道府県によって違うが、東京都の場合、普通の死体で一体一二〇〇円、腐乱死体だと二四〇〇円が支給されている。

◐婦警の「夏も厚着」のマニュアル地獄

夏になると、婦警の制服は夏服に変わるが、制服の下は厚着のままである。

アンダーシャツをつけないと、ブラジャーなど、下着の線が出てしまう。それでは警察官らしくないということで、婦警たちは真夏でもアンダーシャツを着込んでいるのだ。

また、婦警は駐車違反の取り締まりなど、路上で中腰になることがある。そんなとき、スカートの中が見えないようにと、真夏でもガードルをはくというマニュアルもある。

そして、最悪なのは雨の日。厚着の上に、レインコートを着るから、仕事の後は汗の臭いがして大変だという。

◐警察官の古くなった制服の行方

警察官の制服は、各都道府県が支給管理し、耐用年数を過ぎた制服は、市中に流出しないように回収される。そして、原型をとどめないように裁断され、ボタンもすべてはずされる。

その後、裁断された制服生地は、焼却処分されるが、化学繊維が使用されているため、焼却は専門業者に依頼、そのコストはバカにはならないという。

そこで、山口県警では、二〇〇三年四月から〝リサイクル事業〟をスタートさせ、退職警官六九人の制服を回収し、玄関マット一八〇枚を作った。なお、この制服製玄関マットは県内二七の警察署に配られた。

◐警官は飛行機内に拳銃を持ちこめるか？

結論から先にいうと、警察官は拳銃を機内に持ち込むことが「できる」。

航空機の運航をめぐっては、国土交通省航空局がガイドラインを決め、航空会社はそれにもとづいて運航している。そのガイドラインによると、職務上必要が認められる場合、銃の持ち込みが許可されることになっているのだ。

むろん、確認作業はきわめて厳重で、事前に警察から航空会社に銃を持ち込む警察官の氏名や日時、目的などが届けられ、当日、再確認が厳重におこなわれる。

◐電話の逆探知にかかる時間は？

刑事ドラマに、「犯人からの電話だ。逆探知するから時間を稼げ！」といった台詞《せりふ》がよく出てくるが、じつはこれ、いまではそんな必要がなくなった。

たしかに以前は、逆探知には五分以上かかった。それは、「クロスオーバー交換機」というアナログ式の電話交換機が使われていたため。これだと、電話番号を調べるのに、相手の回線がどこから来ているか目で確認しなければならず、いわば手作業。ところが、現在では「デジタル交換機」になっていて、相手がどの電話からかけているかを知るには、ものの一秒もかからない。携帯電話の画面にかけてきた相手の番号が表示されるのと同じ要領で、瞬時に逆探知が可能なのだ。

犯人が逆探知を恐れて、場所を変えてあちこちの公衆電話からかけたりするのも、刑事ドラマのお約束だが、これもほとんど意味がない。電話会社は各公衆電話の電話番号を把握しており、それを瞬時に逆探知して、どの公衆電話からか特定できてしまうのだ。

◐米軍の横田基地の住所はカリフォルニア州説

米軍の横田基地は、東京都福生市《ふっさ》にある。福生市は東京の西部で、東京駅からだと、電車で東京を横断し、およそ一時間で着く。

ところが、この横田基地に郵便物を送るとき、「カリフォルニア州　横田基地」でも届くという噂がある。本当なのだろうか？

じつは、アメリカ国内から、横田基地に郵便物を送るときは、「California　St. Yokota Base」でも届くようになっている。横田基地に駐在する米兵の親たちが、息子に手紙を送るとき、日本の住所ではわかりずらい。そこで、カリフォルニア州扱いで届くようにと配慮されているという。

したがって、日本国内からは「カリフォルニア州　横田基地」という宛先で手紙を送っても届かない。東京都福生市、以下日本の住所を正確に書くこと。

◐マスコミが政治家の散髪をマークするわけ

歴代の首相はなじみの散髪店を持っているもので、首相在任中も忙しいわりにはちょくちょく散髪に出かける。首相は頻繁にテレビに映るわけで、また要人と会う機会も多い。その分、散髪の回数が増えるのだ。

そこで、新聞記者には、首相お気に入りの散髪店で自分も散髪する人もいる。首相担当の理髪師をマークすれば、思わぬ情報が取れるかもしれないというわけだ。

とくに、政局が緊迫したときには、マスコミの視線はいっそう散髪店に集中することになる。政局が混乱する中、首相が散髪に出かけたということは、選挙用のポスターを撮影するためかもしれないからである。「いよいよ衆議院解散か」という予測が成り立つというわけだ。

◐国会の「議長ォー」と叫ぶ議員の素性

衆議院の本会議では、突然一人の議員が立ち上がり、「議長ォー」と大声で叫ぶ。その議員は、議院運営委員会の決定に基づいて、本会議の進め方について動議を提出する「議事進行係」と呼ばれる議員である。

議事進行係が国会に誕生したのは、明治二七年のことだった。本会議の運営をスムーズに進めようと、一部の議員が自発的に議事進行役を買って出たことに始まる。

当時は、議院運営委員会や国会対策委員会といった組織がなかったため、会議日程を調整するのに手間がかかった。それを円滑に進めるために、議事進行役が必要になったのである。

議運委の設置後も、議事進行係が残りつづけたのは、衆議院が何事も「先例」重視の世界であり、それが一種の「型」として定着しているからといえる。なお、参議院では議事進行係はすでに廃止されている。

◐日本国憲法が外国の憲法よりも長いわけ

日本国憲法は一〇三条もあって、外国の憲法に比べると、条文の多い部類に入る。これは、日本国憲法が事実上、GHQの手によって作られ、戦争処理的な条文が数多く加わっているためだ。

たとえば、第三一条から第四〇条にかけては、刑事手続きに関する規定が並んでいる。第三六条には「公務員による拷問及び残虐な刑罰は、絶対にこれを禁ずる」とあるが、これは戦前の特高警察による強圧的な取り調べを念頭においたもの。しかし、これが憲法で定めることなのかどうかは議論が分かれるところだ。

また、第七章の財政の項目には、国防予算を抑止する狙いが込められている。「国費を支出し、又は国が債務を負担するには、国会の議決に基くことを必要とする」（第八五条）という条文は、国防費を簡単に支出できないようにする意図が隠されている。

というわけで、他の法律で決めればいいことまで、憲法で縛ったため、日本国憲法は条文が増えることになった。

◐財務省官僚の子供に一〇月生まれが多いわけ

財務省主計局の主計官や主査の子供は、一〇月末から一一月にかけて生まれることが多い。これは、国の予算編成スケジュールと密接に関係している。

例年八月になると、予算編成作業がスタート。そこから、主計官や主査たちは忙しすぎて、自宅に帰ることすらできなくなる。毎晩、午前二時や三時になるのはザラで、明け方まで作業がつづくことも珍しくない。

当然のように役所に泊まることが多くなり、帰宅するにしても、明け方に帰り、数時間の睡眠をとって、昼頃に出勤という生活になる。これが一二月末までつづくのだから、とても妻をかまっている時間はない。

その作業がようやく終わりを告げ、翌年、予算委員会の審議が始まるまでの短い時期は、

主計官や主査たちも夜もそう遅くならないうちに帰宅できる。かくして、夫婦の夜の営みが復活。一〇月末から一一月にかけて子供が生まれるというわけ。

◐宮内庁に入庁するルート

宮内庁は、宮中における儀式や行事、皇室用財産の管理など幅広い業務を執りおこなっている。いったい、どんな人が働いているのだろうか。

宮内庁で働くためには、国家公務員採用試験に合格し、さらに面接によって採用されなくてはならない。宮内庁だけに、そのさい身元を厳しく調査されるようなイメージがあるが、特別な条件はないとされている。他の省庁と同じように、官僚として採用されるわけだ。

また、それ以外のルートでも、宮内庁に入りこむ方法がある。たとえば、「天皇の料理番」と呼ばれる大膳課に入るルート。大膳課には、洋食・和食に分かれてかなりの人数の料理人がいる。

◐海上保安庁の海上での免許証確認法

海上保安庁の巡視艇の仕事は、海上パトロール。密漁や密航、密輸の疑いがある船舶を取り締まったり、危険な操縦をしている船舶や、積載重量のオーバーしている船舶を厳しくチェックしている。

巡視艇の乗組員たちは、怪しい船舶を見つけると、まず停船させ、免許証の確認をする。しかし、海上でどうやって免許証を確認するのだろうか。

そこで登場するのが、魚釣りで使うようなタモ網である。船を横付けすると、波の影響でぶつかる恐れがあるので、柄の長いタモ網を使って免許証のやり取りをするのだ。タモ網に免許証を入れると、保安官はスルスルと柄を縮めて回収し、チェックを始める。

ちなみに、海上保安庁の使っているタモ網は、柄が五メートル近くもあり、船どうしが多少離れていても十分届く。

◐これが、ウワサの自衛隊研修

現在、年間、一五〇〇社程度が三泊四日の自衛隊研修を受けている。

自衛隊研修といっても、新入社員らが自衛隊員並の訓練をするわけではない。その内容は本物からみれば、お遊戯のようなものである。

研修内容は駐屯地によって違うが、おおむね次のようなものである。

まず、教官から営内生活の心得や日程の説明を受け、屋外へ移動。体育教練を受ける。新入社員たちは班に分かれて、グラウンドを行進。列をくずさずに歩いた後、「右向け右」や「回れ右」といった号令で団体行動をする練習。初日は、こんな基本的な部隊教練だけである。

二日目は、体力測定が中心。種目は、五〇メートル走、一五〇〇メートル走、走り幅跳び、懸垂の四種目である。そして、三日目にはみんなでバレーボールをする。

キビキビした動作は求められても、匍匐《ほふく》前進の練習もなく、しごく和やかに研修はおこなわれている。

◐警察官は職務中タバコを吸ってもいいのか？

警察官の職務中の喫煙は、法律で禁止されているわけではない。国家公安委員会規則には、「国民の信頼に応える高い職務倫理を保持する」とはあるものの、タバコに関する禁止規定があるわけではない。だから、勤務中に喫煙した警察官が法的なペナルティーを受けることはない。

では、警察官は勤務中でもタバコを吸えるのかといえば、これはノー。警察には各県警ごとに「内規」が設けられ、警官は服務にあたってこの内規を遵守しなければならない。勤務中の喫煙は、この内規によって禁止されている。

◐警視庁が馬を飼っている理由

外国へ行くと、警察官が馬に乗ってパトロールしているのを見かけることがある。たとえば、アメリカのシアトルでは、マリナーズの本拠地セーフコフィールドに、騎乗の警官が現れる。

しかし、日本で、馬に乗った警察官を見かけることはない。日本の警察には馬はいないのかと思ったら、警視庁には交通機動隊騎馬隊があり、十数頭の馬を飼っている。

ふだんは世田谷区の馬事公苑にいて、おもな活動は、交通安全教育への出動で、小学校などでおこなわれる交通安全教室や、交通・防犯パレードなどに参加している。アメリカのように、パトロールに利用されることはないそうだ。

ちなみに、その馬たちはサラブレッドで、もとは競走馬。中央競馬会から寄付された馬である。

◐結婚前の刑事がよく手柄を立てるカラクリ

ドラマの中では、刑事が大きな手柄を立てたとき、よく「やったぞ、警視総監賞ものだ！」などと誉めるシーンが出てくる。この賞、いったいどんなすごいものがもらえるんだろうか？　と一般人は考えがち。

たしかに、警視総監賞は、刑事部長賞、警察部長賞、署長賞といった警察官がごほうびにもらえる賞のなかでも最上級のもの。だが、そこは公職である警察のハナシ。署長賞は一〇〇円、他の賞でも五〇〇円など、中身はほんの微々たるものらしい。

これらの賞は、賞金よりもその賞をもらったという名誉が重要なのだ。たとえば、結婚を間近に控えた捜査員の場合、先輩たちがつかまえた指名手配犯の手錠を、あえてその捜査員にかけさせてやり、わざと賞を与えることもある。結婚式のスピーチで、「〇〇君は成績優秀で、警視総監賞を受賞……」と紹介されれば、本人も鼻が高いというわけだ。これぞ警察流の結婚プレゼントといったところか。

◐新人記者が警察を担当するわけ

新聞社では、新人記者はまず地方支局へ配属され、「サツ回り」と呼ばれる警察担当に回される。新人記者がこのコースをたどるのは、取材技術を身につけるのに、警察が扱う事件・事故がもっとも適した〝教材〟だからである。

犯罪がらみの取材では、絶対に人名や地名を間違えることはできない。また、その事件や事故が締め切り時間が迫っている時間帯に起きれば、限られた時間の中で仕事をこなさなければならない。正確で迅速な取材を学ぶには、格好のトレーニング場なのである。

また、事件取材のためには、刑事課や交通課などにまめに足を運んで捜査幹部や刑事たちと親交を深めておく必要がある。こうした努力が、いざというとき、情報入手に役に立つということも、身をもって体験することができるというわけだ。

◐新聞記者が刑事の自宅近くにクルマを停めない理由

新聞記者は、ハイヤーで夜回りに行っても、刑事の自宅近くにハイヤーを停めない。帰ってきた刑事がハイヤーを発見、新聞記者に接触したくないと思えば、そのまま警察署に帰ってしまうこともあるからだ。とくに容疑者逮捕が近いときほど、刑事は記者と接触したがらない。

また、警察官は官舎に住んでいることが多いので、近くに住む関係者に気づかれたら、携帯電話で連絡される可能性もある。そうなれば、いくら待っても「空振り」ということになる。

そこで、新聞記者は家から数十メートルは離れた駐車しやすいところにハイヤーを停め、そこから玄関前まで歩いて、刑事の家を訪ねるのである。

◐政治記者が〝密室の会議〟の中身を知る法

政界で重要な話し合いがおこなわれるのは、料亭・ホテルの一室か、党本部の会議室など。むろん非公開でおこなわれるので、新聞記者は、あの手この手で話の中身を知ろうとする。

その基本的な手法のひとつが「壁耳」である。これは文字通り、会議室の壁に耳をあて、盗み聞きをする方法。なかには、会議室の外にしゃがみこみ、通風口に耳をつけて聞く記者もいる。それに対抗するため、通風口にラジカセを置き、音楽を流して、盗み聞きを防いだ政治家もいる。

むろん、オーソドックスな取材法もあり、会議が終われば、大勢の記者で出席者を囲んで話を聞く。また、付き合いの深い政治家からは、直接話を聞くこともできる。こうして、複数の取材源に当たれば、ひとつひとつは断片的情報にすぎなくても、ジグソーパズルのように組み立てていけば、およその全体像が見えてくるというわけ。

◐刑務所運動会が年々盛んになる喜べない理由

刑務所では、年に一度、運動会が開かれている。刑務所内の工場別の対抗戦で、外国人受刑者も参加。日本語、英語、中国語の三カ国語で実況中継されるなど、にぎやかにおこなわれている。

この刑務所内の運動会は年々盛りあがっている。その理由は、受刑者が急増しているためである。

現在、全国に六七ある刑務所の定員は約五万人。しかし、現在は定員オーバー状態である。アメリカでは、受刑者の収容率が一二〇パーセントを超えると、暴動が起こるといわれているが、日本の刑務所にも、収容率一三〇パーセント以上というところがある。

運動会は、こうした受刑者の急増で年々盛んにはなっているが、競技中はお互いにぶつかったり、熱くなってケンカも起きやすいという。運動会でのささいな出来事をきっかけに暴動が起きないかと心配されている。

◐警察の取調室には本当にマジックミラーがある？

「あの男に間違いないですか？ 向こうからは見えません。落ち着いてよく見てください」刑事にうながされ、マジックミラー越しに取調室の犯人の顔を確認する被害者――ドラマでよくあるこんなシーン。しかし、実際のところ、警察の取調室にマジックミラーはついているのだろうか？

結論からいうと、イエスである。警察には所轄の取調室にも、マジックミラーが設置された部屋がある。マジックミラー越しに見える取調室は、グレーの壁に鉄格子がはまった小さな窓がある狭い部屋。スチール製の机と、それを挟むように二脚の椅子が置かれている。ただし、机の上に電灯が置かれているのは、ドラマの中だけである。

誤認逮捕を防ぐため、警察は被疑者を逮捕したら、まず被疑者の知り合いや目撃者に、本人であることを確認してもらう。そんなとき、被疑者に見られずにじっくり観察できるマジックミラーが必要になるのだ。

◐選挙に立候補するのに、「供託金」が必要な理由

町村議会議員の選挙を除くと、日本では衆議院議員選挙でも市会議員選挙でも、立候補するときは、「供託金」を積まなければならない。

供託金はその名の通り、選挙後には返還される性質のものだが、一定の得票を獲得できないと没収されてしまう。

つまり、供託金は、泡沫候補の乱立を防ぐためにあり、選挙に勝ち目のない人は、最初からお金をドブに捨てるホゾを固めないと、立候補できないのである。

万が一「誤認逮捕」されたときの心得

あなたが真犯人と顔がそっくりだと、誤認逮捕されてもやむをえない。それが、今の日本の法律である。

犯人と顔がそっくりだということは、「充分な疑い」があるということになり、法律では緊急逮捕が認められている。それが誤認逮捕の場合は、自分で疑いをはらすしかないのが法律の考え方なのだ。

そのため、かりに誤認逮捕でも、逮捕時に執拗な抵抗をすると、公務執行妨害になることもある。

逮捕されたときは、一応警察に従い、とにかく一刻も早く当番弁護士を呼ぶこと。そして、当番弁護士がくるまでは警察には「自分ではない」こと以外は何もしゃべらず、また、調書類にも署名や捺印をいっさいしないこと。言われるままに署名をしたばっかりに、冤罪《えんざい》で何十年間も苦しんでいる人も実際にいるのだから。

「司法通訳」ってどんな仕事?

外国人が事件を起こしたり、犯罪に巻き込まれると、警察での取り調べや法廷での審理に「司法通訳」が必要になる。

司法通訳は二つに分けられる。被疑者が逮捕されてから起訴されるまでの勾留期間を担当する「捜査通訳」と、裁判で通訳をおこなう「法廷通訳」である。

外国人に捜査や裁判が公平におこなわれていることを理解してもらい、権利を保証することがこれら司法通訳人の仕事だ。

現在、約二六〇〇人の司法通訳人が登録されているが、英語はともかく、アジアやアフリカなどの少数言語の通訳人の数は、まだまだ不足しているという。

◐「日本政府」ってどこにある？

辞書によると、「政府」とは「日本では、内閣及び行政機構を指す」とある。日本政府の要は「内閣」であり、内閣があるところが日本政府といっていいように思える。

しかし、この内閣の場所がはっきりしない。憲法第六六条には、内閣は「その首長たる内閣総理大臣及びその他の国務大臣でこれを組織する」とある。要するに、内閣は首相と各大臣によって構成される合議体であり、特定の建物に入っているわけではないのだ。

内閣の会議である「閣議」は首相官邸で開かれるが、ふだん各大臣は各省庁舎にある大臣室などにいて、首相官邸に出向くのは閣議が開かれるときくらいである。

というわけで、日本政府の位置を「住所」として特定するのは難しい。日本政府の位置は漠然とはしているが、それが内閣と行政機構の集合体である意味では、首相官邸と各省庁（行政機構）が立ち並ぶ霞が関一帯にあるといっていいだろう。

◐中央省庁の「課長」たちの仕事

中央省庁では、政策立案、許認可、補助金拠出などの実務は、事実上、課のレベルで決められている。

この課のトップにあるのが「課長」。その課長を補佐するのが「課長補佐」。政策や法案の原案は、課長補佐が中心になって作り、課長、局長、大臣と決済される。その課長補佐の補佐役として「係長」がいる。

財務省の場合、キャリア組は平均して入省後五年目で係長になり、その後にいったん地方の税務署長を経て、本省に戻って課長補佐になる。ここで、国家レベルの政策作りを初めて経験し、財務官僚としての実力を養っていく。

係長や課長補佐には、ノン・キャリア組も昇進できるが、課長以上に昇進することはほとんどない。ごく一部、ノン・キャリア組用にガス抜きのようなポストが用意されているが、それ以上のポストに就くには、基本的に「国家公務員I種試験合格」の資格が必要になる。

◐政府の「隠れ借金」の隠し場所

政府が予算編成する時期になると、「隠れ借金」という言葉を耳にする。政府は一般会計から支出すべき資金を繰り延べて、当面のやり繰りをすることがある。それが、隠れ借金である。

大きなところでは、年金がある。厚生年金には国が負担しなければならない部分があるが、これまでの年金支払いは保険料でまかなえているため、その負担は繰り延べされている。しかし、今後ますます高齢化がすすむわけで、いつかはきちんと国が資金を繰り入れなければ、年金制度は維持できない。

こうして、政府が支払いを先延ばししているお金などのことを隠れ借金と呼ぶ。その総額は「隠れ」だけにはっきりしないが、五〇兆円とも八〇兆円ともいわれている。

◐首相秘書官たちの氏素性

首相秘書官は、総理の身近にいて、政策的なアドバイスからスケジュール調整、各種情報の伝達をおこなう役割を担っている。一人の政務秘書官と四人の事務秘書官からなり、なかでも首相に大きな影響力を与えるのが政務秘書官である。

政務秘書官は、政策的アドバイスはもちろん、首相の金庫番的な役割も果たす。この職に就くのは首相から絶大な信頼を受けている人物で、たいていは首相になる以前から秘書を務めていた人か、親類縁者から選ばれる。

一方、事務秘書官は官僚から選ばれ、おもに事務的な面でのバックアップをおこなう。彼らは、秘書官として首相と行動をともにする他、国会答弁やスピーチなどのとりまとめをおこなっている。

◐外国から大臣へ贈られたプレゼントの行方

首相や大臣が外国から受け取ったプレゼントをどう処理すべきかは、法律や規則では定められていない。各役所の常識と慣例の範囲内で、ケースバイケースで処理されている。

たとえば食料品、とくに生モノをもらった場合は、官僚たちや関係者に配って、すぐに食べてしまうことが多いという。

また、置き物や美術品を贈られることもあるが、その場合は省内の会議にかけて、大臣個人のものにするか、省内の備品にするかを決めるようだ。基本的に高額の品物の場合は省内の備品にし、あまり高価でないものは大臣個人のものにすることが多いという。

◐政治家が旅先を選んで重要発言するわけ

政治家が外国や地方に出かけたとき、その発言が反響を呼ぶことがある。これは、偶然ではない。政治家は、東京を離れるときを狙って重要発言をするのだ。

大物政治家が出かけたときは、現地で記者会見が設定されることになる。とくに、首相の外遊時には「内政懇談」と呼ばれる場が設定され、同行記者に内政問題について語る慣例がある。

ふだん、首相官邸での会見は官房長官がおこなうため、首相が記者会見する機会はそれほど多くはない。そのため、外遊先では、記者も手ぐすねを引いているわけで、記者の突っ込みによって、重要発言が飛び出すことが多いのだ。

一方、政治家側からすると、旅先での重要発言は、ニュースの扱いを大きくするという狙いが秘められている。旅先まで随行した記者たちは、何か〝お土産〟になるニュースを欲しいと思っている。そこで、たとえ同程度の発言であっても、東京で口にするよりも、外国や地方で発言したほうがニュースとして大きくなるのだ。

◐新車が売れると、警察が忙しくなる理由

交通関係者の間では「新車が売れると、警察官が忙しくなる」ことは常識である。

新車を買った人は、すぐに運転してみたくなる。友だちを誘って、ドライブに出かけたくもなる。スピード感を味わいたくて、アクセルをふかしてしまうこともある。そして、事故を起こし、警察のご厄介になる——。

新車を買って気分がハイになっていると、ついつい注意力が散漫になりがちだ。そして、ハ

ンドルやブレーキ操作を誤ってしまうのである。

実際過去に、新車が売れた時期には、交通事故が急増している。長年、減少傾向にあった死亡事故が増加に転じたのも、バブル期、新車が飛ぶように売れた時期だった。

◐御料車の車種はどう変わってきたか？

御料車とは、天皇陛下が公用にご使用になる特別自動車のこと。「皇1」など特別な「皇ナンバー」で登録され、菊の紋章が車体の前後左右につけられている。現在は、リムジン型五台、セダン型四台とオープンカー一台の計十台が保有されている。

御料車が使われるようになったのは一九一三（大正二）年のことで、一代目御料車はドイツ車の「ダイムラー」が務めた。その後、二一年に「ロールスロイス」、三二年に「ベンツ」、五七年に「ロールスロイス」と変遷はあったものの、ずっと外国車が利用されていたが、六七年に国産車で初めて「ニッサンプリンスロイヤル」が導入された。

その「ニッサンプリンスロイヤル」が老朽化により引退、後継車はトヨタの「センチュリーロイヤル」に交代し、現在に至っている。

◐恩賜たばこがいよいよ廃止されるまでの経緯

天皇陛下から下賜される菊の紋章入りの恩賜たばこ。製造元は日本たばこ産業（JT）で、日本古来の国産葉タバコ数種をブレンドして作られている。

たばこが皇室用に作られ始めたのは、明治初期。自家用や海外からの賓客接待用としてのものだった。賜り物としての恩賜たばこの製造が始まったのは一九三四年。戦中には軍への支給も多く、太平洋戦争が終結する前年の四四年度には二八〇〇万本以上が製造された。

戦後は、天皇皇后両陛下が地方を訪問した際の関係者や皇居の清掃奉仕者、叙勲対象者などに配られていた。

しかし、世の禁煙傾向に配慮して、九四年には叙勲対象者への支給を中止。製造量も、八五年度には約二六〇万本だったのが、九七年度には一七五万本、〇三年度には約一四〇万本と年々減少していった。

そしてついに、宮内庁は接待用を除き、恩賜たばこを〇六年度いっぱいで廃止すると発表。理由には喫煙人口の減少を挙げている。

◐総選挙直前に株価が上がる二つの理由

昔から「総選挙が近づくと株価が上がる」といわれてきた。

そのひとつの理由は、かつては選挙資金の捻出のため、仕手株がよく利用されていたためである。

また、総選挙前には、特定の銘柄だけでなく、日経平均株価も上がることが多い。これは、政権与党が選挙前に景気対策をおこなうからである。

選挙のさい、国民が関心を寄せるテーマのひとつに景気がある。景気がよければ、政権与党に支持は集まり、不景気だと支持されない。そこで、総選挙が近くなると、与党は景気浮揚策を打ち出す。そして、景気上昇への期待が高まると、日経平均は上昇していく。

逆にいえば、選挙が近くなっても、平均株価が上がらないと、与党は選挙に負ける可能性が高くなる。実際、バブル崩壊後の総選挙となった平成五年の総選挙では、平均株価が歴史的大底を打つ中、自民党は惨敗、政権の座からすべり落ちた。

◐外務省職員の貯金がどんどん増えるカラクリ

外交官には大使から三等書記官までいるが、大使の年収は約三〇〇〇万円、参事官で約二〇〇〇万円、一等書記官で約一八〇〇万円、三等書記官でも約一五〇〇万円となっている。そして、たいていの場合、これらの本俸はそっくりそのまま銀行口座に残ることになる。

外交官には、本俸の他に在勤手当に住宅手当が出る。さらに、配偶者手当、子女教育手当と、手当だけで生活することが可能なのである。

とくに、物価の安いアフリカ、南米では、生活費はほとんどかからない。そのため、本俸は、銀行口座に手つかずのまま残されていく。現実に、外交官は任期を終えて帰国すると、そのお金で一戸建てを購入するケースが少なくない。

◐国会の議長や委員長の選び方

国会の役職というと、衆・参議院の議長、副議長、常任委員長、特別委員長といったところ。

これらの役職の決め方は、国会法によると、正副議長と常任委員長は本会議で選び、特別委員長は特別委員会で互選となっている。しかし、これは形式的なもので、実質的には選挙や互選をするまえに、与野党間の話し合いで、割り振りと人選が進められている。

このとき、大前提となるのは、「会派」の大きさ。議員は、国会で活動をともにする仲間と「会派」を作っていて、これは政党とほぼダブる。国会の役職は、この会派に所属する国会議員の人数によって、割り振られていくのだ。永田町では、ここでも「数は力」である。

◐国会の「理事会」って、何を話し合う？

国会の本会議や各委員会をめぐっては、事前に与野党がスケジュールを打ち合わせている。その事前の打ち合わせをおこなうのが、議院運営委員会や各委員会の理事会である。

まず、本会議の審議日程や質問時間の割り振りは、議院運営委員会で決められるのが建前。だが、実質的には、その理事会や理事懇談会で決定されている。

理事の人数の各政党への割り当ては、国会議員の数によって決まる。そして、各党の理事たちは、理事会や理事懇談会で駆け引きを展開し、本会議や各委員会を有利に進めようとする。

なかでも、各党が重視しているのが、予算委員会の理事会。予算委員会は、与野党攻防の最前線といえ、その理事には、各党とも閣僚経験者をはじめ、手練手管にたけたベテラン議員を送り込んでいる。

◐洋上投票（FAX投票）の秘密の守り方

「洋上投票」は不在者投票の一種で、船舶からFAXで投票できる制度。二〇〇〇年の総選挙から新しく採用された。

ところが、選挙には憲法で保障された「秘密投票の原則」がある。FAX投票の場合、どのような方法で、この原則を保障するのだろうか？

答えは、目隠しシール付きの用紙で受信するというもの。洋上投票に用いられる用紙は、投票者の住所・氏名を記入する欄と、候補者名を記入する欄に分かれている。記載をすませた船員たちは「指定選管」のもとへ、自ら投票用紙をFAXする。

それを選管側のファックスは、特殊な受信

用紙で受信する。目隠しシール付きのため、候補者名が記入された欄は、外からは読み取れない。

「指定選管」は、このシールで覆われた部分をその他の部分から切り離し、各投票者の投票区の選管へ郵送。そして投票日、選管の管理者がシールをはがして投票箱に入れるという手順を踏む。

◐審議会がいつも「原案支持」になるわけ

各省庁の「審議会」は、学者、マスコミ関係者、関係業界の代表などで構成される。彼らを指名するのは、審議会を設ける各省庁。そのため、各省庁の原案に反対するような人は、最初から選ばれにくいのが普通だ。

また、審議会の事務局を務めるのは各省庁の官僚。原案に反対するメンバーが現れれば、そのつど個別撃破で説得していく。

それでもなお、原案と違う意見を主張するメンバーがいれば、事務局が答申や報告書の文章を作るとき、文章に細工を施す。審議会メンバーの意見を反映させながらも、結論としては各省庁の原案通りになるような文章を作ってしまうのだ。

玉虫色の表現、論理が一貫しない答申や報告書が出てくるのは、こうしたところに原因がある。

◐東京二三区が特別区と呼ばれる理由

地方自治法では、地方公共団体を「普通地方公共団体」「特別地方公共団体」の二種類に分け、東京二三区は後者。だから、「特別区」と呼ばれている。

東京二三区が特別の扱いを受けているのには、首都ならではの特殊な経緯がある。二三区には人口一〇〇万人クラスの区もあり、普通なら政令指定都市になっていてもおかしくない。

しかし、東京都の中に大きな市があると、首都としての統一性に欠けることになる。効率的に首都機能を果たすためには、統一性が必要とされ、そのために区の自主性は制限されてきた。

たとえば、二三区の区長は以前は区議会が都知事の同意を得て選任していた。つまり、二三区は、自主的な地方行政を運営する団体として認められていなかったのである。一九七四年の地方自治法改正以降、特別区も市に準じた地位が認められるようになったが、それでも市に昇格させようという話は出ない。

◐もし裁判員に選ばれたら、どのくらい「拘束」されるの？

アメリカ映画でよく見かける陪審員制度のような「裁判員制度」が、日本でも二〇〇九年までに開始される。一般市民が裁判に参加して有罪・無罪を決めるこの制度、誰が裁判員になるかはクジ引きで決められる。

選挙権をもっている人は一部の例外を除いて誰でも選ばれる可能性がある。ひとつの裁判に参加する裁判員は六人。扱うのは刑事事件だけだが、過去の裁判数から予想すると、年間六六〇人から三三〇人に一人の割合で選任されることになる。

選ばれたら、原則として辞退できない。その人が休んだら会社が倒産してしまうとか、著しい損害や支障が出る恐れがある場合は辞退できるが、単に「忙しい」「仕事がある」というのは理由として認められない。要するに、辞退はほぼ不可能ということだ。

裁判は通常、ほぼ連日開廷され、三日から一週間で終わるが、大事件の場合はもっと長くかかってしまう。その間は仕事を休んだり、家を空けたりしなければならない。交通費や宿泊費などの実費と日当は出るものの、それなりの覚悟は必要だろう。

◐公共料金って、誰が決めている？

公共料金とは、その決定や改定に国会、政府、地方公共団体が直接関係しているもののことをいう。具体的には、電気、ガス、水道、電話料金、鉄道運賃、郵便料金などの料金のことだ。

では、誰が何を決めるかというと、これが案外知られていない。

①国会の議決によるもの……第一種郵便料金、第二種郵便料金

②政府の決定によるもの……第一種・第二種以外の郵便料金、国立学校授業料、米の政府売渡価格、社会保険診察報酬

③政府が認可するもの……電気料金、都市ガス料金、鉄道運賃、バス運賃、タクシー運賃、旅客定期船運賃、航空運賃、電報・電話料金、たばこの小売価格

④地方公共団体が決定するもの……公営水道料金、公衆浴場入浴料、公立学校授業料などとなっている。

選挙のときは、やはりよーく考えたほうがいい。

◐高速道路の料金は、どうやって決まる？

東京から大阪まで、東名高速と名神高速を乗り継いでいくと、通行料とガソリン代で、合わせて一万六〇〇〇円くらいはかかる。一方、新幹線のぞみの指定席で、東京から大阪へ行くと、運賃は一万四〇〇〇円ほど。車に一人しか乗らなかった場合と、同程度になっている。

それもそのはずで、おもな高速道路の通行料は、他の交通機関の運賃を見比べて設定されているのだ。とくに、長距離の場合は、新幹線を利用した運賃と、通行料＋ガソリン代が同じぐらいになるように決められている。

◐高速道路の標識が緑地に白文字のわけ

カーナビのついていないクルマで、高速道路を走っていると、標識だけが頼りになる。もし、標識を見落とせば、分岐で道を間違ったり、出口を見過ごしたり、運転しながらパニックになる可能性もある。

そのため、高速道路の標識は、何より見やすいことを第一に考えられている。行き先や出口などを示す標識は、すべて緑地に白文字となっているのは、色彩心理学では、この組み合わせが、もっとも読み取りやすいとされているからである。

収縮色である青や緑を背景に、白で文字や絵を描く。これによって、背景が遠くに見え、逆に白文字が浮き上がってくる。さらに、夜間や雨の日でも、暗い色をバックに白文字が浮かび上がれば、それだけ遠くからでも読み取りやすい。

高速道路では、一瞬の判断の遅れが大事故につながる恐れがある。その標識には、最大限の配慮がされている。

◐駐車違反のレッカー移動第一号はどんな車？

駐車違反車が初めてレッカー移動されたのは、一九六〇（昭和三五）年二月二六日のこと。東京都中央区の釆女橋交差点にはみだし駐車していた小型ライトバンが、その第一号の〝栄誉〟に輝いている。

むろん、車をもっていかれたドライバーも、移動する警察も初体験である。警察は、後輪にスケートをはかせて、前輪をクレーンで吊り上げたままではよかったものの、電車通りを横断中、スケートがはずれかかって立ち往生。都電二台をストップさせ、一キロ運ぶのに三〇分かかったという。

この一九六〇年は、前年に名車日産ブルーバードが発売され、「マイカー」という和製英語が浸透し始めた時期。その分、迷惑駐車も急増して、警察に「なんとかしてほしい」という苦情が寄せられるようになっていた。そこで、警察はレッカー移動に踏み切ったのだった。

◐同じ商標が同時に申請されたら？

「この名前はうちの商品だけのものですよ」ということを示す登録商標。ご存じのとおり、登録商標が認められるためには、特許庁に届け出なければならない。しかし、すでに同じ名前が登録されていたら、アウト。この世界は、早い者勝ちなのである。

ところが、同じ名前が同じ日に届け出られるケースも、年に二〜三件はあるという。そんなとき、いったいどうするのだろうか？

まず、特許庁は双方の会社に、話し合ってどちらが商標を使用するか決めるように命令する。それでも決着がつかなかったときには、「ガラポン」の出番。ガラポンとは、福引き機のこと。要するに、くじ引きである。

まず、代表者同士でじゃんけんをし、勝った人から順にサイコロを振って、それぞれの玉の色を決める。そして、ガラガラ……ポン、とガラポンを回して、同じ色が出た会社が、晴れて商標権が獲得できるのだ。

「カネ」をめぐって語られる〝裏道・抜け道〟の数々

タバコ吸わないのに生命保険料安くならない……？

◐海外で「盲腸」になったら、医療費はどれくらいかかる?

年間一〇〇〇万人以上の日本人が海外に出かける時代だ。当然、旅行先で病気になったりケガをしたりすることもあるはず。

頭痛や軽い風邪なら、薬でしのげるだろうが、たとえば、急に盲腸で手術が必要になった場合はどうなるのか。

日本であれば、健康保険で五万円程度で済む盲腸の手術と入院だが、シンガポールの場合、およそ三〇万円、ハワイでは七五万円前後もかかる。ニューヨークにいたっては、手術＋付添い（二日）＋入院日（七日）で、なんと一〇〇万円もかかってしまうという。

こういう目にあわないためには、旅行の際に掛け捨ての海外旅行保険に入っておくのが賢明。場所や期間など、いろいろなパターンがあるので、自分の旅行に合ったものを選べる。

◐ミサイルで死んだときの生命保険

ある日、突然、どこかの国からミサイルが

飛んでくる。といえば、なんとも物騒な話だが、世界のあちこちで紛争が起きている現在、ありえない話ではない。また、外国旅行中、テロなどに対する報復としてミサイル攻撃の被害者になる可能性も否定しきれない。

しかし、戦時下、ミサイルで命を落としても、生命保険金はおりないというのが、業界の常識である。

一般に、日本の生命保険は、地震や戦争といった特殊な災害は、規定外としている。そういえば、阪神淡路大震災のときにも、保険金がおりないという報道があった。結局、保険会社の経営状態などによって、保険がおりたところとおりなかったところと明暗を分けたようだが、戦争の場合も、最終的には保険会社の経営状態に左右される可能性がある。

保険に入るときは、まず保険会社の経営が優良かどうか、しっかり調べることがますます重要になっているようである。

◐お墓の「永代使用料」ってどういう意味？

墓地の広告には「永代使用料」という言葉が出てくる。墓地関係以外では聞かない言葉だが、それもそのはず、これは土地を墓地として借りているという意味で、わざわざ作られた言葉である。

そもそも、お墓を買ったからといって、墓地の一画の土地まで購入したわけではない。だから、不動産登記もされない。あくまで、お寺や墓苑から、その一画を借りているのであり、たとえば勝手に更地にして物置を建てたりしてはいけない。

「永代」とは、期限を限定せず、何代にもわたってという意味で、結局、買ったことと同じ意味だが、所有権はあくまでお寺や墓苑にある。そういう特殊な事情を表すために「永代使用料」という言葉が使われている。

使用者は、第三者に売り渡すことを禁止され、継承できるのは遺族だけである。その遺族がとだえた場合、そのお墓は無縁仏とされ、更地にされて、また別の人に貸し出されることになる。

◐理髪店の利幅はどれくらい？

理髪店の値段は、ふつうの調髪で四〇〇〇円前後。地域の組合で相談して価格が決められている。

その利幅は非常に少ない。たとえば、夫婦ふたりで働いている店で、八時間営業で一日に一〇人の客がきたとする。一人平均四〇〇〇円なら一日の売り上げは四万円。月に二五日営業して、月一〇〇万円。年に直しても、一二〇〇万円が限界である。

家賃、光熱費、水道代、シャンプー代などの経費四〇パーセントを引いて、残りは七二〇万円。特別な技術を持ちながら、夫婦二人で働いてこれである。一人頭、三六〇万円にしかならない。

◐沈没船を引き揚げる費用は誰が払う？

ふつう船舶には、船体保険、積み荷保険、第三者賠償責任保険の三つの保険がかけられている。万が一、船が沈没したときには、サルベージ船が派遣されることになるが、その費用は船体保険から支払われている。

沈没する船の多くは、数百トンクラスの貨物船。引き揚げ作業は二、三週間ほどで完了するという。

その際の費用は、五〇〇〇トン級の貨物船で、二〇〇〇万〜三〇〇〇万円が相場。引き揚げ費用の全額が保険で賄いきれない場合は、船の持ち主が追加分を支払う義務がある。

◐なぜ五〇〇〇円のメガネが当たり前になったか？

いまやメガネは五〇〇〇円で買える時代。一人で三つも四つもメガネをもち、洋服や気分に合わせて使い分ける人が増えている。

これほどメガネが安くなったのは、中国から格安フレームが大量輸入されるようになったことが主たる理由。デザインを日本でおこない、中国で生産することで、オシャレで安いフレームの大量仕入れが可能になったのだ。

また、レンズの加工は、職人芸の世界で、かつてはその人件費がメガネの値段を押し上げる要因になっていた。しかし、最近の安売りチェーン店では、中小メーカーからレンズを購入する比率を増やして原価を落としている。さらにお店のスタッフを最小限に減らすことで、ムダなコストを削ぎ落とし、五〇〇〇円という価格を実現したのである。

◐着メロの印税の行方

作曲者のもとには、ＣＤが売れるたびに印税が入ってくるが、ほかにもカラオケ使用料や、ステージで演奏されたとき、演奏印税を受け取ることになる。携帯電話の着メロの場合も同様である。

現在、着メロの多くは携帯メールを使ってダウンロードする仕組みになっているが、そのダウンロードごとに印税が作曲者に支払われる仕組みになっている。

このように、着メロが新しい収入源として開拓されたため、作曲者たちは潤っているのかというと、案外そうでもないようだ。最近はヒット曲の寿命が短くなっているため、次次とヒット曲を飛ばさないかぎり、着メロによる収入は微々たるものだという。

◐一〇〇万円の賞金と一〇〇万円の賞品では、どっちがトク？

テレビのクイズ番組には高額の賞金や賞品をもらえるものが多いが、一〇〇万円の賞金と一〇〇万円の賞品では、どちらが得だろうか？

現金のほうが好きなものが買えるから得ということになりそうだが、クイズで獲得した賞金や賞品は、五〇万円を越えると税金がかかることを忘れてはいけない。

まず一〇〇万円の賞金の場合、一時所得のため、五〇万円の特別控除があり、これを越えた金額の半分（二五万円）から、源泉徴収された一〇パーセント（五万円）を引いたものが課税対象になる。すなわち二〇万円が課税対象である。

一方、一〇〇万円の賞品は、正価の六〇パーセントで評価されるため、六〇万円が評価額。ここから特別控除の五〇万円を引き、残りの一〇万円の半分（五万円）から源泉徴収した一万円を引くと、課税対象はわずか四万円になる。

気に入った賞品なら、賞金でもらうよりずっとお得のはずだ。

◐ハリウッド映画の莫大な製作費のかき集め方

ハリウッド映画には、一作の製作費が数百億円にものぼる大作がある。そんな莫大な製作費を、いったいどうやって集めているのだろうか？

アメリカの映画界では、リスクを軽減するため、ライバルである他の映画製作会社から、資金を集めることもある。そして、その代償として配給権の一部を譲渡するのだ。

たとえば、ジェームズ・キャメロン監督のヒット作『タイタニック』は当初一億ドルの予算で20世紀フォックスが製作・配給する予定だった。しかし、その後予算がふくらみ、結局ライバルのパラマウントと交渉し、六五〇〇万ドルの追加資金の拠出を受けた。

その見返りに、パラマウントはアメリカとカナダでの配給権を得て、20世紀フォックスはそれ以外の場所での配給をおこなった。

◐銀座に三〇〇万円で店がもてるわけ

かつては、銀座でクラブをもつには、五〇〇〇万円は必要といわれたが、いまは三〇〇万円で銀座にお店を持てる時代になっている。

保証金が一五〇〇万円、家具類は、前の借り手のものをそのまま引き継ぎ、グラス類などを新たに揃えて、締めて三〇〇万円で銀座のママになった女性もいるのだ。

そんなクラブなら、「座って三〇〇〇円、ボトルを入れても一万円」という激安料金でサービスすることもできる。その安さが人気を呼んでけっこう繁盛しているそうである。

◐仏壇一個売っていくら儲かる？

仏壇を買うとき、「少し安くなりませんか」と値切る人はまずいない。仏壇店としては、寺院や宗教団体から紹介されたとき、一〇パーセント前後値引きする程度である。

しかも、店側では、お客に対して、最初に高価な仏壇から紹介する。すると、お客はものがものだけに、そう安いものも選べなくなる。勧められるままにうなずいて、三〇万から一〇〇万円の仏壇を選ぶことになりがちだ。

その仏壇の原価は、定価の三〇パーセントほど。多少値引いても、この商売、六〇パーセントは利益なのである。

ただし、飛ぶように売れる商品ではないし、保管に場所もとるし、信用も必要だから、元手は相当にかかっている。多少、利幅が厚く設定されるのも、やむをえない商売ではある。

◐タックス・ヘイブンの税収の上げ方

タックス・ヘイブンとは、法人税などの税金が、ゼロか極端に低い国や地域のこと。だが、企業が支払う法人税は、国家にとって大きな収入源のはず。タックス・ヘイブンと呼ばれる国々では、どうやって財政をまかなっているのだろうか。

もともと、タックス・ヘイブンの国や地域には有力な産業がなく、法人税収入はほとんど上がらない。はじめから税収が上がらないのだから、税金を安くしても別に困らないのだ。それよりも、法人税を安くして、外国投資を受け入れたほうが、経済的メリットは大きい。

たとえば、外国の有力企業が子会社などを置いてくれれば、会社の登録料が入ってくる。また、契約書、土地譲渡などの文書に課税される収入印紙の売り上げも期待できる。

さらに、外国から人がきて、お金を使ってくれれば、地域経済が潤うことにもなる。雇用の確保にもつながる。小国にとっては、それだけでも大きなメリットなのだ。

1ドル紙幣と「13」の奇妙な関係

日本では「4」が「死」に通じ、「9」は「苦」に通じるとして嫌われているが、欧米のキリスト教国では「13」が嫌われている。

これは、イエス・キリストの「最後の晩餐」が、キリストと一二人の弟子との一三人だったこと、そしてキリストが処刑されたのが「13日の金曜日」だったからだ。

ところが、キリスト教徒の多いアメリカの「1ドル紙幣」には、数多くの「13」が登場する。

まず、鷲がくわえている「多数で一致」という意味の「E PLURIBUS UNAM」という文字が「13」字。そして、「神は我等を助く」という意味のラテン語も「13」字。

さらに、描かれているピラミッドの階段が「13」段、鷲の上に描かれた星の数が「13」、鷲の右足がつかんでいるオリーブの葉が「13」枚、その左足がつかんでいる矢の数が「13」本、そして、鷲が乗っている楯に描かれているストライプが「13」本……。

これらの「13」は、アメリカ合衆国が独立したときの州の数「13」に由来しているといわれているが、奇妙な話ではある。

ニセ札作りがペイしない理由

ニセ札作りというと、うまくいけば濡れ手で粟の金儲けができそうに思える。しかし、実際はそうでもない。

たとえば、昭和三〇年に発見されたニセ千円札「チ－13号」は、クロム酸塩印画法という当時としては非常に高度な印刷によるもので、一枚印刷するためのコストは少なくとも七〇〇〇円以上。しかも、製作時間は一枚あたり七～八時間はかかると断定された。このニセ札、全部で一四枚発見されたから、これらを作るためには、九万八〇〇〇円なりの費用と一〇〇時間もの時間が費やされたというわけ。

また、昭和三六年に出回ったニセ千円札「チ－5号」は、犯人たちが一三〇枚使ったところで逮捕されたが、このニセ札を作るために、犯人たちは家屋敷を抵当に入れ、二八〇万円もの借金をしていたという。

◐お札が磁石にくっつくわけ

「お札は、磁石にくっつく」といえば、「賽銭が危ない！」と思う人もいるだろう。トリモチなどをお札にくっつけ、賽銭箱から釣り上げようという困った輩がいるのだから、お札が磁石にくっつけば、千円札や五千円札、さらに一万円札という大物を狙う賽銭ドロボーが増えるのではないだろうか。

しかし、お札が、磁石にくっつくといっても、普通の磁石では効果がない。きわめて強力なネオジム磁石などが必要で、このネオジム磁石は決して安くない。賽銭ドロボーをするには、〝投資〟が大きすぎるのである。

でも、なぜ紙であるお札が、磁石にくっつくのだろうか。これは、紙幣を刷るインクに秘密があって、磁性をもつ物質が、インクにわずかながら含まれているからである。そのため、自宅にころがっているような磁石ではくっつかないが、世界最強力級の磁石を使えば、ちゃんとくっつくのである。

◐お札に「I」と「O」が使われていない理由

お札（正式には「日本銀行券」という）には、一枚一枚、アルファベットと数字からなるナンバーがつけられている。が、このうち記号に使われないアルファベットが、二つある。

その二つとは、「I（アイ）」と「O（オー）」。理由は、Iは「1（イチ）」と、Oは「0（ゼロ）」と見間違いやすいからである。

◐電車の中吊り広告で、もっとも掲載料金が高いのは地下鉄という理由

通勤電車で、ふと目に入る電車の中吊り広告。日本にはJRをはじめ、私鉄各社、地下鉄といろいろな電車が走っているが、じつは掲載料金は同じではない。利用者の人数などによっても違ってくるが、平均すると、地下鉄の中吊り広告の値段がもっとも高いといわれている。

地下鉄は当然ながら昼間でも外の景色は見えない。そのため、地上を走っている電車よりも、乗っている人の目が中吊り広告に行きやすい。つまり、それだけ広告効果は高く、掲載料金も高価というわけである。

◐愛煙家も非喫煙者も生命保険の掛け金が同じ理由

タバコは「健康を損なうおそれがある」とされている。

ところが、そう指摘されながら、生命保険に関しては、「愛煙家」も「非喫煙者」も掛け金は同額なのはどうしてなのか？

じつは、一部の保険会社では、すでに喫煙の有無と健康についての統計をとっているといわれる。しかし、現在のところ「タバコ」と「死」について、医学的見地からみた明確

な因果関係が正式には認定されていない。そのため、ヘビースモーカーも生まれてから一度もタバコを吸ったことがない人も同額の保険料となっているのである。

酒についても同じ。酒豪も下戸も生命保険の掛け金は、やはり同額である。

◐日本の給料に「月給」が多い理由

日本のほとんどの会社は「月給制」である。しかし、労働基準法によれば「賃金は、毎月一回以上、一定の期日を定めて……」とあり、じつは一〇日ごとにでも、週給でも、あるいは日払いでもかまわないことになっている。

事実、外資系の中には、週給や一〇日ごとに給料を支払っている会社もある。

ただし、それまで月給制だった会社が週給制にすると、会社の経理担当者の手間が大変になる。だから、法律に定められた期日の目一杯、つまり月給制をとっている会社が多いというわけだ。

ちなみに、日本の国会議員の給料は「議員歳費」と呼ばれ、月給ではなく年俸だが、一度にまとめて受け取るわけではなく、毎月分割した形で議員報酬を受け取っている。さらに、プロ野球選手の年俸も、たいてい月割りで支払われるし、大相撲の世界は、横綱も月給取りである。

どうやら、日本人のDNAには、月給制が刻み込まれているらしい。

◐サラリーマンの給与明細に「手当」が多いわけ

給料の明細書をよくみると、「住宅手当」「家族手当」「残業手当」「役職手当」など、さまざまな「手当」が並んでいる。たくさんの「手当」がついていれば、うれしいような気もするが、じつはこれが落とし穴である。

給料は一般的に「基本給＋手当」で成り立っているが、ボーナスや退職金を算定するときの基準となるのはあくまでも「基本給」。つまり、A社の社員とB社の社員の手取りが同じ三〇万円であったとしても、A社の基本給が二〇万円、B社の基本給が一〇万円の場合は、同じボーナス三ヵ月分でも、A社は六〇万円、B社は三〇万円ということになる。さらに退職金ともなれば、その差はますます大きくなる。

つまり、手当が多く、基本給が少ない会社は、ボーナスや退職金をケチっているというわけである。

◐接待で利用したソープランドで領収証はもらえる？

会社の「接待」といえば、ふつうは酒席やゴルフだが、相手によっては「ソープ」という場合もある。接待の場合、サラリーマンにとって領収書はなくてはならない存在だが、ソープの場合はどうなのか？

ソープランドも、多くは株式会社が経営している企業であり、しかるべき売り上げがあって、お客から求められれば、当然、領収書を発行しなければならない。

しかし、問題は、領収書の発行名義。まさか「ソープランド乙姫」なんて発行名義の領収書を経理に出すわけにはいかない。しかし、ソープランド側では、ちゃんとそのあたりを考慮して、領収書の発行名義は「株式会社〇〇興業」とか「有限会社△△サービス」など、一見するとソープランドとはわからない、もっともらしい名称になっているはずである。

◐預金通帳も質草になる理由

質屋といえば、最近はブランド物の売買で知られるが、じつは預金通帳を持って行っても、お金を借りることができる。

法律では「質権は財産権をもってその目的」に設定できるとしている（民法第三六二条）。このため、有価証券、手形、小切手などとともに、預金通帳も質草となりうるのだ。

ただし、最近は定期預金に「自動貸付け」のサービスがついていて、解約しなくても、とりあえず必要な金額は借り入れできたり、あるいは、銀行によっては「この通帳は譲渡や質入れができません」と規定している場合もあるので、御利用の際は、要確認のこと。

◐タダで赤ちゃんを産む方法

豪華客船での船旅こそ究極の旅行だといわれる。航海では船はひとつの国。船長が首長なら、乗客はその首長からＶＩＰ待遇でもてなされる賓客ということになる。

当然ながら、客船には船医が同乗しており、乗客が病気になった場合は、手厚い治療と看護が保証されている。

おまけに、病気になったときの治療費はなんとタダ。その中には、出産も含まれるのだ。

ということは、予定日を逆算して、そのとき船上にあれば、出産費用がまるまる浮くということになる。

実際、作家の桐島洋子さんは、マルセイユと横浜を結ぶフランスの客船に乗り、見事、次女を出産。その費用をタダにしたという。

◐水道代を節約する裏ワザ

一八リットルの容器に水を入れる場合、水道の蛇口を開けっ放しにして水を入れた場合と、水を出したり止めたりした場合とでは、水道メーターの針は同じだろうか？

ある実験によると、出しっぱなしの場合、水道メーターは一八リットル、出したり止めたりを一〇回繰り返した場合は、二〇・五リットルを示したという。

その理由は、水道メーターの仕組みにあったようだ。水道メーターの針は、水道管の中を流れる水圧によって羽根車を回転させ、その回転数をもとに使用した水量が表示される。

ところが、何度も水を出したり止めたりしていると、水を止めたときに慣性の法則が働いて、羽根車が少し余計に回転してしまう。先のケースでは、これが一〇回も重なったため、結局、二・五リットルも余計に水を使ったことになってしまったのだ。

◐遺体を運ぶときの航空運賃

海外で亡くなると、現地に飛んだ家族は現地で火葬にして遺骨を持ち帰る。そのため、現地での火葬費と仮葬儀の費用が必要になる。遺骨は手荷物としてもち込めるから、運搬費はかからない。

一方、遺体のまま持ち帰ろうとすると、航空貨物の扱いになって貨物料金がかかる。その費用は、出国する国や航空運賃によって変わってくる。

たとえば、アメリカから成田空港まで、普通航空貨物を使って遺体を送った場合、料金は五万円程度である。意外に安いが、これは遺体を運ぶだけの費用。その他に、腐乱を防ぐための防腐剤やドライアイス代、検疫費用などの遺体処理費が必要で、これに三〇万から五〇万円はかかる。

◐刑務所の作業賞与金の明細

刑務所に服役中の受刑者は「刑務作業」と呼ばれる作業をおこなっている。作業内容は木工などの生産作業、職業訓練、自営作業（炊事・洗濯）の三つに分けられ、これらの作業に対しては「作業賞与金」が支払われている。

その金額は受刑者の〝技術〟によって違ってくる。受刑者は、経験年数と腕前によって、見習工から一等工まで一〇段階に分けられ、短期刑の人はほとんどが見習工。重罪を犯した長期刑の人ほど一等工の割合が多くなる。

ただし、一等工でも、一カ月の賞与金は八〇〇〇円から一万円程度。見習工は八〇〇円から一〇〇〇円ほどにしかならない。

◐死刑囚の生命保険金

生命保険の加入者が亡くなると、保険金が支払われる。では、加入者が死刑に処せられたときは、どうなるのだろうか？

答えは、払われる可能性もなくはないというところ。

現在まで、死刑を執行された人に対して、保険金が支払われた例はない。それは、逮捕された段階で、保険金の支払いをやめたり、解約してしまうからである。ところが、もし保険料が支払いつづけられていれば、受け取れる可能性はゼロではない。少なくとも、約款には、死刑のケースでは支払わないとは書かれていない。

◐相互乗り入れした電車の車内広告料の配分法

東京ではJR、大手私鉄七社、地下鉄が入り乱れて走り、相互乗り入れ運転をおこなっている。すると、電車内の中吊り広告の広告費は、どのように分配されているのだろうか。

その答えは「分配はしていない」。

ある私鉄企業の説明によると、相互乗り入れは、車両ごと貸すという前提でおこなっているため、広告費を割り振るという発想はないという。逆に、車両を借りる部分もあるので、広告費は相殺され、バランスがとれていると考えるそうだ。

◐弁護士は勝訴したとき、どのぐらいもっていく?

民事裁判では、弁護士報酬は、解決によって依頼者が得られるであろうと想定される金額に準じて決まる。その報酬には、担当前に受け取る着手金と、裁判に勝ったときに受け取る成功報酬がある。

日本弁護士連合会では、依頼者が得られるであろう金額が、五〇万円以下の場合、着手金はその一五パーセント。成功報酬も同じく一五パーセントと決めている。

この割合は、金額が上がるに従って少なくなり、一〇億円を超えると二パーセントになる。といっても、一〇億円なら、着手金だけで二〇〇〇万円。もし成功すれば、さらに二〇〇〇万円の報酬が得られる。

現実に、土地や相続をめぐる民事裁判の場合、数千万円、数億円を争う裁判は珍しくない。そうした裁判を担当すれば、高収入につながっていくというわけだ。

逆に、刑事に強いといわれる弁護士ほど、収入面では恵まれていないものだ。

◐近頃、自動車保険の掛け金はどうやって決まるのか？

自動車保険の保険料が自由に決められるようになり、ドライバーによって保険料金はバラバラになった。優良ドライバーは掛け金が低く、事故を起こしやすいドライバーほど掛け金は高くなっている。

この「リスク細分型保険」では、保険料をおもに次のような項目によって決定する。

年齢――三〇～四〇代は安く、若者と高齢者は高くなる

走行距離――短いと安く、長いと高くなる

ドライバーの性別――女性は安く、男性は高くなる

車種――セダンや4WDは安く、スポーツタイプは高くなる

安全装備――エアバッグやABSがあると安く、ないと高くなる

地域――東北・九州地方は安く、北海道・近畿地方は高くなる

運転（事故）歴――運転歴が長く、かつ事故のない人が安く、初心者や事故歴のある人は高くなる

というような具合である。

◐「格付け記号」が二種類あるわけ

経済誌などで「AA」とか「Baa」といった記号をよく見かけるようになった。債券などの格付け記号である。

世界的に有名な格付け会社、ムーディーズ・インベスターズ・サービスの長期債格付けの場合、評価の高いほうから「Aaa」「Aa」「A」「Baa」「Ba」「B」「Caa」「Ca」「C」の順。

一方、スタンダード・アンド・プアーズ（S&P）など他の格付け会社の記号は、「A

AA」「AA」「A」「BBB」「BB」「B」「CCC」「CC」「C」と表記する。

二通りの格付け記号があるのは、次のような歴史的経緯があるためである。

最初に、格付け記号を考案したのは、ムーディーズの創始者ジョン・ムーディー。一九〇九年、彼が初めて使った記号は「AAA」「AA」「A」という、現在S&Pが使っているものだった。

ところが、ムーディーズは、その後経営が悪化、格付け記号を後発のS&Pに売却。そして、巻き返しをはかるさい、新たに「Aaa」「Aa」「A」という格付け記号を使って、評価を再開した。それで、二通りの格付け記号が生まれたのである。

◐誰も信じない「家計調査」の時代遅れ調査法

総務省の「家計調査」は、全国八〇〇〇世帯に依頼して、五〇〇〇のサラリーマン世帯には収入と支出、三〇〇〇の自営業世帯には支出のみを家計簿につけてもらう。こうして集めたデータによって、国内総生産（GDP）の約六割にあたる個人消費の実態に迫ろうというわけである。

ところが、この家計調査、「誰も信じていない統計」と陰口をたたかれている。調査結果と現実の間に大きなギャップがあると指摘されているからである。

というのは、まず若い世帯に依頼しても、断られることが多い。家計簿をつけることが面倒なのと、家計の中身を他人に知られることが嫌がられるからだ。結局、家計調査に協力してくれるのは高齢世帯に片寄ってしまうのだ。

また、単身世帯は最初から調査対象からはずれされていることも、実態からほど遠い結果が出ることの原因とみられている。

◐遺産争いへの税務署の目の光らせ方

相続税の脱税は、遺産相続時のもめ事から発覚するというパターンが多い。相続額に不満のある者が税務署に密告するケースが少なくないのだ。

遺産相続でとかく話がこじれるのは、故人に愛人がいた場合が多い。父親の葬儀に故人の愛人という女性が現れ、「私も遺産をいただきます」というパターンである。

もし、その愛人に故人の子供がいれば、その子も相続人となる。となると、本妻や子供たちの分け前は、一気に減ってしまうわけだから、簡単には認められない。それで、たいていはもめることになり、正妻らのほうは「遺産などない」とつっぱねることがある。

しかし、愛人はむろん反発するわけで、「本当にないのかどうか確かめてやる」となって、税務署に駆け込むというわけだ。こうして隠し財産が発覚することが多いのである。

◐マルチ商法で儲かるのは、わずか数パーセント

マルチ商法とは、正式にはマルチレベル・マーケティング・プラン（多階層販売方式）といい、七〇年代のはじめにアメリカで生まれた。

もっとも、その実態は「ネズミ講」の一種。ただ、マルチ商法は、新規会員を勧誘してゆくだけのネズミ講とちがって「商品」が介在するため、ごまかされやすい。そのため、知らず知らずマルチ商法に手を染めてしまう人があとを絶たない。

そもそもの話、マルチ商法やネズミ講は最初に始めた二〜三パーセントの人間しか儲からないようなシステムになっている。しかし、いくら損をしても、一度かかわれば自分も同

罪。

被害者どころか、「無限連鎖講防止法」を犯した加害者になる。「マルチ商法にダマされて商品を買った人」はクーリング・オフ制度で救済されるが、「マルチ商法の一員だった人」は罰せられる可能性があることをお忘れなく。

◐「ヤミ金融」は、こうして人を地獄に落とす!

世の中には「トイチ（一〇日で一割）」「トサン（一〇日で三割）」という恐ろしい高金利で商売している金融業者がいる。それが「ヤミ金融」である。

「よくそんな高利のカネに手を出すものだ」というのは余裕のある人の話。世の中には失業中の人もいれば、返済にいきづまっている人もいる。そんな弱みにヤミ金融はつけこむ。

よくあるのは、まともな業者からは一銭も

借りられない状況の人に対して、「審査はありません」とか、「いますぐ！　無担保で」などという甘い言葉を囁く手口。

ヤミ金融に引っかかったら、自殺にまで追い込まれかねない。そうなる前に、できるだけ早く弁護士に相談すること。年利二九・二パーセント以上は明らかな法律違反なのだから、打つ手はいくらでもある。

◐「日本のマイホームは世界一高い」という常識のウソ

日本の一戸建ては、世界一高いわけではない。世界には、東京よりもさらに高いところもある。シンガポールと香港である。

東京の地価はバブル崩壊後に暴落したので、現在はシンガポールや香港のマイホームのほうが高くなっているのだ。その一方で、ともに平均所得は日本よりも低いから、シンガポールと香港では、大富豪でもないかぎり、一戸建てはほとんど入手不可能である。

◐労災認定を勝ち取るためのコツ

ストレスが貯まる一方の現代、ウツ病や胃潰瘍、過労死、自殺といった危険は、どんなサラリーマンにでもふりかかると思っていい。

そんなとき、労災認定が受けられるかどうかは大きい。

ところが、会社は過労による労災を認めたがらない。早い話が、企業のイメージダウンにつながるからだ。

労災は本来、「病気と労働との因果関係」が証明されれば認められる。だから、勤務中や通勤途中で倒れた場合は、意外と簡単に労災は認められる。

しかし、仕事が終わったあとの飲み屋や自宅で倒れたような場合は、倒れる前二〜三カ月の労働時間とその内容の細かい記録が必要になる。「働き過ぎ」を証言してくれる同僚がいれば、記録のかわりになるが、調査に協力しないように箝口令《かんこうれい》をしく企業も少なくない。

結局、最良の自己防衛策は、ふだんから日誌などのかたちで残業時間や業務内容を記録しておくことである。

もちろん、それ以前に、過労で病気になる

まで働かないこと。人生は仕事のためだけにあるのではないのだから。

◐麻薬の「末端価格」って、どうやって決める?

麻薬密売ルートの摘発や、大量の覚醒剤が押収されたりすると、ニュースで「末端価格にして一億円」などという数字が出てくる。「末端価格」というのは、最後に買う人が払う金額、ようするに小売価格のことだが、なぜ、おおやけには取り引きされていない麻薬や覚醒剤の値段がわかるのか?

この末端価格は警察当局が発表するもの。警察は、過去の犯罪や事件において、これらの品物が、使用を目的として販売された場合の具体的な価格をもとに割り出しており、新聞やニュースは、警察発表をそのまま報道している。

麻薬や覚醒剤の他、大麻、ピストル、銃弾など、取り引きが非合法とされるものについても、すべて同じようにして末端価格が算出されている。

◐ゴルフのホールイン・ワンは、どれくらい物入り?

ゴルフでホールイン・ワンをすると、プロは賞金がもらえるが、アマは大変な物入りになる。

その内容だが、まずは、一緒にラウンドした人たちや、ゴルフ仲間を集めての祝賀会に十五万円程度。ゴルフ場には、キャディにチップをあげ、ホールイン・ワンを記録したホールの脇に記念植樹をする。これが数万円だ。

さらに、知り合いにバラまく記念品という具合に、金をかけようと思えば、いくらでもかけられるのがホールイン・ワンである。

「ホールイン・ワン」は、ゴルフの腕もさることながら、突発事故のようなものでもあり、初心者にだってありうる。ゴルフを始めるときには、ゴルファー保険の「ホールイン・ワン」特約をつけておいたほうがいいかも。

◐パチンコの「換金」は、なぜ合法なのか？

日本のパチンコ店では、〝両替〟を希望する客には、出玉をいったんライターの石などに替え、それを店の外で現金に替えるというシステムになっている。

これは、パチンコの玉はもともと、パチンコ店から貸し出されたもので、それをパチンコ店で現金化すると、風俗営業法違反や賭博罪の適用を受けてしまうからだ。

そのため、客は、出玉をまずパチンコ店内でライターの石など（これを特殊景品と呼ぶ）に替え、それを店外の景品交換所に持って行き、そこで売ることによって現金を得るという面倒なことをしなければならないわけだ。つまり、建前では、パチンコ店と景品交換所、そして客は独立した関係にあるのである。

これは「三点買いシステム」といわれるもので、この方法だと、客は商行為をおこなっていることになり、犯罪とはならないというのが警察の解釈。もっとも、パチンコ業界は、警察の重要な天下り先。だからこそ、こんな解釈が成立するという声もある。

◐マツタケが高価な理由

同じキノコでも、シメジ、ナメコ、エノキダケ、シイタケなどは、値段を気にせずに買えるのに、なぜ、マツタケだけは、あんなに高いのか？

その理由は、いうまでもなく、需要に供給が追いつかないから。では、なぜ、マツタケの収穫高が少ないのかといえば、マツタケは人工栽培ができないからである。

マツタケは、アカマツ、ハイマツ、アカエゾマツ、あるいはコメツガなどに寄生するようにして生えるが、微妙な環境に影響されるため、せっかく、これらの木がたくさんあってもマツタケが生育するとはかぎらない。

また、こうした森林が年々伐採されている日本では、いよいよマツタケの生える場所がなくなりつつあるというわけだ。

もっとも、マツタケの命であるあの香りは、主成分が桂皮酸メチルとオクテノールであることはわかっている。だから、マツタケそっくりのキノコにこの成分をふりかけた「ニセマツタケ」なんていうキノコも出まわっている。

ともかく、ホンモノのマツタケの人工栽培に成功すれば、大金持ちになれること、請け合いである。

◐東京タワーのライトアップの電気代は?

東京の夜にひときわ鮮やかに浮かび上がるライトアップされた東京タワー。鉄骨のあちこちに計一七六器の投光器をつけ、それで照らす仕組みになっている。ランプはラグビーボール大で、一器につき四〇ワット蛍光灯の三〇~四八本分の明るさがある。つまり、八〇〇〇本近い四〇ワット蛍光灯で照らしていることになる。その電気代は、一日ざっと二万五〇〇〇円なり。

以前はわずかなランプだけだった東京タワーがライトアップされるようになったのは一九八九年。いまでは、「夜十二時の消灯の瞬間をカップルで見届けると幸せになれる」というライトダウン伝説が生まれるほど定着しているが、ロマンチックな夜景を演出するためには、けっこう電気代がかかっているのだ。

ちなみに、夏は青白い光、冬はオレンジなど暖かみのある色に、二〇人ほどの作業員が半日がかりで光の衣替えを行っている。これも大変な作業である。

◐婚約が破談になると、結納金はどうなる？

婚約したカップルの両家がおこなう結納。最近は、簡素化されるケースも多いが、もしも華燭の典を目前にして、突然の破談となった場合、結納金はどうなるのだろうか？

こんなときは、男性側は女性に結納金の返還を要求することができる。なぜなら、結納は、結婚を前提として贈られたものだからだ。法律的にも、破談になっても結納金を返さずにいると、「不当な利益」にあたり、民法第七〇三条により返還義務の対象となる。

◐キャラクター・グッズは、なぜあんなに高いのか？

スヌーピーやミッキーマウスなどの人気キャラクターがデザインされた文房具、雑貨、Tシャツ、スナック菓子などのキャラクター・グッズ。こうした商品は、通常の商品より割高になっているもの。

これは、商品化にあたって、そのキャラクターの著作権、商品化権をもっている出版社、テレビ局、原作者などにキャラクター使用料を支払わなければならないからだ。

問題はそのコストだが、一般的には小売価

格の三〜五パーセント程度といわれている。ひとつの漫画が大ヒットすると、原作者が長者番付に載るのは、原稿料や印税・原作料もさることながら、キャラクターが商品化された際の著作権料が大きいからなのである。

◐奈良のシカの〝日給〟

奈良公園には一二〇〇頭のシカがいて、奈良観光の目玉となっている。

しかも、このシカ、けっこうな働き者で、その〝労働力〟を日給に換算すると、じつに一万円の価値はあるという。

まずは、広告塔としての役割。奈良のシカは観光客を呼ぶ目玉であり、写真のモデルとしても大人気。その存在自体に価値がある。

しかし、それ以上に貢献度が高いといわれるのが、芝生を食べること。シカのおかげで、奈良公園の管理事務所では、芝刈りの必要がない。もし、シカがいなければ、年に五〜六回は芝刈りをしなければならないところだという。

その〝芝刈り料〟に加え、モデルとして働く時間も考えて、奈良県内の平均賃金を基に換算すると、シカの日給は約一万円ほどに相当するという。奈良の高校教師による試算である。

◆4章◆

世間に仕掛けられた〝裏ワザ・トリック〟の数々

接待でメシ食う理由って何……?

◐人は、こうして早とちりする

質問を二つ。

「街灯のない曲がりくねった田舎道を、そのクルマはヘッドライトもつけずに猛スピードで走りつづけた。しかし、何の事故も起きなかったのは、なぜだろう」

答えは運転がうまかったからでも、単に幸運だったからでもない。正解は、「昼間だったから」だ。

問題文には、「街灯のない」「ヘッドライトもつけずに」など夜を暗示させる言葉があるが、本当に夜だとはどこにも書いてない。

では、もうひとつ。

「某テレビ局の大物プロデューサーと某アイドル歌手の間に子供ができた。しかし、マスコミにはその事実がまったくバレなかった。どうしてか？」

正解「そのアイドル歌手は男だったから」。大物プロデューサーと聞いただけで男と思い込み、アイドル歌手と聞いただけで女だと思い込んでしまった人は、早トチリというものである。

◐一〇組の客を九部屋に入れる方法

あるホテルに、一〇人の客がやってきた。ところが、その日は空き部屋が九部屋しかなかった。

支配人は、しばらく考えてから、最初の客をロビーで待たせることにした。そして、二人目の客を201号室に、三人目の客を202号室に、以下、四人目の客は203号室、五人目の客は204号室、六人目の客は205号室、七人目の客は206号室、八人目の客は207号室、九人目の客は208号室に案内した。すると一部屋あまったので、209号室には、ロビーにいた最初の客を案内した。かくして支配人は、一〇人の客を相部屋にすることなく九つの部屋に案内することができた。

この話、あきらかに矛盾があるが、それはどこかおわかりだろうか。これは一九世紀の数学者ディリクレの「部屋割り論法」と呼ばれる古典的パズル。

落ち着いて文章を読めば、一〇人目の客の入る部屋がないことはすぐにわかるが、耳で聞くと、一〇人とも部屋におさまった気になりやすい。どうして、これで一〇人を案内できたことになるのか、と思ったとしたら、あなたはだまされにくい人だ。

◐馬だからできる〝アテ馬〟のトリック

血統が何より重視される競馬では、現役時代の成績がよかったオスとメスを交配させて、より速く走る馬を誕生させようとする。

しかし、これはあくまで人間サマの思惑というもの。馬にも好みがあって不思議ではなく、メスがその気にならなければ、どんな優秀なオスだってすることをできない。そんなときに登場するのが、「アテ馬」である。

アテ馬とは、メスをその気にさせるオス馬のこと。そのため、人相ならぬ「馬相」のいいオスが選ばれるというが、当然ながら、メスがその気になった時点でお役御免。で、いざ本番は、成績や血統のいいオス馬が、メスに乗りかかることになる。

なんともかわいそうなのはアテ馬だが、これは馬がいわゆる後背位でコトをおこなうからできる芸当。人間のような正常位なら、バトンタッチは不可能なはず？

◐眠れない人をあっさり眠らせる法

ちょっとした不安や緊張のせいで眠れない夜というのは誰にでもある。

もし、あなたのまわりにそんな人がいたら、こんなトリックを仕掛けてみてはどうか。用意するのは、小麦粉だけ。これを特殊な睡眠薬ということにして、彼に飲ませるのである。

その際のセリフはこうだ。

「このクスリを飲むと、最初は興奮して眠れなくなるかもしれないけど、しばらくするうちにグッスリ眠ってしまってるよ」

たいていの人は、これでほんとうにグッスリ眠れるはず。なぜ、タダの小麦粉にこんな効能があるのかといえば、もちろん小麦粉のせいではなく、あなたのセリフのせいである。

眠れない人というのは、眠れないことにあせり、それを自分のせいにしていることが多い。そのため、いよいよイライラして眠れなくなるのだが、「このクスリを飲むと、最初はちょっと興奮する」といわれた人は、寝つかれないのは自分のせいではなく、クスリのせいだと思い込む。そのため、自分を責める必要がなくなり、かえってリラックスする→いつしか眠りにつくというわけである。

心理学では、こうした心理を「逆偽薬効

果」と呼んでいる。

ついつい「イエス」と言ってしまう接待のワナ

日本の企業が使う交際費は年間数兆円にのぼるといわれているが、そんな莫大なお金がクラブや料亭などに流れるのには、やはりというべきかワケがある。

アメリカの心理学者ジャニスが、実験によって明らかにしたところによると、人間は何もしないときより、何かものを食べているときのほうが説得されやすいことがわかっている。「フィーリング・グッド」というのがその実験の別名で、おいしいものを食べるということは快楽（フィーリング・グッド）であり、こんなときはつい「イエス」といってしまいがちなのである。

接待に限らず、相手に「イエス」と言わせたいときは、御馳走を奮発するのが手っとり早いようで。

初歩誘導尋問の手口

たとえば、セールスの名人は、こんな調子で客に話しかけるという。

「今日はいい天気ですね」「ええ」

「今年もだいぶおしせまりまして」「はい」

「ところで、子供さんはお元気ですか」「ええ、おかげ様で」

さらに会話がつづき、

「今度、こんな商品が出たんですが、使っていただけせんか」

「いいですよ」……。

つまり、「イエス」と答えざるをえないような質問を重ねられると、肝心の質問に対しても人間はつい「イエス」といってしまうことが多いというわけである。

これは、「イエス」と言いつづけることで、心の中に「イエス」のメンタルセット（心の構え）ができてしまうから。そのときには、もう質問の内容をチェックする能力が一時的にマヒしてしまうのである。

〝サクラ〟に思わずつられてしまうワケ

デパートや街頭での物品販売の世界では、いかにして最初の一人を立ち止まらせるかがカギを握っているという。客が一人もいないところでは、誰も立ち止まってくれないが、一人でもいれば、思わずのぞきこんでしまうのが人間心理だからだ。

そこで、ときには〝サクラ〟が利用されることもある。ここでいう〝サクラ〟とは、いうまでもなく販売側が用意した人々。彼らが最初の客の役をやったり、その商品を買えば、つられてほんとうの客もその商品を買ってしまうというわけだ。

これに関しては、アメリカの心理学者ミルグラムの次のような実験がある。彼は数人のサクラを雇ってビルを見上げさせ、はたして何人の通行人がつられるかを観察した。

結果は、サクラが二～三人のときは通行人の六割が立ち止まって、いっしょにビルを見上げた。五人以上のときは、通行人の八割がビルを見上げたという。

それだけ人間というのは、他人のマネをしたがる動物ということのようだ。

パーティー商法にみる〝同調〟の心理

一軒の家に、近所の奥さんが五～六人集まり、下着の試着会や特殊な鍋を使った料理の試食会が開かれることがある。

いわゆるパーティー商法といわれるものだが、奥さんたちが商品を買う確率は、じつに高いという。一人の奥さんが、「あら、この

料理おいしいわね。私、この鍋買うわ」となると、他の奥さんも、「私も」「私も」となるらしい。

この商法、別に違法でもなんでもないが、人間心理の死角を突いているという点では、なかなかのセールステクニックと言える。

心理学では、こうした心理は「同調」と呼ばれている。「長さの違う三本の線を書き、どれがいちばん長いかを当ててもらう」というアッシュの実験というのがある。もっとも長い線は誰が見ても明らかなのだが、被験者以外の何人かのサクラがわざと間違った答えをいうと、被験者はそれにつられて間違った答えをしてしまうのだ。

それだけ人間は、自分だけ違う行動をとったり、違う意見をもったりすることを恐れるということなのだろう。こうした「同調」は、美醜や味覚など、基準が曖昧なものほど起こりやすい。下着や鍋などの商品はパーティー商法にぴったりというわけだ。

◐相手に無理難題を飲ませるウラ技

たとえば、あなたは新車を買おうとして、セールスマンと交渉。粘り強く交渉して、五〇万円もの値引きに成功したとする。

ところが、後日、セールスマンから電話があり、「上司に相談しましたら、値引きは四〇万円が限界だといわれまして……。あの話は、なかったことにしてください」と言われたとする。

こんなとき、おそらくあなたは四〇万円の値引きを飲むはずである。なぜなら、あなたは一度は自分の言い分が通ったことに満足し、そのクルマをさっそうと運転している自分の姿をたっぷりと想像してしまったからだ。

こうなると、そのクルマが自分のものにならないことなど、もはや考えられなくなる。「わかった。値引きは四〇万でいいから、早くクルマを持ってきてくれ」となるというわけだ。

じつはこれ、アメリカのセールス業界では古典とされている「ローボール説得法」をわかりやすく紹介したもの。つまり、売り手が一度、低い条件（ローボール）を飲むことで客を安心させてしまえば、次に高い条件（ハイボール）を提示しても、客はノーとは言えなくなるというわけである。

◐「ニューヨーク市民より軍隊のほうが安全」という詭弁

その昔、アメリカの海軍が一般市民に入隊を呼び掛ける広告で使ったコピーに「ニューヨーク市民になるより、海軍に入隊したほうが死亡率が低い」というものがあった。

根拠は、当時のニューヨーク市民の死亡率は千人につき十六人であったのに対して、米西戦争のときのアメリカ海軍の死亡率は千人につき九人だったというものである。

しかし、これはとんでもない詭弁だった。なぜなら、ニューヨーク市民には、赤ん坊や老人が含まれており、彼らが死亡率を高める大きな要因になっていた。

一方、海軍は二〇歳前後の屈強な若者ぞろいで、本来はそう簡単には死なないはず。つまり、質のまったく異なる集団を比較すること自体が間違いだったのである。

◐ピンストライプの服を着ると紳士に見える理由

〝大統領の犯罪〟といわれたウオーター・ゲート事件は、時の大統領ニクソンとその配下による盗聴事件。アメリカ上院の公聴会には、ニクソン配下のハルデマン、エーリックマンなどの主要人物が次々に登場したが、そのときの彼らの服装は、そろいもそろってピンストライプだった。

これは、彼らが、テレビ中継される公聴会の視聴者はほとんどが中産階級のインテリだと想定したため。ピンストライプは、アメリカのこうした層からもっとも信用を得られる服装なのだ。

公聴会が終わると、こんどはワシントンの裁判所に出頭することになったが、ここで彼らはガラリと変身した。

ハルデマンはそれまでのクルーカットをやめて髪を伸ばした。エーリックマンは、少し日焼けをして、薄いブルーの背広を着た。陪審員に黒人の多いワシントンで、公聴会と同じスタイルで出向いたのでは、青白きインテリ、エリートといった反感を買いやすいからである。

彼らの刑期が短かったのは、こうしたTPOに合わせた服装戦術のせいだともいわれている。

◐赤を赤と感じなくなる不思議

こんな実験がおこなわれたことがある。

大きな鉄の球の中を完全にくりぬいて、内側を真っ白に塗る。そこを赤い光で照らし、中をのぞく。まさに、赤一色の世界だが、一時間も見ているとどうなるか。

結果は、赤味が感じられなくなり、ただぼんやりとした明るさしか感じなくなる。

赤一色の世界を見ているのに、どうして赤味を感じなくなるのか？

　これは、人間が色を感じるためには、視野の中に複数の色が同時に存在していなければならないから。つまり、私たちは他の色と比較することで、その色を認識しているわけで、赤一色の世界は赤いとは感じなくなるのである。

◐パチンコがなかなかやめられない本当の理由

なぜ、パチンコ好きな人はパチンコがやめられないのか？

　学習心理学では、人間にひとつの行動をつづけさせることを「強化」といい、なかでもときどき報酬を与えて強化することを「部分強化」という。で、その「部分強化」には、次の四つの方法がある。
①定率強化――努力に応じて一定の報酬を与える
②定時強化――時間に応じて一定の報酬を与える
③不定率強化――努力と報酬を受け取る率が一定していない
④不定時強化――いつ報酬がもらえるか、時間が決まっていない
　おわかりのように、パチンコは③、そして④に該当する。そして③や④のほうが〝中毒〟になりやすいことがわかっているのだ。

　ちなみに、もし、パチンコが①や②のような部分強化だったら、誰もパチンコなどしないはず。それではまるでサラリーマンのよう。チャレンジ精神が湧いてこないし、一攫《いっかく》千金の夢もない。

◐「美女に惚れさせるなら、拳闘を見せよ」といわれる理由

ローマの格言に「美女に惚れさせるなら、

拳闘を見せよ」というのがある。ボクシングを見た女性は、非常に惚れっぽくなるというわけだが、この格言、心理学の実験によってちゃんと証明されている。

ダットンとアロンという心理学者がおこなった有名な〝吊り橋の実験〟といわれるものがそれだ。この実験では、人間は、恐怖感を感じているときに異性に出会うと、惚れっぽくなることが判明。理由は、恐怖による胸のドキドキを異性が魅力的だからドキドキしていると「錯覚」してしまうからである。

遊園地のジェットコースターやお化け屋敷がカップルに人気なのは、むべなるかな。

◐集団で議論するのが危険なワケ

ここに二つの会社がある。A社は、超ワンマン型の社長がひとりで経営方針を決定する独裁型。B社は、重役会議で慎重に議論して経営方針を決定する民主型である。

では、どちらの会社のほうが、海外進出など、より積極的な事業展開を進めるだろうか。

ちょっと考えると、いかにも独裁型の会社のほうが「積極経営」を推し進めそうな気もする。しかし、アメリカの心理学者ストーナーらが実験によって明らかにした結果は、民主型の会社のほうだった。

考えられる原因は三つある。ひとつは、集団で討議すると、議論が単純化され、一見して威勢のいい意見、過激な意見が通ってしまうこと。次は、集団の中でリーダーシップのある人には、往々にしてリスキーな（危険な）意見の持ち主が多く、参加者がその意見に引きずられるということ。そして、三つ目は、集団で議論すると〝責任の拡散〟が起こるということである。

「積極経営」というと聞こえはいいが、実際はリスキーなことも多いため、こうした現象は「リスキーシフト」と呼ばれている。

◐新入社員獲得作戦に秘められた〝ある目的〟

就職シーズンになると、企業の中には、勧誘役を入社二〜三年目の若手にまかせることが多い。なぜ、中堅社員やベテランでなく、若手なのか？

これには、学生たちと気軽に接触でき、学生たちもざっくばらんに話せるからだけでなく、じつは別の目的もある。それは、勧誘役の若手社員に、愛社精神を植えつけるという目的である。

人間は、自分とは違う考えでも、その考えを第三者に説明しているうちに、しだいにその考えに染まってしまう傾向がある。

大学生を勧誘する場合、自分の会社がいかにいい会社かを説明しなければならない。本音の部分では会社に批判的な意見をもっていたとしても、立場上、長所ばかりを強調することになる。

こうなると、いつしか批判的な意見はなくなり、ほんとうに自分の会社がいい会社だと思うようになるというわけである。

◐映画の雨を降らせる神がかり的テクニック

天気に雨がつきものである以上、映画にも雨はつきものである。しかし、天気は映画の撮影にあわせて雨を降らせてくれないから、

多くの場合、雨は人工的に降らせることになる。

撮影がセットの中でおこなわれているときは、比較的簡単である。撮影所の天井に細かい穴をあけた鉄パイプをはりめぐらせ、大型扇風機をまわせば、あとは水量と風力を調節するだけで、豪雨でも霧雨でも降らせることができる。

問題は、鉄パイプをはりめぐらせることができない野外ロケ。そういう場所では、以下のような原始的な方法が取られることが多い。

撮影スタッフの中に雨を降らせる名人がいて、彼がホースの先に親指をあてて降り方を調節するのだ。

映画監督というのは、雨の降らせ方ひとつにもウルサイ人が多いが、ベテランの雨係は、どんな要求にも答える。その技術は、監督をして「神業」とうならせるという。

◐商品をヒットさせるための奥義

アメリカの心理学者ベルは、ひとつの新製品をヒットさせるためには、〝ある層〟の人人への売り込みがカギを握っているといっている。

その〝ある層〟とは、イノベーターと呼ばれる人々。その条件は、

①男性で、職業は管理職か専門職
②教育程度、収入ともにきわめて高い
③持ち家の場合は、高い費用を建築にあて、

貸家の場合は家賃がきわだって高い

要するに、住環境にこだわりを持つリッチマンである。で、こうした人々は、新製品を誰よりも早く購入し、なおかつ、その有能なセールスマンになってくれるという。

彼らは自分に社会的な影響力があることを知っているため、知人から新製品の評判を聞かれると、得々とその商品のことを語る、つまり、セールスマンの役目をしてくれるというわけだ。

◐店の回転をよくするテクニック

客商売の世界では、店の壁紙を青にすると客の回転率がよくなるという伝説がある。

これは、青が「寒色」の代表だから。「寒色」とは、読んで字のごとく、寒々しい感じのする色。こういう感じのする店では、無意識のうちに客は長居を避ける。つまり、回転率がよくなるというわけである。

反対に、赤、オレンジ、黄色などの「暖色」だと、客はくつろいでしまって、ついつい長居をしてしまう。

もちろん、高級クラブや常連の多い酒場などでは、客がくつろげる雰囲気でなければならない。こんな店で寒色を使えば、たちまち閑古鳥が鳴くことになるかも。

◐選挙ポスターに「右向きの顔」が多い理由

選挙が始まると、街中に候補者の顔写真を大写しにしたポスターが張られる。

このポスター、じつは圧倒的に「右向きの顔」が多いのだが、これには次のような理由がある。

人間の顔は決して左右対称ではない。顔の左右の表情が違うのは、右脳と左脳の違いもひとつの理由である。

脳には、右脳と左脳があり、それぞれ別の役割がある。右脳はおもに感情を司り、左側はおもに言語と論理を司っているが、この左右の脳の役割が、顔下半分には反対にあらわれる。つまり、顔の右半分は論理的で冷静な顔、顔の左半分は喜怒哀楽や感性があらわれた顔というわけである。

ということは、相手に、クールな印象を与えたければ、左を向いて顔の右半分を見せ、優しそうに見せたければ、右を向いて顔の左半分を見せればいいということになる。

選挙ポスターで「右向きの顔」が多いのは、候補者が、有権者に対してクールな印象より、やさしい印象を与えたいからというわけだ。

◐たまらなくお酒が飲みたくなる広告の手口

その昔、あるスコッチ・ウイスキー・メーカーが次のような雑誌広告を出した。

図柄は、ウイスキーグラスと氷をあしらったイラストだったが、このイラストにはじつは仕掛けがあった。いわゆる〝隠し絵〟という手法で、よくみると、ムンクの名画『叫び』によく似た奇怪な顔と、空中を歩く足の図柄が隠されていたのである。

この奇妙な図柄は、じつはアルコール依存症患者が見る幻覚のイメージそのものだった。つまり、元アルコール依存症患者がこの広告を見ると、ふたたび酒を飲みたくなるという仕掛けである。

なんとも悪質な広告だが、これは、人間の〝閾下《いきか》知覚〟を利用したものだった。人間はほとんど意識できないくらい弱い刺激や、瞬間的な刺激に対しても影響を受けることがわかっており、こうした刺激によって生じる反応を閾下知覚という。有名な例としては、映画のフィルムにコーラやポップコーンの広告を挿入して上映したところ、売店での売り上げが急上昇したという話もある。

というわけで、この広告の手法、アメリカでは禁止されている。

◐広告の「目玉商品」は、エサである

電気店のチラシを見て、目玉商品の「九八〇〇円のデジカメ」を買うつもりで出かけたところ、実際に買ったのは「一万九八〇〇円のデジカメ」だったという経験はないだろうか。これは、電気店の陰謀とまではいわないものの、人間の心理を巧みについた作戦と言える。

目玉商品のカメラを目当てに電気店にやってきた客は、「安いから買う」というだけでなく、「もともとデジカメを欲しがっていた客」というケースが多い。ただ、そのチラシを見るまでは、値段が高くて買うことに躊躇《ちゅう》躇《ちょ》していたのだ。

ところが、目玉商品の登場で、この客はようやく「デジカメを買うこと」を決心してしまった。こんなとき、隣にある「高くても高品質の商品」を見たり、店員から勧められたりすると、気持ちが大きく揺らぐ。そして、「どうせなら高品質のもののほうがいい」となり、高いほうのデジカメを買ってしまう……。

つまり、目玉商品は、客に「デジカメを買う気にさせるためのエサ」というわけである。

◐ヘビつかいのヘビは、音楽に合わせて踊っているのではない

昔なつかしいお笑いに、「東京コミックショー」によるヘビつかいのネタがあった。笛の音に合わせて、ヘビが踊り出すネタで、実際にインドにいるヘビつかいをパロッたものだが、お笑いはもちろん、本場でも、ヘビは音楽に合わせて踊っているわけではない。

理由は簡単。ヘビには、聴覚がないからである。

では、なぜ、ヘビはヘビつかいの笛に乗せられて、曲芸をするように見えるのか?

じつは、ヘビつかいは、笛を吹きながら、ヘビの攻撃本能を刺激しているのである。たとえば、ヘビの入っている壺や籠を足で揺らしたり、振動を与えたりする。そうして、ヘビが顔を出すと、ヘビつかいは、笛を吹きながら自分の身体を揺らす。ヘビはそれに対して、相手の出方を見たり、牽制しようとして、身体を揺らす。それが、いかにもヘビが音楽に合わせて踊っているように見えるというわけである。

◐戦争によって進化した〝合成写真〟

合成写真とは、たとえば二枚の写真を合成して、あたかも一枚の写真のように見せるというもの。

この技術、今ではそうむずかしいものではないが、このテクニックが日本で一気に花開いたのは、敗色が濃厚になった太平洋戦争末期だった。

たとえば、ある従軍カメラマンが、大本営から依頼されて、日本の飛行場に帰還した一機の爆撃機を撮影した。ところが、翌日の新聞を見てカメラマンは驚いた。なぜなら、そこには一機しかなかったはずの爆撃機が、何十機にもなって写っていたからである。

新聞の見出しには「日本の大編隊が硫黄島の米軍基地を急襲、全機、無事帰還」。

つまり、大本営の報道部は、一機だけの写真を何枚も焼き、それを切り抜いて合成。いかにも大編隊が帰還したような写真をでっち上げたのだった。

CGのある現在なら、やり方はじつに簡単。いまや、写真＝真実ではない。しかし、案外と昔から写真は信用できないものなのかもしれない。

◐ヒトラーの写真におけるネタばらし

ヒトラーは、雑誌に掲載されるポートレートを第一次世界大戦のときの戦友だったホフマンだけにしか撮らせなかった。しかも、ヒトラーは、ホフマンに、カメラを低い位置に置かせ、仰ぎ見るアングルでしか撮影させなかった。

こうすれば、身長の高くないヒトラーも、堂々とした体格の人物に写るというわけである。

大衆の操作に「映像を利用した最初の政治家」といわれるヒトラーの、面目躍如といったところか。

◐「黒い箱」は、軽くても重く感じる！

アメリカの色彩学者L・チェスキンが、次のような報告をしている。

ある工場で、製品を黒い箱に入れて貨車で運ばせるという作業をしていたところ、午後になると労働者の多くが、疲労と身体の変調などの苦情を訴えた。そこで、箱の色をライト・グリーンに塗り替えたところ、苦情はなくなり、労働効率もぐっとアップしたという。

このように、色は人の心理に微妙な影響を与える。「明るい色＝軽い」「暗い色＝重い」

と感じさせる性質もそのひとつ。

英語の「ｌｉｇｈｔ」に、「明るい」と「軽い」の意味があるが如しだ。

◐発明王エジソンがだまされた〝心霊術〟

発明王のエジソンといえば、いかにも〝科学の申し子〟。お化けや、超能力などとはとんと縁がなさそうに見えるが、意外なことに、自分を霊媒師のひとりだと信じ込むほど、心霊術にいれこんでいた。

そんなエジソンが、あるペテン師に引っかかったのも当然といえば当然か。

そのペテン師の名前はバート・リース。彼がエジソンの目の前で心霊術を実演してみせると、エジソンはすっかり感心。彼を驚くべき心霊術の天才と認めたのである。

しかし、リースの心霊術は、まったくのインチキで、その手口は、当のエジソンが発明した電灯や蓄音機を悪用したものだった。

◐易者にみる〝言葉のトリック〟

一流の占い師は、言葉の使い手としても一流と言える。たとえば、昔からよく言われている彼らの話術に、次のようなものがある。

「あなたのお父さんは死んでいませんね」

実際に父親が死んでいる人にとっては、「死んで、もうこの世にはいない」という意味にとれ、ズバリ真実を突かれたことに感心して、その易者のいうことを信じるようになる。

一方、父親が健在の人は、「死んでいない＝生きている」という意味にとれ、これまた易者のいうことを信じるようになる。つまり、どっちにもとれる曖昧な言い方をすることで、易者は客を自分のペースに引き込んでいくわけだ。

こうなると、「あなたのトラブルは水に関係があります」などという言い方をしても、誰もが納得する。易者に見てもらおうという人は何らかのトラブルを抱えているものだし、「水に関係がある」と言われれば、家の裏に流れている川のことだろうか、それともあの夜の雨のことだろうかと、客は勝手に自分と関係ありそうなことと結び付けて解釈している。

人間は曖昧な意味のことを言われると、自分自身の過去やそのときの心理と結び付けて解釈しやすいのである。

◐ギャンブラーの心理作戦あれこれ

マージャンやポーカーなど、人間同士でやるギャンブルでは、心理的な駆け引きが重要。その道のプロによる作戦のあれこれを紹介しておこう。

①シャミセン

麻雀などで多用される。「今日はまったくツイてない」などと愚痴って、相手を油断させたり、逆に「今度の手はでかいぞ」と脅かしたり。あんまりやると嫌われる。

②ポーカーフェース

シャミセンとは違って、一言もしゃべらないだけでなく、表情すら変えない。それだけで、相手はその男を上級者だと思い、ビビる。

③自慢話

自分がいかにギャンブルの才能があるか、過去の経験を大げさに語る。気の小さい相手なら、それだけで萎縮し、能力が発揮できなくなる。

④おだて

「あなたはきっと勝つよ」「あなたにはツキがある」など、相手をいい気分にして油断させる。もっとも、相手が調子に乗ってバカ勝ちすることもあるから、これは両刃《もろは》の剣。

◐指一本で、男を立てなくさせる法

椅子に座っている大の男を、指一本で立ち上がれなくする方法がある。

やり方はいたって簡単。椅子に座っている相手の額に指をあて、やや斜めに押しつけるだけでいい。たったこれだけのことで、体重一〇〇キロを越すような屈強な男も椅子から立ち上がれなくなるのだ。

理由は、人間はどんな大男でも、椅子から立ち上がろうとするときには、かならず頭を少しだけ前に移動させるから。ところが、ちょっとした力でその頭の移動ができなくなると、もうそれだけで立ち上がれなくなってしまうのである。

◐やせなくても体重を減らす裏ワザ

ほんとうは体重が六〇キロあるのに、それ以下に見せる方法がある。

まず、静かに体重計に乗る。最初は本当の体重が表示されるが、このときはまわりの人に目をつむっておいてもらおう。

さて、体重計の上にまっすぐ立ったら、ショックを与えないように、瞬間的にヒザを折る。すると、体重計の針が後戻りする。つまり、一瞬、体重が減ったようにみえるのである。

これは、体重を支えていた足が一瞬曲げられることで、足への加重が少なくなるから。エレベーターで下りるとき、フッと体が浮くような感じになるが、あれと同じ理屈である。

◐マジックミラーの意外なカラクリ

こちらからは普通の鏡にしか見えないが、裏にまわると透明なガラス。これがマジックミラーだが、その仕組みは、意外なほど単純である。

原理としては、夏にかけるすだれと同じ。すだれは、昼間は外から部屋の中が見えないが、中から外はよく見える。逆に、夜になると外から中はまる見えになるが、中から外は見えない。その理由は、部屋の中と外の明るさの違いにある。光は、部屋の中からも外から も出ているが、つねに明るいほうから暗いほうに出るのが多いため、昼間は明るい外がよく見え、夜は逆に外より明るい部屋の中がよく見えるのだ。

マジックミラーは、警察の取調室などに設置してあるが、これも取調室を明るく、隣の部屋を暗くしておくことがポイントになる。あとは、ガラスの裏に薄い塗料を塗っておけば、ガラスの向こうからは普通の鏡にしか見えないというわけだ。

◐加熱しても「生クリーム」という不思議

生クリームは「生」ではない。かならず二回か三回は加熱されている。

そもそも、乳製品工場では、農家から納入された牛乳をただちに加熱殺菌する。さらに、クリームに加工後も、七〇～九〇度で加熱殺菌してから、出荷している。

生のクリームは、もともと脂肪分解酵素を含み、この酵素を加熱して破壊しておかなければ、乳脂肪が分解して悪臭が発生。とてもではないが、使いものにならなくなってしまうのである。

そのため、食品の専門家は、生クリームのことを「生クリーム」とは呼ばないし、食品の専門書にもそうは書かれていない。単に「クリーム」と記されている。

◐エビフライをより大きく見せかけるワザ

持ち帰り弁当に使われるエビは、たいていはカナダやアメリカから輸入された冷凍物。冷凍物はフライや天ぷらにすると、小さく縮みやすい。そこで、弁当店が編み出したワザが、貧弱なエビを大きく見せかける方法である。

エビフライの場合は、パン粉と卵を二度つけ、着ぶくれのエビフライにする。また、天ぷらは、コロモをつけたエビを油の中に入れた後、さらにその上からコロモだけ振りかける方法をとっている。

この方法は、業界で「花揚げ」と呼ばれる、エビをより大きく見せかける〝秘術〟である。

◐回転寿司店で人が握ると見せかけてロボットが握るカラクリ

最近は、回転寿司でも、客の目の前で職人が握る店が増えている。しかし、一見、職人が握っているように見えて、じつはロボットが握っているというケースもある。「おひつ型ロボット」が使われている場合である。

このロボット、外見はおひつと変わらないが、内部構造が違う。職人が手を入れると、ちょうどいい形に握られたシャリ玉が出てくる仕組みになっているのだ。これだと、お客は、まさかロボットが握っているとは気づかない。

むろん、ロボットが握っても、味の心配はない。最近の寿司ロボットは優秀で、シャリ玉の大きさや柔らかさを自在に調整でき、ベテランの職人が握ったものと比べても引けをとらないシャリ玉を作り上げる。

◐都会で食べるゴーヤは沖縄産ではない

近年人気上昇中のゴーヤ。デパートやスーパーのお惣菜売り場にも、ゴーヤ・チャンプルやゴーヤのサラダが目立つようになった。ゴーヤは、今後、日本の夏野菜の定番になっていくのではないかと期待されている。

そもそも、ゴーヤといえば沖縄産というイメージがあるが、じつは首都圏や大阪で食べられているゴーヤの半分は沖縄産ではない。九州全域で栽培されているゴーヤである。

もちろん、ゴーヤの最大の産地は沖縄なのだが、年間六〇〇〇トン台の収穫量のうち、県外への出荷は三割程度。しかも、沖縄産の出荷ピークは六月で、それ以降は九州産が中心となる。そのため、東京や大阪で〝夏野菜〟として食べられるゴーヤは、九州産が多くなるのである。

◐温暖化が進むと血液が不足する理由

記録的猛暑や記録的大雪など、近年は異常気象が続いているが、その影響が思わぬところにまで及んでいる。なんと猛暑が血液不足を引き起こしているというのだ。

連続真夏日の更新や観測史上最高気温の記録など、記録を塗り替える猛暑だった二〇〇四年はとくに献血者が著しく減少。前年夏に比べると、およそ三万人減となった。

猛暑だとそもそも外出する人が減ることが一番の原因だが、そのほかにも、猛暑の外とクーラーの効いた室内の極端な温度差によって体調を崩す人や、熱帯夜で寝不足の人などが増えることが、献血者確保を難しくしているという。寝不足の人や体力が弱っている人には献血してもらうわけにいかないのだ。

また、猛暑だけでなく、集中豪雨や台風、大雪などの自然災害に見舞われたら、献血どころではなくなってしまう。異常気象の大きな原因といわれている地球温暖化。それが進むと、深刻な血液不足になる恐れがある。

◐なぜ、第一印象が大切なのか？

次の二人の性格的なプロフィールを読んで、どちらがつきあいやすい人物か判断していただきたい。

Aさん「人間的にはちょっと冷たいところがある。おっちょこちょいで、頭がよく、常識的で、誰とでもすぐうちとける」

Bさん「誰とでもすぐうちとける。常識的で、人間的にはちょっと冷たいところがある」

よく読めば同じことを言っているのだが、心理学の実験では、たいていの人がBさんのほうがつきあいやすいと答えることがわかっている。

その理由は、Aさんの場合、最初に「人間的にはちょっと冷たい」という性格的な短所が紹介されているからだ。つまり、人間は、最初に与えられた情報に強く影響されるというわけである。

心理学では、こうした心理を「初頭効果」といっている。たとえば、第一印象である人物を「イヤな奴」だと判断すると、なかなかその人物評価が変わらないことが多い。逆に、いい人間だと思ってしまうと、ほんとうは詐欺師でも、簡単に信用してしまったりするのである。

◆5章◆

「マスコミ」がひた隠す〝裏筋・消息筋〟の話の数々

街頭インタビューって受けたことないけど……？

◐テレビ局に押し寄せるあんな抗議こんなクレーム

テレビ局には毎日、抗議電話が押し寄せる。近年目立つのは、女子アナやキャスターの服装へのクレームである。出演者の衣装は、スタイリストが付いている場合と自前の衣装の場合の二通りがあるが、批判の対象になるのは局アナ、それも女子アナである。

「サラリーマンであるはずの局アナが、毎日違った服装でテレビに出るのはけしからん」

「スカート丈が短すぎる」などという苦情電話がかかってくるのだが、なかには「あの女子アナは、朝のニュースには色っぽすぎる」などと文句をつけてくる視聴者もいるという。

さらには、「○○アナの笑顔は作り笑顔っぽい」といった、苦情だかインネンなんだかわからないような抗議もあるそうだ。

◐女性キャスターたちの職業病

女性キャスターの職業病は、下痢と便秘。

キャスターは、毎日、何百万人という視聴者の前で話すのが仕事。知らないうちにストレスがたまり、下痢や便秘という症状になってあらわれるという。

ちょっとしたコメントでも、何百万人もの人に注目され、毎日投書が届くキャスター。まして、不用意な発言をすると、週刊誌や新聞に、こっぴどく叩かれる。

そんな緊張感を毎日強いられれば、まず胃腸の調子がおかしくなるというわけだ。

◐女子アナの衣装代は誰が払う?

女子アナの衣装は原則として自分持ち。局が用意してくれるわけではない。

人気番組の担当者にでもなれば、スタイリストがつき、アパレルメーカーが衣装を提供してくれることもあるが、駆け出しの間はそうもいかない。

女子アナは実家が裕福でないと、衣装代でパンクするといわれるくらいである。

◐ここまでダメになったアナウンサーの発音

アナウンサーの発音が年々おかしくなっている。とくにひどくなっているのが、「鼻濁音」の発音。日本語では「私が行きます」というときの助詞「が」や「音楽」「鏡」など単語の頭にこないガ行の音は、鼻から息を抜いて発音することになっている。ところが、この鼻濁音が発音できないアナウンサーがどんどん増えているのだ。

信州大学の馬瀬良雄名誉教授らの調査によると、鼻濁音の使用率は、NHKのアナウンサーで六五パーセント、民放のアナウンサーでは五五パーセントにすぎなかった。

むろん、これは、アナウンサーだけでなく、日本人全体の傾向で、一九七五年当時、長野市内の小学生のうち、九一パーセントが鼻濁音を使っていたが、九九年には、わずか五・

七パーセントにまで減っていたという。

◐ワイドショーのコメンテーターの収入

ワイドショーに出演するコメンテーターのギャラは、人気・知名度によって違いがある。著名なジャーナリストクラスで、一回五万〜七万円。有名大学教授で三万〜五万円。それ以外の学者や評論家は一律三万円ぐらいだ。

この金額、意外に安いと思う人が多いのではないか。

たしかに、三万〜七万円は有名人にしては安い仕事だろう。しかし、そのテレビ出演を「PRの場」と考えれば、安いギャラでも引き受けるメリットがある。テレビ出演していると、講演や原稿執筆の依頼が舞い込んでくるのだ。

とくに講演はおいしい仕事で、テレビで顔が売れていると、ギャラが二倍、三倍とハネあがり、一回の講演で五〇万円以上というギャラも可能になる。

◐「街の人に聞いてみました……」の街の選び方

何か論争を呼ぶような出来事が起きると、ニュース番組では「街の人に聞いてみました」という街頭インタビューをおこなう。

この「街の声」が収録される街には、「定番スポット」というべき場所が存在する。

たとえば、政治・経済ニュース関連なら丸の内のオフィス街一帯。株式の話ならむろん兜町、サラリーマンの声を中心に集めたいときは新橋駅の烏森口である。

一方、幅広い層の声をキャッチしたいときは銀座の和光前。若者の声が欲しいときは、渋谷である。渋谷の中でも、ギャルの声を集めるときはセンター街か109前あたり。若いOLをつかまえたいときは公園通りになる。

もちろん、高齢者の声をゲットしたいときは、〝おばあちゃんの原宿〟巣鴨の地蔵通りである。

◐取材される学校が特定校に片寄る理由

テレビニュースには〝季節物〟があり、春は学校がよく取り上げられる。三月の卒業式や四月の入学式である。

さて、これらの〝学校ニュース〟を取材する学校はどうやって決めるのだろうか。

これは、各局とも「取材しやすい学校」を選んでいるようだ。たとえば、前にも取材したことのある学校、テレビ局に近い学校から選んでいるという。

ちなみに、局から近い学校が選ばれるのは、朝、入学式などの模様を取材、その素材を編集したものを、その日のお昼のニュースに間に合わせたいためである。

◐「紅白歌合戦」に出場する歌手はどうやって選ばれる？

国民的行事といわれる、大晦日の「紅白歌合戦」。その出場歌手は、次のような選考基準によって選ばれるという。

おおざっぱにいえば「話題性、歌唱力、そして、NHKへの貢献度を考慮して」ということになるのだが、最後の「NHKへの貢献度」というのがクセモノである。

これは、ギャラが安いといわれているNHKの番組にどれだけ出演しているかを査定したもので、なかでも「NHKのど自慢」にゲスト出演すると、高く評価されるという。

たしかに、一流の歌手が、地方へ行って、アコーディオン以下数名の伴奏で歌うのは、なにやらドサ回りのような悲哀をともなうが、それだけに貢献度は高くカウントされるのである。

◐NHKの「解説委員」の選ばれ方

NHKには、五〇人前後の「解説委員」がいる。その半分はNHK職員で、記者、プロデューサー、アナウンサーなどから、優秀なベテランが選ばれる。あとの半分は外部の専門家で、それぞれの分野の専門家から選ばれる。こういう人たちは、NHKでは「部外解説委員」と呼ばれているが、「部外」といっても、実際にはNHKを退職した元職員という人もいる。

といっても、NHKが身内で固めようとしているわけではなく、なかなか適任者が見つからないことが多いのだ。単に専門知識が豊富なだけでは、NHKの解説委員はつとまらない。視聴者に対して、わかりやすい言葉で話すには、やはりテレビ出身者のほうが、腕が上なのである。

◐イヌとネコの動物タレントとしてのギャラ事情

イヌとネコでは、動物タレントとしてのギャラは、ネコのほうが高い。イヌに比べて、しつけが大変だからである。

テレビCMやドラマに出演するネコは、あくびをしたり、手で顔を洗ったり、何かを追いかけて走るなど、日常のしぐさが当たり前にできることが重要になる。

そこで、動物プロダクションでは、「この

ネコはご飯を食べて落ち着いたとき、顔を洗う」など、イヌやネコたちの細かい動作を観察し、撮影現場で、ふだん通りの行動ができるようにしつけている。

すると、イヌはわりあい期待通りの行動をしてくれるのだが、ネコはご存じのように気まぐれな動物。いつも同じ行動をするとはかぎらない。だから、ふだん通りに行動するネコがいれば、希少価値が生まれ、ギャラも高くなるのである。

◐テレビドラマに使われる「私鉄」に京王線が多い理由

テレビドラマには、電車や駅が出てくるシーンがけっこうあるが、舞台が東京の場合、登場するのは京王線というケースが多い。

たとえば、京王線が使われたドラマ『次男次女ひとりっ子物語』では、主人公の住まいは京王相模原線沿いで、京王線で都心に通勤しているという設定だった。東京西郊地域のいわゆる「ニュータウン」は、現代のドラマの舞台になりやすいのだ。

また、京王電鉄は、早くからテレビやCMの撮影に協力的だったことも関係がある。他の私鉄各社は、利用客への影響を懸念して、ロケを渋っていたが、京王相模原線は他路線に比べて利用客が少なく、駅舎も広いため、ロケに協力しやすかったのだ。

もっとも、最近では、他の鉄道会社も観光客が増える効果を意識して、ロケに積極的に協力するようになってきている。

◐ドキュメンタリーが深夜枠でしか放送されない理由

硬派なドキュメンタリー番組は、民放ではたいてい深夜枠で放送される。その種のかたい番組にはスポンサーがつきにくいからだ。

ドキュメンタリー番組が取り上げるテーマ

といえば、戦争、環境、人権、第三世界など など。こういう問題を掘り下げていくと、企業の問題点に突き当たることが多い。

そんな番組をスポンサーが快く思うはずがない。よって、そういう番組には有力スポンサーがつかず、深夜にまわされることになりやすい。

しかし、制作スタッフもそれは最初から織り込み済み。むしろ、深夜に放送されることを歓迎する人もいる。深夜なら多少、過激な番組を作っても、外部から圧力がかかることはまずないからだ。

◐中国人の名を日本語読みしてもいいわけ

固有名詞の表記には「相互主義」の原則がある。たとえば、「小泉」は朝鮮半島でも「コイズミ」だが、中国語では「シャオチュエン」と、漢字を中国語に読み替える。そこで、相互主義の原則に従い、「金正日」は「キムジョンイル」だが、「毛沢東」は「モウタクトウ」となる。

この相互主義には、そういう国家間の取り決めがあるわけではなく、マスコミが自主的にそうしている。

ただ、最近は外国の固有名詞は現地語の発音に準じてカタカナ表記することが増えてきている。とくに芸能関係では、香港の映画や中国の映画監督らが、現地の読みで表示されることが多くなった。

◐子どもが、CMに見入ってしまうワケ

それまで遊びに夢中だった子供が、テレビがCMに切り替わったとたんにブラウン管に釘付けになることがある。

その大きな要因は、音にある。

番組がCMで一時的に中断すると、一瞬の

間がある。次の瞬間、CMの音が耳に飛び込んでくる。感覚の鋭い子供は、この変化を見逃さない。まして、CMの最初の音は、衝撃音なども含めていろいろ工夫されているし、音量自体も大きくなっていることが多いから、ますます子供はブラウン管に釘付けになる。

こうなったらシメタもの。子供がCMを一生懸命見ていれば、大人もそう簡単にチャンネルを切り換えられない。かくして、そのCMは大人にも浸透していくというわけである。

◐気象予報士が予報をはずしやすい季節

気象予報士の腕のみせどころは、春と梅雨、そして台風シーズンである。これらはベテラン予報士でも、見事的中とはなかなかいかない季節なのだ。

しかも、このうち春と秋の季節には、国民の祝日が集まっているため、天気予報に関する国民の関心が高くなる。とくに、ゴールデンウイークは、春の長雨から五月晴れの時期へと移行する時期。気象予報士は、その変化を的確に読む能力が試される。

また、秋の台風情報は、少しでも予測を誤ると、人命にかかわりかねないわけで、気象予報士たちは全神経を集中して予報に当たっている。台風情報の伝え方をみれば、その気象予報士の実力は一目瞭然である。

◐最近のお天気キャスターが青い服を着ないわけ

ハリウッド映画のメイキングなどを見ると、最近の合成映像の技術には目をみはるものがあるが、何もハリウッドまで行かなくても、その技術を私たちは毎日見ている。それはテレビの天気予報コーナーだ。

気象衛星が撮影した映像の上に、お天気キャスターが浮かんでいるような画面を見かけるが、あれもレッキとした合成映像。別のカメラで人物だけを撮影し、人物を切り取って、天気図などと重ねているのだ。

その際、天井から床、壁まで青い布でおおったセットで人物を撮影し、背景色の青の部分を抜いて、人物だけの映像を作る。青を使うのは、色の三原色である青・赤・緑のなかで青がもっとも明度が高いため、画面から抜き取りやすいから。また青には、肌色をくっきりときれいに見せる効果もある。

ただし、お天気キャスターが青い服を着ていたら、服の部分まで抜き取られてしまう。だから、お天気キャスターが青い服を着るのはご法度なのである。

◐あれも書けないこれも書けない広告規制事情

広告には使えない言葉が多数ある。たとえば「世界一」「日本一」という表現は、数字的な根拠がはっきりしていないかぎり使えない。電気製品では「完全」「完璧」「永久」「永遠」、食品では「本場」「特選」「極上」「最高級」などは、客観的な根拠がないかぎり使えない。

もっとも厳しいのは医薬品関係で、たとえば歯磨き粉の広告で「歯を白くする」はよくても「真っ白にする」はダメ。「ヤニを取る」はいいが、「ヤニを一掃する」は不当表示になる。さらに、化粧品関係では「小ジワを防ぐ」はいいが、「小ジワを取る」は許されない。一度できたシワは、そう簡単に取れないからである。

◐新聞の一面トップ記事の決められ方

無数にある新聞記事から、どのニュースを一面トップにするかの決定権は、どの新聞社でも、おおむね三人の人物にまかされている。

全紙面を担当する編集局デスク、各部を統括する担当デスク、見出しをつける整理部デスクの三人である。彼らが話し合って決めて、編集局長ら幹部の了承をとる。

もちろん、「首相、辞任を決意」といった、誰が考えてもニュース性が高い事件や出来事なら、話し合う暇もなく即決する。しかし、これといった大ニュースがない日は、締め切りギリギリまで待つことになる。とりあえず、仮の案を作っておき、突発的な大ニュースが飛び込んでくるのを待つ。

それでも、事件が起きなければ、あらかじめ決めておいたニュースを一面トップにして、輪転機は回り始めるわけである。

◐新聞の一面下に書籍広告がおさまる理由

新聞の一面下の広告欄には、たいてい書籍広告が並んでいるもの。一面下に書籍広告が並ぶのは、太平洋戦争直後からの習わしである。

戦前から、新聞には書籍広告が多かったのだが、とくに終戦直後、他の業種の企業は広告を出す余裕をなくしていた。そこで、一面の広告はすべて出版社の広告となった。当時は、日本がどうなるかわからない激動の時代だっただけに、人々は本や雑誌に新しい情報や論説を求め、出版界はけっこうにぎわっていたのである。

なお、新聞に広告を出すような中堅以上の出版社は、現在も、新聞社にとって継続的に広告を掲載してくれる優良クライアントである。

◐週末の夕刊にデパートの広告が溢れるわけ

週末になると、新聞にはデパートの広告が目立ち始める。一面全体を使って、でかでかとバーゲンが告知されていることもある。デパートのイベントや催し物は、たいてい週単位で変わっていく。

そこで、集客効果の期待できる催し物を週末に宣伝することで、さらに売上げを伸ばそうというねらいがある。

同様に、新作映画も土曜日から各劇場で公開されるため、映画の広告も、デパートとともに週末広告の定番となっている。

◐「投書」の掲載基準と選ばれ方

新聞社には、多い日には一〇〇通以上の投書が届く。その中から、自分の書いた投書が載るかどうかは、担当者の判断一つ。どんな投書が採用されるのだろうか？

第一条件は、当たり前の話だが、きちんとした文章になっていること。

また、攻撃的な表現や品性のない表現を含んでいないこと。感情が先走った文章を書くと、まず採用されない。

さらに、日本の新聞は、賛成、反対両方の意見はもちろん、少し変わった見方の投書など、いろんな中身の投書を採用する傾向にある。それだけ、人と変わった視点から書かれた投書は採用されやすいようだ。

◐新聞の取材謝礼と寄稿料の相場

新聞社は、取材先に対して謝礼を支払わないのが原則。ただし、四コマ漫画や文化面の寄稿、連載小説などの、依頼原稿やコメントには、原稿料や謝礼が支払われている。

原稿料の相場は、各社とも明らかにしていないが、四コマ漫画を一年間連載したときの原稿料は、「生活に心配がいらないぐらいの額」といわれる。一〇〇〇万円として計算すれば、一本三万円ほどになる。

また、文化面などに寄稿される文学や芸術の時評、コラムで、四〇〇字詰め原稿用紙一枚一万円前後が相場。有名作家や有名評論家になると、いくらか上積みされるようである。

大きな事件が起きたときに掲載されるコメントの謝礼の相場は、一〇分ぐらいの電話取材で五〇〇〇円前後。新聞社によっては、お金でなく、デパートから同額程度の食品セットなどを贈ることもあるという。

◐「財界」「経済界」「産業界」の違い

新聞や雑誌で使われる「財界」「経済界」「産業界」という言葉はそれぞれどう使い分けられているのだろうか？

まず、「財界」は一言でいえば「日本経済に影響力のある人たちの集団」。大企業の経営陣、経団連や商工会議所の要職にあって日本経済に影響を与えそうな人たちの集まりである。

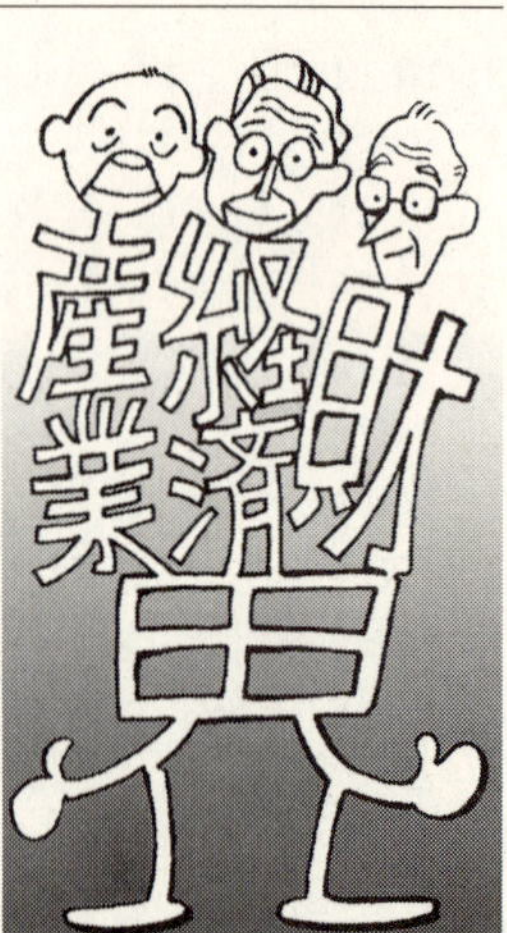

これに対して「経済界」と表現する場合は、もう少し広い意味となって、経済活動がおこなわれている世界全般をいう。

もうひとつ「産業界」は、モノ作りを中心とする企業群のことで、たとえば金融業は含まれない――というあたりが、おおまかな使い分けルールになる。

◐「特派員をすると家が建つ」ってホント？

新聞社やテレビ局の海外特派員、とくにアジアの特派員に赴任すると、家が一軒建つほどお金が貯まると言われてきた。なぜ、特派員をすると、そんなにお金を貯められるのだろうか？

これは、特派員になると、月々の給料の他に、現地の生活費が支給されるため。その額は赴任する地域によって異なり、物価の高い欧米のほうが支給額は多くなる。平均で、欧米では月々四、五〇万円、アジアでは三、四〇万円ほどが支給されている。

欧米とアジアでは、支給額に月々一〇万円の差があるわけだが、現地の物価は欧米とアジアでは一〇倍も違うことがある。つまり、物価の安い国へ赴任すれば、生活費は「現地手当」でまかなえ、給料やボーナスはまるまる貯金できる。そこで、「アジアで特派員をすれば家が建つ」といわれてきたわけだ。

もっとも、現在はアジア諸国に赴任しても、経済成長している分、物価が上昇、昔ほどには貯金できなくなっている。

◐女性と関西人が作るベストセラー

出版界では「女性と関西人が買えば、ベストセラーになる」といわれる。なぜ、そんなことが言えるのか？

まずは、女性。一般に、女性は男性よりも本にお金をかけない。だが、そういう女性にもお金を出してもらえるような本でなければ、ベストセラーに育たない。いい換えれば、あまり本を買わない女性でも、買うような本でなければ、ベストセラー入りしないというわけである。

関西人が買えばベストセラーというのは、

関西が地方の代表だからだ。ベストセラーになるには、東京だけで売れてもダメで、全国で売れなければならない。少なくとも、関東と関西の二つは制覇しなければ、ベストセラー入りはできない。

要するに、日本全国の男女が楽しめるものでなければ、ベストセラーには育たないというわけ。

◐新古書店が廉価版コミックを生んだカラクリ

過去の人気マンガをリメイクした廉価版コミックが、このところコンビニを中心にヒットし、あっという間に年間一〇〇億円市場に成長した。

廉価版コミック登場の背景には、コミック本を安値で売りまくる新古書店の台頭がある。一度売れた本がリサイクルされて大量流通すれば、新刊の売れ行きが落ちて、出版社はあがったり。そこで、新古書店の価格（おおむね定価の半額）に対抗するために、廉価版コミックが登場したというわけである。

廉価版コミックの成功は、価格だけではなく、コンビニという販路を軸にしたことも、大きな要因になった。書店のコミック売り場に足を運ぶほどのコミックファンでなくても、コンビニならサラリーマンやＯＬが気軽に手に取ってくれる。こうして、過去の名作が、新たな販路に乗って、新たな読者を獲得している。

◐児童書の売り上げが激減している理由

児童書業界は、少子化のあおりをまともにくらっている。以前は、児童書は全書籍の売り上げの一〇パーセントを占めていたが、ここ数年は『ハリー・ポッター』をのぞけば、三パーセント以下。児童書専門店のなかには、閉店に追い込まれる書店が目立っている。

児童書の売り上げが落ちた理由は、子供が少なくなり、くわえてコンピューターゲームの魅力に勝てなくなったためである。

しかし、あまり語られていない理由もある。各地の図書館に行けば、児童書を無料で借りられることだ。児童書を買い与えないで、図書館で借りてすませる母親が急増しているのだ。この不況下、母親たちは家計の出費を抑えるため、せっせと図書館を利用しているというわけである。

◐「全集」なのに「全作品」が収録されていない理由

有名作家の「全集」と聞けば、その作家が書いた作品がすべて収録されていると考えるのがふつうだろう。しかし、実際には漏れている作品も多く、「全集」とうたっていても、「選集」でしかない場合が多い。

とくに、作家がまだ生きているうちに出る全集は、本人が収録作品を選ぶことが多いので、「全作品収録」とはならないケースが多い。「こんなの、入れたくない」と、落としてしまう作品がけっこうあるわけだ。

このような作家側の事情もあるが、出版社の編集サイドの事情で全作品が収録できない場合もある。たとえば、巷間「幻の作品」と呼ばれていたとしても、本人の作と確定されないかぎり収録は難しいという場合だ。また、出版社の中には、別なペンネームで書いた作品は全集には収録しないという不文律があるところもある。

それとは逆に、「日記」や「手紙」まで、その作家が「書いたもの全て」を含めなければ「全集」ではないとする出版社もある。

というわけで、出版社によっては「選集」という名称を使ってお茶を濁していたり、日記や手紙を除くという意味で「全作品」というタイトルを使う場合もある。

いずれにしろ、出版不況のあおりか、全集になるような作家がいなくなったからなのか、個人全集はなかなか出版されなくなった。

◐芥川賞の受賞作は、ふつうの小説より何倍売れる？

ひとくちに小説といっても、〝売れる小説〟と〝売れない小説〟がある。前者の代表は、ミステリーなどのいわゆる「エンターテインメント」と呼ばれるジャンル。後者の代表が、いわゆる「純文学」である。

昨今の純文学は、初版三〇〇〇部なんていうのもザラだが、にもかかわらず、最低でも数万、モノによっては一〇〇万部も売れてしまう本もある。芥川賞を受賞した作品がそれだ。

出版に関連した「〇〇賞」の類は少なくないが、芥川賞は別格の存在。芥川賞受賞のニュースは、テレビ、新聞、雑誌でも大々的に取り上げられる。そのため、版元は受賞作品を即重版して、大々的な広告を打つ。しかも、重版分からは帯に、派手に「芥川賞受賞！」の文字が躍る。

当然、書店でも「平積み」にされたり、「レジ脇」という特等席に置かれたりする。

やはり「半期に一度」（スーパーのバーゲンセールみたいだが）、ときには「該当作なし」というところに「賞の重み」があるのかも。

◐本がもっとも売れる季節とは？

本の取次会社がおこなった調査によれば、一年のうち、本の売れるピークというのは三回あるという。

ひとつは、クリスマスシーズンから年末年始の休みにかけて。やはり、まとまった休みには「本でも読もうか」となるのだろう。この時期、新聞や雑誌などで「今年の収穫」や「ミステリーベストテン」が発表されることも大きい。

ふたつ目は四月の新学期シーズン。理由は、辞書や参考書が売れるからだ。

三つ目は、夏が終わった九月。〝読書の秋〟が始まるからというわけだが、夏休みは、遊びと暑さで読書どころではないのかも。

ちなみに、月単位で見ると、本が売れるのは給料が出た二五日以降、一週間単位では土日、一日単位では夕方がよく売れる。もっとも、これらは本に限らないが。

◐年度末になると、売れそうもない本が売れるわけ

世の中には、こんなの誰が買うんだろう、と思うような本もけっこうある。何万円もする高額な本だったり、ごくごく限られた人しか必要ではないような本だ。

ところが、そういう本にはそういう本の「お得意さん」がいる。お役所である。

年度末になると、役所は予算を消化しなければならない。使い残すと、次年度の予算を減らされるからである。だから、お役所は年度末に、普通では売れそうもない本を買いこむ。

現実に、書店の間では、年度末になると、お役人が書店を訪れ、何十冊も購入してくれることが常識になっている。極端な例では、「予算は、〇〇万円なんだけど、適当に関連する本を見つくろって、〇〇課へ領収書と一緒に届けてくれないか」と頼む場合とか、「五万円残っているので、高い本なら何でもいい」と頼む役人もいるという。高額な本も、こうやって、売れているのだ。

◐国語のテストから長文問題が減っていくわけ

国語の長文読解問題。通常なら、対象となる文章が掲げられ、その後に設問が続く形式になっているのだが、教材出版社が小学生向けに作る教科書準拠型のテストなどでは、肝心の課題となる長文が載っていない、というケースが増えている。

こうした異常事態の背景にあるのは、著作権をめぐる争いだ。株式会社・日本ビジュアル著作権協会（ＪＶＣＡ）に著作権の管理を委託している児童文学者らの作品をテストなどに使用することに関して、会員作家と多くの教材出版社との間で合意が成立していないことによる。

一九九九年に、ＪＶＣＡ会員の詩人・谷川俊太郎氏ら九人が著作権を侵害されたと東京地裁に提訴したのがきっかけとなって勃発した著作権紛争。作家側は、著作権法では、入学試験には著作物を無許諾・無補償で使うことを許しているが、営利目的の予備校の模擬試験の場合は補償金の支払いを義務づけていることから、教材出版社が作るテストについても同様のはずだと主張して譲らない。

出版側は「採算がとれない」と支払いに難色を示しているが、二〇〇三年に谷川氏らの訴えが認められたことで紛争はヒートアップ。作家らの訴訟が相次いでいる。しばらくは、この長文欠落現象、どうにも収まりそうにない。

◐推理作家のペンネームに隠された謎を暴く！

日本の推理作家の中には、ペンネームの中に謎を仕掛けている人も少なくない。

＊江戸川乱歩↓日本の推理小説の生みの親は、世界の推理小説の先駆的存在だったエドガ

ー・アラン・ポーをもじったもの。
＊木々高太郎↓推理作家として初の直木賞を獲得した彼のペンネームは、本名の「林髞《たかし》」を分解したもの。
＊佐賀潜↓弁護士でもあった彼のペンネームは、「俺の推理小説の犯人は、簡単には〝さがせん〟」とシャレた。
＊佐野洋↓デビュー当時、新聞記者と二足のわらじをはいていたため、「ちゃんと〝社の用〟もやっている」とアピール。
＊泡坂妻夫↓玄人はだしの奇術師でもある彼のペンネームは、本名「厚川昌男」のアナグラム。すなわち、「あ・つ・か・わ・ま・さ・お」を並べかえると、「あ・わ・さ・か・つ・ま・お」になる。

◐「密室殺人」のモデルになった事件

推理小説には、昔から「密室殺人」を扱ったものが多い。そのヒントになったのが、一九世紀のはじめ、フランスはパリで起きたひとつの事件だった。

被害者は、モンマルトルのアパートに住むローザ・デラクールという少女。ある朝、彼女がいつまでたっても起きてこないことを不審に思った管理人が、警官とともにドアを破って部屋にはいったところ、ローザは胸を刺されて息絶えていたのだ。

アパートは窓も玄関のドアも内側から鍵がかけてあり、典型的な密室だった。結局、犯

人はどうやってローザを殺し、部屋から脱出したのかさえわからず、事件は迷宮入りになった。

しかし、この事件は、エドガー・アラン・ポーやガストン・ルルーなど推理小説創成期の作家たちの創作意欲に火をつけることになった。やがて、彼らは、次々に密室殺人のトリックを考案。推理小説の人気は一気に花開くことになった。

◐「フランダースの犬」がヨーロッパで読まれない理由

『フランダースの犬』は、一八七二年、イギリスの作家ウィーダによって書かれた児童文学。日本には大正時代にすでに紹介されていたが、人気を決定づけたのはアニメ。一九七五年に始まったテレビアニメで、平均視聴率二五パーセントと大ブレイクした。

しかし、日本人観光客が押し寄せるようになってベルギー・アントワープの観光局は驚いた。この物語、地元アントワープではまったく知られていなかったからだ。それればかりか、原作小説が刊行されたイギリスでも、現在ではほとんど読まれていないのだ。

その理由についてはネロのキャラクターにあると指摘されている。欧米では、子供を早い時期から一人前扱いし、自立を促す傾向が強い。ネロのように一五歳になっても、運命に翻弄されるだけのキャラクターは受け入れがたい、というわけだ。

ヨーロッパ人の感覚では、ネロはもう充分に自立すべき年齢なのである。

◐イソップ童話の〝アリとセミ〟の話

イソップ童話に「アリとキリギリス」の話がある。暑い夏、せっせと働き、冬に備えて食糧を貯えているアリをバカにするキリギリス。しかし、冬になると、食べ物のなくなったキリギリスが、アリに救いを求めるという話である。

ところが、この「アリとキリギリス」、原作では、主人公はキリギリスではなく、セミだったとみられている。

イソップは、紀元前六〇〇年頃、ギリシャに実在した人物とされている。この物語がギリシアからフランス、さらにイギリスへ伝わった後、イギリスでアリからキリギリスに変えられた。

これは、イギリスにはセミが生息していないから。ヨーロッパで、セミがいるのは南フランスとギリシアだけで、イギリスの子供たちは、この話を聞いても、「ねえ、セミって何？」と尋ねなければならなかった。そこで、セミがキリギリスに変えられ、それが日本に伝わったのである。

もっともセミの命は、ほんの一週間ほど。日本に「アリとセミ」という童話が伝えられていたとしても、マセた子供たちは「セミは冬まで生きられないよ」と冷めた反応をしたことだろう。

◐売れ残った雑誌の行方

雑誌は鮮度が勝負。次号が出た時点で、売れ残ったものは書店から返品されることになる。すると、売れ残った雑誌は、その後どうなってしまうのだろう？

普通、本が書店から返品されるときは、「取次」と呼ばれる〝本専門の問屋〟を通して出版社へ返される。しかし、雑誌は出版社にすら戻されることなく、そのまま古紙業者へまわされてしまう。

ただし、古紙業者が引き取るのは、雑誌の本体のみ。表紙のウラオモテは、返品の冊数を確認するためにはがされて、出版社へ戻されている。

◐目次のタイトルと中身が違うときがあるのは？

週刊誌を表紙のタイトルを見て買ったのに、雑誌の中身にはその記事が載っていない……ということが、まれにある。

こんなことが起きるのは、発売ギリギリのところで大事件や大災害などが起き、当初予定していた内容を差し替える必要が生じるためである。

雑誌の表紙は、本体よりも数日早く印刷するため、本文は差し替えられても、表紙は替えられないというケースもあるのだ。

表紙を先に刷るのは、ひとつはカラー印刷であることと、もうひとつは本体や他のページとは紙質が違うためだ。

◐グルメ記事で東京と大阪の店ばかりが扱われる理由

雑誌のグルメ記事に登場するレストランの九〇パーセント以上は、東京・大阪のレストランである。地方在住の読者も多いはずなのに、なぜ毎回、グルメ記事には東京、大阪の店しか出てこないのだろう？

その理由は、それ以外の都市の店を取材するには、「出張費がかかるから」。

しかも、地方取材にはやり直しがきかないというリスクがある。撮ってきた写真が、もし使い物にならなかったら、使った経費はパーになる。その点、都内のレストランであれば、失敗しても撮り直しに行けばいい。

そして、もう一点、東京と大阪ばかりを取り上げるのは、それが「読者のニーズ」だからである。

大方の読者がグルメ記事に求めるのは、実

用情報ではなく、憧れの場所を眺める気分なのである。

◐「最初はグー」というジャンケンのかけ声を広めた人

全国で通用するジャンケンのかけ声といえば、「最初はグー」。この「最初はグー」を全国に広めたのは、コメディアンの志村けんである。

高視聴率を誇った『8時だよ！全員集合』で、志村と仲本工事がジャンケン対決するコーナーがあり、そこで「最初はグー」というかけ声が使われた。その影響で、まず子供たちの間に広まり、やがて大人にも浸透することになった。

ただし、現在四〇歳以上の人には、その当時、『8時だよ！全員集合』を見ていなかった人が多いため、いまだに「最初はグー」になじめない人もいる。

◐競馬記者の取材の実態

競馬記者は、おおむね次のように一週間を過ごしている。

レース翌日の月曜日は、厩舎がお休みなので記者も休み。火曜日も基本的には休み。

水曜日は、土曜日の出走馬の追い切りを取材し、馬体の良さや動きを見極める。タイムを計る時計班と、関係者のコメントを集める取材班に分かれて動く。

木曜日は、日曜日のレースに出走する馬の追い切りを取材。この日の午後からは、集めた情報を持ち寄って、予想を含めた紙面づくりのための打ち合わせに入る。

金曜日は、土曜版の新聞が作られる。予想をまとめなければならないので、どの記者もピリピリしている。

土曜日はいよいよレースの日。日曜版の記事があがったら、競馬場へ向かう。

日曜日はレースを観戦しながら、競馬場に集まる関係者を取材する。

◐スキャンダルのつぶし方

週刊誌では大きく報じられているタレントのスキャンダルが、なぜかワイドショーではまったく取り上げられないことがある。その理由は、大きく分けて二つある。

ひとつは、テレビ局がそのタレントとトラブルを起こしたくないケース。たとえば、そのタレントが自局のドラマに出演予定がある場合である。

テレビ局では、売れっ子タレントのスケジュールをドラマ用にあらかじめ押さえてある。そんなとき、タレントのスキャンダルを報じれば、「おたくのドラマには出演しません」と言われかねない。そこで、スキャンダルをいっさい報じないというわけだ。

そしてもうひとつのケースは、そのタレントが大手プロダクションに所属している場合である。大手の事務所から「放送しないでくれ」といわれれば、その事務所所属の他のタレントも使っているテレビ局としては、面倒な話にしたくない。そこで、スキャンダルにふたをするというわけだ。

◆ 6章 ◆

あなたも「被害者」になりかねない"危ない裏手口"の数々

また引っかかってるやつがいる……?

● カーナビ付きの車は、「尾行」されているも同然!

カーナビつきのマイカーで不倫デートしている人に警告。いまのあなたは尾行されているようなもの。明日にでも、妻や恋人にあなたの浮気中の行動が、すべてバレてしまうかもしれない。

カーナビは、車の現在位置や進行方向を地図上に示すだけではなく、オマケの機能として、車が走った道を覚える「学習機能」がついている。で、この機能をうまく使えば、車を「尾行」することも可能なのだ。

設定方法はどのメーカーも同じようなもので、とても簡単だ。あらかじめシステムメニューの中から『走行軌跡の表示』を選んで『表示する』に設定しておく。こうすると、設定後にその車が走った場所、ルートを、カーナビの地図上に白い点線で表示させることができるのだ。

というわけで、知られたくない場所にドライブするときは、エンジンをかける前に、まずシステム設定がどうなっているか、チェックしたほうがいい。

◐意外に狙われやすいマンションの最上階

都市防犯研究センターが、集合住宅の侵入犯罪被害について調べたところ、発生率がもっとも高いのは一階で、全体の約三五パーセント。二階の発生率は約二四パーセントであることがわかった。

集合住宅の一階か二階に住んでいる人は、ドアや窓に補助キーをつけるなど、何らかの防衛策を講じたほうがいいが、意外なのは、発生率が三番目に多いのが建物の最上階で約一五パーセントもあるということ。上層階に住む人は、「まさか下からよじ登ってくるヤツもいないだろう」という油断があるのか、外出するときにベランダの窓を施錠しないで出かけてしまう人が少なくない。

しかし、侵入犯はそのスキを狙う。屋上からロープをつたってベランダにおり、窓から侵入するのである。

油断は禁物である。

◐マンションの二〇階以上に住むと〝超高層ビル・シンドローム〟になる!?

ここ数年、首都圏では超高層マンションが建設ラッシュを迎えているが、マンションの二〇階以上に住む人たちには、次のような症状が見られることがある。

たとえば、「部屋にいると、つねに息苦しさを感じる」「ときどき言い知れぬ不安を感じてパニックに陥る」「エレベーターに乗るたびに恐怖でパニックを起こしかける」など。

精神科医によると、いま挙げた症状はすべて「超高層ビル・シンドローム」と呼ばれるもの。その最大の原因は、高層ビルには開かない窓が多いことだという。

構造上しかたがないことだが、これが閉塞感を生み出し、心理的に大きなプレッシャーとなる。しかも、窓の外と遮断された状態で風や雨の状態もよくわからないため、人間の感覚器官がおかしくなることもある。

人間の居住空間としては、地上六〇メートル、階数でいうと二〇階程度が限界。これを越えると、人間は、多かれ少なかれ精神的につらくなっていくと指摘する精神科医もいる。

◐いまどきの公共温泉は塩素漬け！

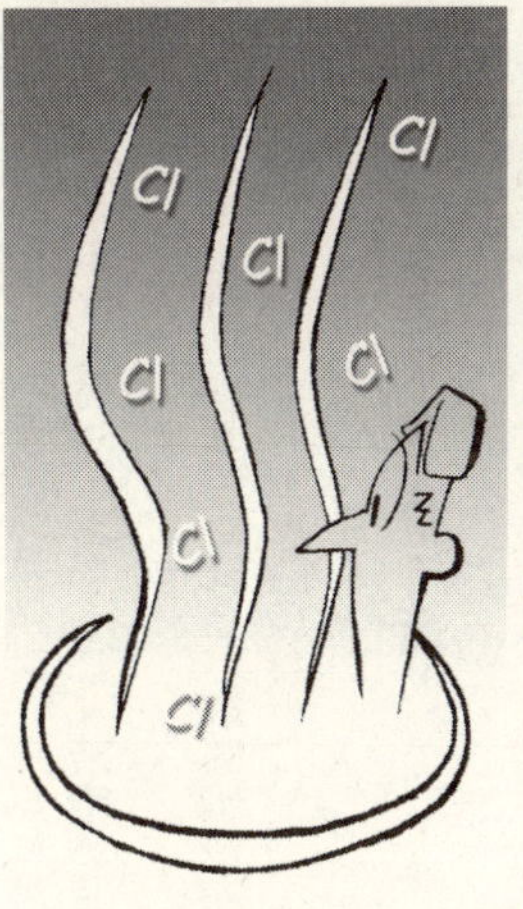

札幌国際大学で『温泉文化論』を教える松田忠徳教授が、一九九八年から二〇〇〇年にかけて全国二五〇〇カ所の温泉地をめぐり、泉質を調査したところ、恐ろしい事実が判明した。平成以降、全国の自治体が作った温泉施設のうち、なんと九九パーセントが「塩素漬け」だったのである。

これは、町おこしとして温泉を掘ったはいいものの、適してない地に無理やり掘ったため、湯量が少なかったことが原因。

源泉から湧いてくる湯だけで内湯、露天、打たせ湯など、多くの風呂をまかなうのは不可能。そのため、公共温泉の多くは循環式浴槽という方式を採用。浴槽に循環器をとりつけ、一度浴槽に溜めた湯を濾過《ろか》し、何度も使いまわしているのだ。

これだけでも「温泉」を名乗るのにはちょっと不適切だが、さらに問題は、濾過するだけではレジオネラ菌を殺すことができないこと。そのため、温泉施設では塩素を大量に投入することに。「公共温泉はプールなみに塩素濃度が濃い」という、あるまじき事態が発生してしまったのである。

そんな湯にのんびりつかれば、敏感肌の人は肌に異常が生じても不思議はない⁉

◐インチキ温泉を見抜く法

前項で塩素漬けの温泉の実態を紹介したが、次に松田教授による「循環式浴槽を見抜く法」を紹介しておこう。

①大量の湯が浴槽に注がれている
湯量不足をカモフラージュする常套手段。湯量豊富な温泉であれば泉温が高い。冷ますために少しずつしか注がれない。

②温泉分析証書の源泉が四〇度以下
源泉の温度が四〇度以下だということは、わかし湯だということ。この手の「ぬるい温泉」は、まず循環式だ。

③浴槽内に湯が吸い込まれていく穴がある
そこから湯が循環器へ送られる。濾過し、塩素殺菌後、ふたたび注ぎ口にもどって浴槽に注がれることになる。

④浴槽から湯が溢れない
使いまわしているのだから、溢れなくて当然。

⑤飲用禁止で、その理由が不明
使いまわしの湯を飲ませることはありえない。逆に、温泉分析証書に「温泉飲用許可済証」があれば天然一〇〇パーセント。

◐クマネズミが東京を滅ぼす日

都会では、いまクマネズミが急速に増殖中だ。

クマネズミは、地下でも高層ビルでもどこにでも住みつく。駆除しようとしても、警戒心が強いため、トラップにはけっして近寄らないし、殺鼠剤《さっそ》を混ぜたエサを仕掛けても食べようとしない。

そのため、クマネズミによる被害はウナギのぼりに増えている。電話線やコンピュータのケーブルを切断したり、配電盤に尿をかけて停電させたり。そのせいで、ビル機能が数日間完全にマヒしたり、瞬間湯沸器にネズミが巣を作ったためにビル火災が発生、その影響でJRが止まったこともあった。

この他、オフィスビルにネズミが巣を作ったため、ダニやノミが大発生して、アトピー患者が続出したとか、ネズミの毛やフンが食べ物に混入し、サルモネラ菌や大腸菌による食中毒を起こしたなど、健康にかかわる被害も増えている。

今後もクマネズミを駆除する効果的な方法が見つからず、文字通りネズミ算式にクマネズミが増えつづければ、やがては東京などの都会はクマネズミに滅ぼされかねない⁉

◐都会にスズメバチが増えている理由

スズメバチに刺されて亡くなる人が、年間、数十人はいる。そんな恐ろしいスズメバチが、東京をはじめとする都市部で異常に増えている。理由は、スズメバチが雑食性だから。東京では、日比谷公園、皇居など緑が多く、しかも新橋、銀座など飲食街に近い千代田区がスズメバチの繁殖地になりつつある。

もし、スズメバチを見かけたときは、とにかく刺激しないこと。大声で叫んで駆け出したりすると、彼らは集団になって襲ってくる。顔を覆って、静かにそっとその場を離れるのがいちばん。スズメバチの縄張りは半径五〇メートルくらいだから、逃げるときは、七〇メートルは離れたほうがいい。

万が一刺されたときは、とにかくすぐ医者に行くこと。民間療法では、よく「アンモニアを塗るといい」というが、これはまったく効果がない。

◐激増する「クルマ盗難」から愛車を守る方法

クルマの盗難というと、窓ガラスを割り、電気回路を操作してエンジンをかける……という手口を思い浮かべてしまうが、盗難の手口でもっとも多いのは、じつはドライバーがカギをかけたままクルマを離れたスキを狙う、というもの。盗難に遇うクルマの約半分は、キーの付けっぱなしが原因なのだ。

たとえ数分、いや数十秒でも、クルマを離れるときは、キーを抜いて、ドアをロックする習慣をつけること。相手は、あなたのクルマを付け狙っているのかもしれないのだから、気を抜いてはいけない。

次に多いのは、夏、クルマの窓を少しだけ開けて、駐車場に停めておいたというケース。

窓が少しでも空いていると、プロは、「差し金」といわれる針金状の工具を隙間から入れ、あっという間にドアを開けてしまう。

こうした「うっかり」を防止すれば、クルマの盗難の半分は防げるのだ。

◐盗聴・盗撮を見抜く法

「アキハバラ」といえば、世界的に有名な電器店街だが、盗聴・盗撮用のプロ用機材が簡単に手に入ることでも知られる。

盗聴と盗撮マニアは、確実に増殖している。ただし、ストーカーと違って、被害者はなかなかその事実に気がつかない。なぜなら、個人宅にしかけられた盗聴器のほとんどは、恋人や肉親など、身近な人間の仕業だからだ。恋人の浮気やひとり暮らしの娘を心配してのことだろうが、される側にとってはたまったものではないだろう。

というわけで、次のようなことがあったら、盗聴・盗撮を疑ったほうがいい。

・テレビの画像が乱れ、電話中に雑音が入る
・無言電話、間違い電話が増えた（電話で信号を送り、盗聴器や盗撮カメラのスイッチ操作をしている可能性がある）
・友人や家族からぬいぐるみをもらった（中に、盗聴器が仕込んである場合がある）

◐「おいしい求人広告」のウソを見抜く法

人気のベンチャー企業では、案外、求人採用をめぐるトラブルが多いことをご存じだろうか？

たしかにベンチャー系企業は、慢性的な人手不足というところが多いが、この手の会社は、経営には素人の技術畑の人や、アイデアだけで勝負をしてきた人が作ったところが少なくない。そのため、経営センスがないため、すぐに倒産してしまったり、仕事がきつい、給料や待遇の条件が約束と違う、というトラブルが絶えないのだ。

とにかく、常識はずれの高い給料をうたっていたり、大量に人を採用しようとしている会社は要注意である。

もちろん、ウソの給与体系や労働条件で人を釣るのは詐欺行為だが、それで会社を訴え

ても勝ち目は少ない。

◐ネットオークション詐欺の手口

ネットオークションは、ご存じのようにネット上に個人が品物を出品。欲しい人たちが値段をせりあってゆく売買方法。本格的なオークションより簡単で気軽に参加できるし、比較的安く購入できるので、ネットオークション人口はどんどん増えている。

しかし、お互い顔が見えないまま物を売買するわけで、そこを狙った詐欺事件は後を絶たない。

よくあるのは、出品者の身元をきちんと確認しないまま前払いで支払ったところ、送られてきた品物は、ネット上の写真で見たものとは程遠い傷モノ。あわてて出品者に連絡をとっても、メールアドレスも携帯電話の番号も偽物だったというケースだ。

犯人は参加者の少ない平日の夜遅くにしかけてくる。一騎討ちになった相手はサクラ。相手を夢中にさせて値段をつりあげる。

こうした詐欺に遭わないためには、まず、有名なオークションサイトを利用すること。さらに、代金を入金する前に、あらかじめ聞いてあった自宅の電話番号に電話をして本人確認をしたほうがいい。

◐ガスコンロに近づくな！

最近のガスコンロにはガス漏れ防止装置がついているため、つい油断しがちだが、危ないのは「ガスコンロの熱」だ。

ガスコンロの熱効率は四〇パーセントと、非常に低い。つまり、六〇パーセントの熱は鍋の周囲に逃げているわけで、この熱が近くにあるモノを燃やすことが十分にありうるのだ。

神戸市消防局の実験によれば、ガスコンロ周辺でもっとも温度が高くなるのは、「鍋のすぐ横」で、約二七〇度にもなるという。こんな場所に樹脂製の水切りやまな板などを置いておくと、これらの製品が溶けだして、溶けた樹脂が、コンロ内に流れ込み、やがてコンロの火が着火。炎は、溶けた樹脂を導火線のように伝わり、周囲に延焼ということになりかねない。

コンロのそばにサラダ油の容器を置いておくのはもっと危険。サラダ油容器は、樹脂製の台所用品より薄いため、熱せられるといとも簡単に穴が開いてしまう。穴が開けば、油がこぼれるのは当たり前。そこにコンロの火が移り、文字通り〝火に油を注ぐ〟ことになる。

ガスコンロのそばには、モノをいっさいおかないことである。

◐新築よりシックハウス症候群になりやすい家

シックハウス症候群とは、建築物に使われているさまざまな揮発性化学物質に体が過剰に反応し、身体的な症状を引き起こす病気のこと。おもな原因物質として、フローリングや壁紙、家具などの接着剤に使われるホルムアルデヒドがやりだまにあげられている。

当初、シックハウス症候群は、新築住宅やリフォームしたばかりの住宅に住むことで発症。築年数のたった家なら発症の心配はないと考えられていたが、国土交通省が実態調査したところ、ホルムアルデヒドの室内濃度がもっとも高かったのは、新築直後の住宅ではなく、築後四年から五年目の住宅であることがわかった。

最近の住宅は気密性が高い。防音や断熱にはよいが、反面、換気はよくない。放出される化学物質が築後四〜五年で、室内にどんどんため込まれていたのである。

シックハウス症候群にならないためには、とにかくこまめに窓を開け、換気扇をまわすこと。さらに、室内に観葉植物、木炭、竹炭、水槽を置いたり、ウールカーペットをしいておくと、これらのものがホルムアルデヒドを吸収してくれる。

◐オートロックマンション＝安心ではない！

最近のマンションは、多くがオートロック式になっているが、空き巣にとってオートロックを突破するのは、それほどむずかしいことではない。

たとえば、住人のうしろについて入ることもできるし、適当な部屋番号を押して、「郵便局です。書留の配達です」とか、「宅配便です。荷物をお届けにあがりました」などと告げて、住人にロックを解除してもらう方法もある。こうしてマンションに入ってさえしまえば、あとは「好みの部屋」を物色できる。

じつは、空き巣にしてみれば、むしろ、オートロック式のほうがかえって仕事しやすい面もある。チラシ配りやセールスマンなど、目撃者になりそうな人が入ってこないし、しかも部屋番号を押して、あらかじめ留守宅をチェックできるからだ。

というわけで、オートロック式のマンションに住んでいる人こそ、防犯意識を高める必要があるというわけである。

◐こんな家は、空き巣に要注意！

㈶全国防犯協会連合会の調査によると、「空き巣に狙われやすい家」は、幹線道路から入ってすぐで、しかも人通りの少ない道沿いに建つ家だという。あやしい行動をとっても人目につきにくく、車を使えば犯行後、現場からすばやく遠くに逃げられるからだ。

人通りの多い道に面している家や、袋小路にあって逃げ道が少ない家は、本来は狙われにくいが、どちらの場合も、家の裏手が空き地や駐車場になっているとアブナイ。通り抜けしやすいため、意外に多くの被害が発生している。

家のつくりでは、高い塀、高い生け垣、庭木など、目隠しになるものが多い家は要注意。ベランダの手すりも、壁状の手すりの家は外からの視線を遮断するので狙われやすい。

さらに、庭にカーポートや物置がたっていたり、隣の家が接近して建っている場合は、そうした建物の屋根が二階の窓に接近していると危ない。屋根を足場に二階から侵入されるケースが多いからだ。

◐我が家を空き巣から守る法

前項で、空き巣に狙われやすい家の特徴を紹介したが、そういう家に住んでいる人は、どんな対策をとればいいか？

まず、塀は低い生け垣か、上半分が格子のものにする。ベランダの手すりも格子状で外から見通しがきくものに交換する。窓は、二階のすべての窓に面格子をとりつける。面格子はダサいのでいやだと思うのなら、窓ガラスを防犯性の高いものに交換するといい。

もっと安上がりにすませるのなら、庭に砂利を敷く。そっと歩いてもジャリジャリ音がするので、侵入犯はこの手の庭を嫌うのだ。

次は、庭に植木鉢、プランター、ガーデンフィギュアなどを点在させる。逃げるときに、けつまずく危険性がある庭も、やはり侵入犯は敬遠する。

最後は、犬を飼う。侵入犯が犬のいる家を嫌うことは統計上も証明されている。犬が苦手なら、実際には飼わないで、庭に犬小屋、鎖、食器などを置くだけでも効果はある。これらがあるだけで、犬がいると思い、諦める空き巣は少なくないという。

◐空き巣は、どこから侵入してくる?

空き巣は、ドアから侵入するとはかぎらない。侵入経路でもっとも多いのは、じつは窓。それも、トイレの天窓、キッチンの換気窓、玄関の明かり取り窓などの小窓が要注意だ。

こうした窓にも、もちろん鍵はついているだろうが、この手の鍵は、空き巣にとってはただの飾り。こうしたカギは「クレッセント錠」といって、保温、防音性をよくすることを第一目的で開発されたもの。カギの周囲のガラスをドライバーなどで割り、そこから手をつっこめばすぐにはずせてしまう。

防犯対策としていちばん安上がりなのは、すべての窓に補助キーをとりつけること。補助キーがあるだけで、空き巣は侵入を諦めることが多い。

◐空き巣に狙われやすい時間帯とは?

空き巣による被害は、全国で年間約二五万件というが、もっとも空き巣に狙われやすい時間帯はいつか?

空き巣が出没するのは、暗くて人目が少ない夜間。あるいは人が出払ってしまう昼下がりというイメージがあるが、じつは両方とも違う。

統計的に、空き巣の発生件数がもっとも多いのは午前八時〜一〇時の間なのだ。

理由は、会社や学校へ行くときはしっかり戸締まりをする人でも、朝ゴミを出すときや、近所のコンビニに朝食やスポーツ紙を買いに行くときなどは、つい気がゆるむから。

「ほんの数分だから」と、ドアにカギをかけず、窓を開けっ放しにしたままで出かけてしまい、さらに、すぐに帰るつもりが、近所の人と立ち話をしたり、店で雑誌を立ち読みしたりで、一〇分程度は平気で家をあけてしまうことがある。

空き巣は、まさにそのスキを狙っている。下見の段階で、そういうクセのある人は調査ずみ。彼らの家を狙えばカギを破る手間がない。それだけ空き巣は、効率よく仕事が進められるというわけである。

◐愛犬が人を噛むと、どうなる？

癒しブームを反映してか、ペットを飼う人が増えているが、愛犬が人間にかみついたときは、「ごめんなさい」ではすまされない。

被害者に払う賠償金は、ケガの治療費、慰謝料。キズあとや後遺症が残った場合は、その逸失利益。さらに、弁護士費用など裁判にかかった経費も負担しなければならなくなる。

過去の判例をみると、「結婚前の若い女性の腕に噛みキズが残った」というケースで一八〇〇万円もの支払いが飼い主に命じられているのだ。

こうしたペット関連の訴訟は年々増えている。ペットを飼うのであれば、万が一の事故に備えて、ペット保険に入っておくのも手だ。たとえば「かみつき賠償」をセットにしたあるペット保険は、賠償金の年間限度額は一〇〇〇万円から五〇〇〇万円。ペットの病気、ケガの保障などもつけて、月々の掛け金は二〇〇〇円程度からである。

◐こんな公園で子供を遊ばせるのは危険！

最近、実施された文部科学省の調査によると、小学生のうち四割が、性的いやがらせ、暴行、誘拐未遂などの犯罪に巻き込まれた経験があるという。

被害者の子供たちの三分の一は、公園や広場で遊んでいる最中に被害にあっていた。以下は、調査の結果、浮かび上がった〝危ない遊び場〟の例である。
①集合住宅の北側にある公園や広場
集合住宅ではベランダは南側にあり、北側には駐輪場や駐車場などといっしょに、公園や広場をもうけているケースが多い。しかし、住民の監視の目が届きにくいため、犯罪が発生しやすい。
②集合住宅の〝妻側〟にある公園や広場
妻側とは、長方形の建物の両端のこと。集合住宅では、その壁に沿って公園や広場をもうけているケースもあるが、北側よりもさらに住民の視線が届かない。しかも、スペースが狭いだけに、追いつめられると逃げ場がない。性的いやがらせが、とくに多く発生している。
③高架下にある公園や広場
高速道路や高架鉄道の下にある公園や広場は、昼間でも薄暗く、人通りがまばら。性的

いやがらせから、恐喝、脅しまで、種類に関係なく多くの犯罪が発生している。

◐子ども服がストレス源になるわけ

子どものストレスに服が影響しているという。ストレスの源になっているのは、ズボンやスカートのウエスト部分に入ったゴムひも。いまの子どもたちの多くは、ウエストの締めつけがきつすぎる服を着ているため、緊張状態を強いられているというのだ。

実際、幼児や小学生のズボンの締めつけ具合の平均値を調査したところ、大人に置き換えると、ウエストまわりよりも一割弱短いゴムひもで体を締めつけている状態であることがわかっている。

しかも、子どもはお腹が柔らかく、腹筋も発達していないため、大人に比べて、ウエストの締めつけによって、大きなストレスを受けることも実験の結果わかっている。

しかも、ゴムひもは体への密着度が高く、ベルトよりも影響が大きい。既製品の服は、ゴムひもが縫いつけられ、長さを調節できないタイプのものが増えている。こんなことが、子どもたちのウエスト締めつけの原因になっているのだ。子どもを持つ親御さんは、ご注意あれ。

◐火災に巻き込まれる可能性大のフーゾク店はここで見分ける

新宿歌舞伎町の雑居ビル火災で、多数の死者が出たことをご記憶の方が多いだろう。フーゾクで遊ぶとき、火事に巻き込まれたくなかったら、以下のような店は、すぐに退散したほうがいい。

①非常口の前に席があったり、モノが置いてある店

客をたくさん詰め込むために、非常口の前

にも席をもうけている店があるが、これは×。避難時に大きな障害になるし、人が殺到した場合はパニックになりかねない。

②非常ベルが見当たらない店

火災のときは、従業員が非常ベルを鳴らすのが鉄則。それなのに、「非常ベルが目立つと見栄えが悪い」と、ポスターなどでベルを隠してしまっている店がある。

③消火器のカバーがついている店

カバーを外した状態の消火器を、会計カウンターのわきなど、店員がいつもいる場所に置いている店がベスト。

④防火扉の前に足ふきマットを敷いている店

防火扉の前に足ふきマットを敷いていると、いざというときマットに引っかかって防火扉が閉まらなくなる。防火扉が閉まらないと、階段や通路に煙が流れ出す。せっかく非常口から逃げても、煙に巻かれて命を落とす羽目になりかねない。

◐路上でギャングに襲われないための対処法

〝オヤジ狩り〟に代表されるように、いまどきは、何の理由もなくギャングに襲われることがある。

そんな目に遭わないためには、ギャング団がたむろしているような地域では、夜のひとり歩きをしないこと。

そういう危険ゾーンでは、友人といっしょでも、酒を飲んでいるときは要注意。「千鳥足で歩いている酔っぱらい」と「居酒屋やカラオケボックスから、いい気分で出てくる人」が、もっともターゲットにされやすいことがわかっている。

第二の鉄則は、危険ゾーンではキョロキョロ歩きをしないこと。ギャングと目があっただけで、「ガンをつけた」といきなり飛びかかってこられたというケースが少なくない。

鉄則の最後は、会社帰りに危険ゾーンで飲むときは、いかにもサラリーマンという恰好はしないこと。スーツにネクタイ姿は、「どうぞオヤジ狩りしてください」と、こちらから頼んでいるようなもの。スーツの上着を脱いでセーターを着るとか、カモフラージュ策をとったほうがいい。

◐身分証明書を盗まれると多重債務者になる!?

ウチには現金も金目のものもないから、空き巣に狙われても大丈夫……しかし、盗まれると現金以上に怖いのは、健康保険証、パスポート、年金手帳、運転免許証といった公的な身分証明書類である。

泥棒は盗んだ身分証明書を手にすぐに消費者金融へ行き、お金を借りまくるというわけである。

じつは、このような〝多重債務〟の防止策として、消費者金融間では、オンラインで利用者のリストを交換していて、本来は、多数の消費者金融から短時間のうちには金を借りられないしくみになっている。

ただし、コンピュータへの入力作業があるので、利用者の情報がオンラインに乗るまでに一時間ほどかかる。その間にすばやく消費者金融を回ってしまえば、二〇〇万～三〇〇万円の金を引き出すことができてしまうのだ。

身分証明書の類は、とにかく絶対に見つからないような場所に隠しておくことである。

◐身分証明書の安全な隠し場所とは?

身分証明書を盗まれると大変なことになりかねないという話を紹介したが、では、安全な隠し場所とはどこか?

まず、ダメな隠し場所の筆頭は、棚、机、タンスなどの引き出しで、これは「盗んでください」といっているようなもの。マットレスの下、冷蔵庫の中、仏壇の中もダメ。その程度の素人考えは、空き巣も先刻ご承知だ。

おすすめは、本の間にはさみ、本をふっても落ちないように固定して本棚に入れておく方法。空き巣の犯行はスピードが勝負。本のページを一枚一枚くって調べることは、まずない。

ただし、どの本にはさんだかは、かならず覚えておくこと。

◐「混ぜるな危険!」の洗剤を「混ぜる」とどうなる?

塩素系のカビとり洗浄剤には、たいてい「混ぜるな危険!」と書いてある。混ぜていけないのは、酸性の洗浄剤だが、もしこれを混ぜるとどうなるのか?

塩素系の洗浄剤には、次亜塩素酸ナトリウムが含まれており、これが酸性の物質と混ざると、猛毒の塩素ガスが発生する。

うっかり吸い込んでしまうと、数分内に胸の痛み、呼吸困難、頭痛、嘔吐などの症状があらわれる。やがて不整脈が起きて、症状が重い場合は、二四時間以内に死亡ということもありうる。

日本中毒情報センターによると、塩素ガス中毒を防ぐ有効な防止策はただひとつ。室内で次亜塩素酸ナトリウムを含む洗剤を使うときは、ドアを大きく開け放しておくことである。

◐痴漢と勘違いされないための知恵

痴漢は許しがたい行為だが、最近は、冤罪《えんざい》、つまり痴漢のぬれ衣を着せられる男性も増えている。

痴漢が多いのは満員電車だが、ここでは、そこで痴漢に間違われないための知恵を紹介しておこう。

まず、電車に乗るときは、ドアのすぐわきの手すりのところに立たないこと。ここは女性のあいだで、「痴漢出没スポット」として知られている。つまり、ここにいるだけで痴漢に間違えられる危険性が高いのだ。

そんなことにならないためには、座席の前に立ち、両手で吊り革につかまって「私は何もしていません」とアピールすること。新聞を手にしていたり、帽子を目深にかぶっていると、「人目を隠すために使う」と誤解されやすい。

最後に、万が一、痴漢と勘違いされたときは、間違っても「すいません」などと謝らないこと。これでは「罪を認めた」と思われてもしかたがない。なにかと「すいません」「ごめんなさい」を言うのがログセの人は要注意である。

◐こんなことでも「ストーカー」扱いされる！

自分を「ふつう」だと思っている人は、自分がストーカーになるなどとは思いもしない。しかし、二〇〇〇年に施行された「ストーカー規制法」によれば、次のような行為も、ストーカー行為とみなされる可能性がある。

たとえば、酔っぱらったときや、夜部屋にひとりでいるとき、寂しくなってつい元カレや元カノジョに電話をしてしまう。でも、相手が出ると、とたんに後悔の念が襲って電話を切ってしまう……。

当人には悪意は乏しいかもしれないが、これは、ストーカー規制法第二条一五の「電話をかけて何も告げず、又は拒まれたにもかかわらず、連続して、電話をかけ」ることに触れる可能性がある。

また、外出先で、たまたま友人を見かけ、

あとから本人に目撃したことを告げるのも危ない。そんなことがたまたま重なり、さらに相手が神経質な人だったら、「もしや私の行動を監視している？」と誤解しかねない。で、相手がノイローゼ状態になって警察に駆け込んだりしたら、ストーカー規制法第二条—一の「つきまとい、待ち伏せし、進路に立ちふさがり、住居、勤務先、学校その他その通常所在する場所の付近において見張りを」することに触れることになりかねないのだ。

◐これが「ストーカー」になりやすいタイプだ！

見ず知らずの人間がストーカーになることはめったにない。一方、元配偶者や元恋人、会社やアルバイト先の同僚など、身近な人がなにかをきっかけにストーカーに豹変するケースのほうがはるかに多い。となると、危険なのは職場や学校だということがおわかりのはず。

では、職場や学校でストーカーを寄せつけないためには、何に気をつけたらいいのか？

犯罪学者の研究によれば、ふだんの態度に、次のような傾向が見られる人はストーカーになりやすいという。

・プライドが高く、傷つきやすい。ナルシストの傾向がある
・自分中心の話題が多く、人の話や意見をあまり聞かない
・あなたの異性の友人に激しい嫉妬を見せる

ことがある
・疑り深い
・親に溺愛されたか、逆に愛情不足の育ち方をしている。マザコンの傾向が強い
・短絡的。感情の起伏が激しい
異性の同僚や知り合いで、以上のような傾向をもつ人とは、慎重につき合ったほうが身のためかも。

◐口唇でも人物が特定できる!

犯罪捜査では、人物を特定する際、指紋が決定的な証拠になることが多い。いうまでもなく、世の中には二つとして同じ指紋がないからだが、じつは指紋以外にも、人物を特定できるものがある。

それは、「口唇紋《こうしんもん》」と呼ばれるもの。上下の唇にあるシワやミゾのことで、昭和四四年、東京歯科大学の鈴木和男教授が、国際法医学会で「同一のものは世界に二つとない」と発表。さらに、指紋同様、時間が経っても消えないため、科学捜査の重要なポイントになった。

現在では、親子の口唇紋が酷似していることがわかっているため、親子鑑定にも利用されている。

◐なぜ、人はアンケート商法にやすやすと引っかかる?

大都会の繁華街を歩いていると、ダブルのスーツを着たお兄さんから声をかけられることがある。

「簡単なアンケートに答えてもらうだけでいいのですが」

OKして、答えると、運のつき。次に「すぐそこで、詳しい説明やっているので」「五分でいいですから」などと言われるともう断れない。連れて行かれたその会場にはセール

スのプロがいて、気がつくとウン十万円もする商品を買わされてしまう。

これが典型的なアンケート商法といわれる手口。そのルーツはアメリカの古典的なセールステクニックといわれる「フット・イン・ザ・ドア」にある。

これは、セールスマンが家のドアに足を入れさえすれば、半ば成功は約束されていると ころからネーミングされた手法。理由は、人間は小さな要求を一度でも受け入れると（この場合は、セールスマンを玄関に入れるということ）、次の大きな要求を断りにくくなってしまうから。人間は小さな要求を受け入れたことを正当化しようとして、次なる要求も受け入れてしまうのである。

最初の「イエス」は、よくよく慎重に考えてから口にすることだ。

◐インチキ商法のある共通点

このツボを買うと幸福になれるとか、これを飲めばたちまち健康になれるなど、世にインチキ商法のタネは尽きない。しかし、インチキ商法には、ひとつの共通点がある。「人の不安をあおる」ということである。

たとえば霊感商法の類。これは、印鑑が不吉だ、このままでは不幸が起きるなどといって、客の「不安」を露骨にあおることでインチキ商品を買わせる。

次は、健康に関するもの。誰でも程度の差こそあれ、健康に「不安」を抱いているもので、このツボをうまくつけば、コロリとなる人も多い。

最後は、利殖に関するもの。小豆相場だ、金相場だと、世の中にはうまい話をいきなり電話でしてくる人がいるが、これも「うまい話に乗り遅れてはいけない↓自分だけが損をしているのではないか」という「不安」につけこんでいるわけだ。

結論としていえるのは、いたずらに客の不安をあおるような商法は、まずインチキと思って間違いないようである。

◐なぜ、人は詐欺商法に何度も引っかかる？

毎年のように新種のネズミ講があらわれ、被害者が後を絶たないが、こうした悪徳商法に引っかかる人は、じつは過去にも同じような悪徳商法に引っかかったことのある人が多いという。これは、その人がお人好しだから、というだけではない。心理学的にも、もっともな面があるのである。

一般に、人間は印象の薄いささいなことから忘れる。しかし、たとえ印象が強烈なことでも「自分にとって都合の悪いこと」は、やはり忘れるという面がある。いつまでもクヨクヨしていては、そのストレスで参ってしまうからだ。

心理学では、こうした心理を「能動的忘却」とよんでいるが、詐欺商法の被害にあったことは、「自分にとって都合の悪いこと」に他ならない。そのため、これを忘れ、また、同じような手口に引っかかるというわけである。

◐車のナンバーが教えるあなたの個人情報

車のナンバーは、いわばその車の指紋のようなもの。ナンバーがわかれば、持ち主の住所や氏名、電話番号などを簡単に調べられる。

方法は、最寄りの陸運支局へ行って、「登録事項等証明書交付請求書」に車のナンバーと車のメーカー、車種などを書き込む。あとは三文判を押し、三〇〇円の手数料を払い込むだけだ。

請求理由には、事故処理のためとか、車検証紛失のためとか適当に書いておけばいい。

こうして発行された「登録事項等証明書」には、車の持ち主の住所、氏名、電話番号、生年月日まで記載されている。

というわけで、この世の中、番号がついているものはことごとく、その裏に個人情報が登録されていると思って間違いなさそうである。

◐「引っ越し直後のマンション」は危険がいっぱい!

賃貸住宅をめぐる「カギのトラブル」が後を絶たない。最大の原因は、日本の賃貸住宅の九割以上が、居住者が新しく変わってもカギをつけ替えないことにある。

引っ越すときは、それまで使っていた部屋のカギはすべて大家さんに返すのが一応の決まりだが、たいていの住人は合鍵を作っている。その合鍵を恋人など別の人物に渡していることもあるだろう。いずれにせよ、あなたの部屋のカギを、まったく知らない赤の他人が持っている可能性は高い。

また、引っ越しや内装工事の業者、ひどい場合は大家や管理人が、悪意をもって合鍵を作り、あなたの部屋に侵入していることもありうる。事実、換気扇やエアコンに超小型の盗撮機を仕掛け、住人のプライバシー映像をインターネットで流していた管理人もいた。

というわけで、引っ越してすぐの部屋には危険がいっぱい。引っ越ししたら、インテリアなど考える前に、まずは部屋のチェックだけはしたほうがいい。

◐文句が言えない(?)リストラの手口

会社には、たいてい「就業規則」がある。

熟読したことのある人はそういないだろうが、昨今は、この就業規則を読んでおかないと、思わぬところで足元をすくわれることになりかねない。「就業規則違反」で、リストラの対象にされることがあるからだ。

もっとも多いのは、就業時間中の私用電話。会社の電話だけでなく、自分の携帯電話でもダメ。とにかく仕事中に私用電話をかければ、「職務専念義務違反」ということになり、辞職を迫られても文句は言えないのだ。

リストラの危機は、あなたのまわりにたくさんころがっている。そして、どこに会社の監視の目が光っているかはわからない。

就業規則を忠実に守る。そして、電話であろうと、会社の備品であろうと「私用」と「社用」を混同しない。職場での身の安全を守るための第一歩である。

◐掲示板の〝荒らし〟は、無視するのがいちばん

自分のホームページに掲示板を作り、多くの人たちが自由に意見交換できる場を提供する、という人がいる。

同時に、〝掲示板荒らし〟と呼ばれる連中によって、さんざんな目に遭う人が少なからず出てきている。

〝荒らし〟に対していちばんまずい対応は、必死に反論してしまうこと。〝荒らし〟は、ほとんどが愉快犯。こちらが過敏に反応すればするほど喜び、攻撃はエスカレートしてくる。

彼らに対抗する最良の方法は、無視することだ。一カ月も放っておけばつまらなくなって別の掲示板に乗り換えることが多い。

無視をつづけても、いっこうに攻撃がやまない場合は、最終的な手段として、ネット犯

罪に詳しい弁護士に依頼。プロバイダーから相手の住所や名前を調べてもらって、法的処置をとる方法もある。

ただし、相手が悪質なハッカーだったりした場合、逆恨みされて、何をされるかわからないので、要注意だ。

◐懸賞サイトから流出するあなたの個人情報

インターネットは懸賞サイトやプレゼント告知の花盛り。つい応募したくなってしまうが、この場合は、当選したときの商品の郵送先を指定する必要があるため、自分の住所、氏名、電話番号、メールアドレスなどを書き込まなければならない。場合によっては、家族構成、職業、趣味や年収まで書く欄がある場合もある。

つまり、あなたが懸賞サイトに応募した瞬間に、あなたの個人情報は相手に渡ってしまうことになる。

この世の中、そうした個人情報を欲しがる企業は無数にある。あなたの個人情報は名簿業者を通じて売り買いされ、ふたたび広告メールとなってあなたのところに届く。あるいは、悪徳商法に利用されることもある。

懸賞サイトなどで入力した個人情報は流出するもの、と考えたほうがいい。いったん流出してしまったら、それがどう悪用されようと、あなたにはもう対処のしようがない。そんなことになりたくなければ、とにかくやたらに懸賞サイトやプレゼント告知に応募しないことである。

◐なにげない記述から住所、氏名を割り出すブログストーカーの手口

猫も杓子もブロガー状態の昨今、それに比例して、ブログストーカーなる輩《やから》も急増している。

ブログには、書き手の個人情報を割り出す糸口があちこちに残っている。たとえば、よく行く近所の店や最寄り駅、勤務先での話などを、なにげなく書いてしまうそんなネタでも、その気になれば、そこから住所や名前を突き止めるのはさほど難しいことではない。

写真にしても、生活エリアで撮ったものには、その人の自宅周辺の風景やよく行く場所が写っている。そうした風景は、見たことのある人ならピンとくるし、土地勘がない人にとっても、書き手を絞り込むヒントになる。

そうした情報の断片を日々アップしていたら、日がたつにつれて、どんどんジグソーパズルのピースを増やしているのと同じこと。それひとつでは意味をなさないものでも、ピースが増えていけば何らかの形が見えてくる。ブログストーカーは、パズルを解く感覚でその解読を楽しんでいるのだ。

◐ゴミは個人情報の宝庫！

ゴミに関するルールといえば、ちゃんと分別して、決められた時間に出す、ということだが、いまどきはそれ以上の注意が必要。なぜなら、ゴミは、ストーカーなどにとって、個人情報の宝庫だからだ。

手紙や請求書はもちろん、宅配便のシールやDMからも様々な情報が手に入れられる。レシートからはいきつけの店や趣味がわかるし、使用済みナプキンからは生理日だってわかる。給料明細があれば、収入から勤務状態まで明らかになる。ストーカー行為にとどまっていればまだいいが、こうした情報から〝ゆすり〟に発展する場合だってある。

しかし、ゴミはゴミでしかない。法律上、ゴミはすでに所有権を放棄したもの。誰がどう扱おうと勝手で、ゴミあさり自体は犯罪にはならないのだ。

結局、ゴミをあさられるのがイヤなら、書類ゴミはシュレッダーにかけ、ゴミ収集車がくる直前に捨てるなど、自衛手段をとるしかないのだ。

◐これならバレない(!?)八百長レースの手口

競輪・競馬などの八百長の手口というと、本命に手抜きをさせて人気薄に勝たせたり(〝消え〟という)、あるいは実力があるのにわざと人気を落としておいてから勝つ(〝やり〟)などがポピュラー。いずれも、結果としては大穴を出してひと儲けしようという手口だが、関西・中部の競輪場で起こった「G会事件」は、八百長の天才が考え出したといわれるほど巧妙なものだった。

その手口は本命―対抗をそのままゴールに入線させるというものだった。人気のない選手がトップを奪おうとすると、その選手をはさんで妨害するサンドイッチ戦法などを駆使して、下馬評通りにレースを仕組んだのである。

レースが本命―対抗通りに決まれば、誰も八百長だとは思わない。この八百長を仕組んだ連中は、もちろん本命の車券を大量に買って大儲けしていたという。

◐トランプのイカサマの手口あれこれ

欧米のカジノではトランプを使ったさまざまなギャンブルが行われている。ギャンブルにはイカサマがつきものだが、もちろんトランプも例外ではない。

トランプ自体に仕掛けをしたものとしては、7以下の札の横幅を中央でやや広く、端でやや狭く裁断したもの、裏側の模様に目立たない印をつけたものなどがあり、こうしたトランプは、堂々と発売されてもいる。

仕掛けのないトランプを使用する場合でも、爪で印をつけたり、針でつついて手ざわりでわかるようにするイカサマ師もいる。

指先のテクニックを駆使したイカサマとなると、いよいよ素人には見破れなくなる。札を混ぜているように見せかけて、じつはまったく切れていない〝フォールス・シャッフル〟というテクニックを使ったり、マージャンの積み込みのように、必要な札が自分のところにくるように札を混ぜたり、何枚かの札を手の甲や洋服の袖の下に隠したりと、手品もどきのイカサマを駆使する輩も多い。

トランプになじみのない人はご用心、ご用心。

◐「結婚詐欺」と「詐欺による結婚」の違い

「結婚詐欺」といえば、自分はパイロットだとか弁護士だとか偽って女性に近づき、結婚をチラつかせて（あるいは結婚の約束をして）、金品をだましとるというもの。当然、実際に結婚はせず、詐欺師はドロンということになる。

一方、「詐欺による結婚」は、自分の学歴や職業を偽る点では「結婚詐欺」とよく似ているが、女性から金品をだましとるわけでも、結婚前にドロンするわけでもない。つまり、その女性と本当に結婚したくて、自分の過去を偽るのが「詐欺による結婚」である。

もっとも、過去を偽らなくとも、女性の財産だけが目当てで結婚すれば、これも「詐欺による結婚」になる場合がある。いずれにせよ、こうした事実が明らかになれば、婚姻届は無効になる。

◐他人のモノが自分のモノになるまでの時間

他人のモノを盗めば、もちろん窃盗罪である。しかし、罪は罪でも、時効まで逃げきることができれば、刑事事件の被告としては訴えられない。

ただし、刑事事件としての時効が過ぎても、盗みが発覚すれば、民事事件として返すよう訴えられる可能性はある。

しかし、それにも時効がある。「取得時効」といって、他人のものと知りながら、公然と自分のものとして使用して二〇年が経過すると、法律的にも自分のものになってしまうのだ。

二〇年以上前に友達に貸したままになっているレコードは、もう戻ってこないのである。

◐列車事故による影響人数の数え方

朝のラッシュ時に、事故の影響で列車がストップすることがある。後続の列車が遅れるなど大きな影響の出たときは、その日の夕刊に、たいてい記事が掲載される。

その記事の中には「この事故によって、五万人の足に影響が出た」などと、迷惑をこうむった人数が記されているものだ。その人数は、何を根拠に算出しているのだろうか。

新聞に掲載される人数は、事故のあった鉄道会社の発表によるものだが、鉄道会社は「影響の出た人」の数を、いちいち数えているわけではない。

各鉄道会社では、キップや定期の発行枚数、改札の通過人数など、日頃から乗降客に関するデータを取っている。そのデータから、各駅ごとの乗降客数、各列車の乗客数、各区間の乗降客数を弾き出すことが可能で、事故があれば、それらのデータを基に影響のあった人数を計算しているのだ。

新聞に「五万人の足に影響が出たとみられる」と、伝聞のかたちで書かれるのも、そういう事情からである。

◐飛び降り自殺のとき、本当に履物を揃えて脱ぐものなのか？

飛び降り自殺する人は、靴を脱いで揃えておくというイメージがある。ところが、自殺現場に出向く警察関係者や救急隊員の証言によると、実際に靴を揃えておくような自殺者はほとんどいないという。

飛び降り自殺者は靴を揃えるというイメージが広まったのは、テレビドラマの影響のようだ。テレビドラマの飛び降り自殺場面では、食い止めようとする刑事や肉親がビルの屋上へ駆けつけるが、ビルの屋上にたどりついたときには、時すでに遅し。自殺者は、身を投げた後だったということが多い。そのさい、演出として靴を揃えて並べたのである。

追ってきた刑事がビルの屋上のドアを開ける。すると目に入るのは、屋上の端に並べられた靴。視聴者はその靴を見て、間に合わなかったことを理解する。

そんなシーンを繰り返し見ているうちに、飛び降り自殺者は靴を揃えるというイメージができあがったとみられる。

◆7章◆

聞いて驚きの「食」をめぐる〃裏話〃の数々

そういえば、あの味おかしくないか……?

◐鶏に卵を産ませるのに電気代がかかる理由

鶏（白色レグホン）に、より多くの卵を産ませようとすると、電気代がかかる。長時間、電灯をつけたままにしておかなければならないからである。

鶏は、一日一個のペースで卵を産むように品種改良されている。しかし、一日一個のペースはきっちりとは守れない。二四時間プラスαというように、少しずつ卵を生む時間がズレていく。

たとえば、午前六時に卵を産めば、翌日は午前七時近くになる。こうして一日ごとに少しずつ産む時間が遅くなっていく。さらに、午後二時以降は卵を産まないため、その日の分は、翌日に持ち越されてしまう。

しかし、それではマイナス一個となってしまう。そこで、鶏卵業者は電灯を照らして、〃日照時間〃を長くするのである。すると、卵を産む確率が高くなる。じっさい、光を当てられて朝夕の感覚を失い、一日に二個卵を産む鶏もいる。

◐ブロイラーがおいしくなる前に出荷されるわけ

現在、ブロイラーはだいたい生後五五日前後で出荷されている。一〇〇日以上飼えば、もっとおいしくなるはずだが、現実はその前に出荷されてしまう。

その理由は採算性にある。エサを与えて体が大きくなるのは、五五日ぐらいまでで、その後はエサを与えてもあまり大きくならなくなり、飼料効率が悪くなる。それだけ単位グラム当たりのコストがかかるようになるのだ。

また、五五日ぐらいの大きさが、日本人好みのサイズでもある。それ以上飼育すると、ももや手羽が見た目に大きくなり過ぎて、消費者に気味悪がられてしまうのだ。

◐なぜ、茶畑には扇風機がある?

お茶の栽培には山間地が適しているが、山間地には茶葉の敵である霜が降りやすい。

この霜害《そうがい》から茶葉を守るために開発されたのが、茶畑に立つ「扇風機」。茶所では「防《ぼう》霜《そう》ファン」と呼ばれている。

早朝に空気が冷えると、比重が重くなり、茶畑の低いところに降りてきて、これが霜の原因になる。そこで、防霜ファンは、気温が下がると、センサーが働いて羽根が回り出す仕組みになっている。冷たい空気を攪拌《かくはん》して、それ以上温度が下がらないようにして、霜を防ぐのである。

昔は、茶畑に煙を流して空気を温め、霜を防いでいたが、霜害はなくならなかった。ところが、防霜ファンを使うようになってから、霜害はまったくなくなったという。

◐「ラーメンの替え玉」誕生秘話

ラーメンの「替え玉」システムは、現在、多数のラーメン店で採用されているが、発祥の地は九州・博多の長浜。長浜ラーメンは、白いトンコツスープにストレートな細い麵が特徴である。

長浜で「替え玉」システムが生まれたのは、近くに中央卸売鮮魚市場があったから。お客には魚河岸で働く人たちが多く、彼らの仕事は時間が勝負である。そこで、「お客を待たせるわけにはいかない」と、すぐに茹であがる「ストレートの細麵」が開発された。

ところが、細麵は熱いスープにつかっていると、すぐに伸びてしまう。そこで、最後までおいしい麵を食べてもらおうと、「大盛り」ではなく「替え玉」というシステムが登場したというわけだ。

◐「冷やし中華」の生みの親

「冷やし中華」は、日本のオリジナルメニュー。中国にも、涼拌麵《リャンバンメン》など冷たい麵料理はあるのだが、具はミソ味の挽肉で、タレにはトロミがあって、日本の冷やし中華とはまったく別物の麵料理である。

では、冷やし中華は、日本のどこで生まれたのだろう？

これには二説あって、ひとつは昭和十二年、宮城県仙台市のラーメン店発祥とする説。エアコンのない時代、夏場の売り上げは、どのラーメン店も惨憺《さんたん》たるものだった。そこで、「夏でも喜んで食べてもらえるラーメンはないか？」と考えた店主が、ざるそばにヒントを得て作り出したのが、冷やし中華だったという。

一方、東京・神田の揚子江菜館という中華

料理店が考案したとする説もある。こちらも、店主がざるそばにヒントを得て思いついたといわれている。

◐えっ？「しゃぶしゃぶ」は登録商標だった!?

すき焼き、とんかつと並び、日本を代表する肉料理といえるのが、しゃぶしゃぶ。じつはこの料理名、登録商標であることをご存じだろうか。

しゃぶしゃぶは、大阪のスエヒロというお店が昭和二七年に商標登録したもの。スエヒロの先代社長の三宅忠一氏が、従業員の女性のある仕草を見て思いついたネーミングだとか。それは、おしぼりのタオルをたらいで「しゃぶしゃぶ」と洗う様子。これを見て、スープの中で肉をゆすって火を通しながら食べる、かの料理に、「しゃぶしゃぶ」と命名したのがそもそもの始まりだという。

商標登録された「しゃぶしゃぶ」という言葉が誰でも使えるのは、スエヒロの社長が太っ腹だったからだ。

ちなみに、しゃぶしゃぶの料理法のルーツは、モンゴルにあるという説が有力である。

◐コップ酒を溢れさせる注ぎ方のルーツ

居酒屋で日本酒を頼むと、コップを小皿や枡の上に乗せて出すところがある。そして、店員が目の前で日本酒を注ぎ、酒がコップから溢れると、その小皿や枡が受け止める。

この注ぎ方は、戦後、立ち飲み屋で始まったもの。酒屋では、店内で客に飲食物を供することは許されていないが、コップ酒の立ち飲みなら、保健所の許可がなくてもＯＫ。そこで、戦後、コップ酒を飲ませる酒屋が増えたのだ。

とくに戦後の復興期、建設工事や道路工事

に従事する人たちが、仕事後、酒屋でコップ酒をあおって帰るようになった。その時期、他店とのサービスの違いを強調するため、コップの下に小皿を置き、酒を溢れさせる店が登場したという。

やがて、このサービスが全国に広がり、しだいに居酒屋でもおこなわれるようになったとみられている。

◐桜餅の葉に特別の桜の葉が使われるわけ

桜餅が誕生したのは、徳川五代将軍綱吉の時代。東京・向島《むこうじま》の長命寺の門番が向島堤の桜の葉を塩漬けにし、その葉で餅をくるんで花見客に売り出した。これが、今の桜餅の原型である。

当時使われていた塩漬けの葉は、向島堤に植えられていた「ヤマザクラ」だったが、現在、桜餅用の葉っぱが栽培されているのは、伊豆半島と伊豆大島。その地で栽培される「オオシマザクラ」が、国内で食用にされる桜の葉の大半を占めている。オオシマザクラは、他の品種に比べて香り成分を多く含み、葉のウラに毛がない。それが、桜餅を包むのに適しているのだ。

その栽培方法は独特で、木の背丈が高いと、葉を摘み取りにくいため、人の背丈ほどの高さに桜畑を作り、摘み取った若葉を半年ほど塩漬けにして出荷している。

◐最近のタマネギは炒めるのに時間がかかるわけ

タマネギは、三〇年前には、一分半で炒《いた》められた量でも、いまでは炒めるのに、五分以上かかる。原因は、タマネギが品種改良されたことにある。

昔のタマネギには、多量の水分が含まれ、炒めると水分がどんどん蒸発し、短い時間でシナっとなった。ところが、この三〇年の間にタマネギは流通過程で傷まないようにと、耐久性のあるタイプに改良されてきた。そのぶん、水分含有量は少なくなって、長時間炒めなければ、しんなりしなくなったというわけである。

しかも、水分が少なくなるとともに、タマネギ本来の甘味やうま味まで乏しくなって、味付けを濃くすることも必要になった。

◐トマトが「桃太郎」ばかりになった理由

現在のトマト市場では、「桃太郎」という品種がガリバー化している。

そのいちばんの理由は、生産地と消費地との距離が長くなったことにある。トマトは朝摘みのものを食べるのがもっともおいしいが、生産地と消費地が遠くなるにつれて、熟す前の青い段階で収穫されるようになった。そして、輸送途中で赤くなったトマトが、八百屋やスーパーの店頭に並ぶようになっていた。

むろん、完熟前に収穫されたトマトは、味が落ちる。そこで、赤くなってから収穫し、その後長距離輸送しても大丈夫という目的で、開発されたのが「桃太郎」だった。

「桃太郎」は、実が熟れてから、やわらかくなるまでに時間がかかる。赤くなってから収穫しても、長い輸送に耐えられるというわけである。

◐カボチャの味が大きく変わったわけ

一六世紀に伝来して以来、日本で食べられてきたのは「日本カボチャ」。皮の色は黒っぽく、食味はやや水っぽく、しょうゆ、砂糖で煮つけるのに向いている。

ところが、現在、この日本カボチャを家庭で食べようと思っても、入手するのは困難である。ほとんどが高級料理店向けとなっているためだ。日本カボチャは、煮くずれしにくいため、細工料理に利用されることが多く、高級懐石料理専用の食材になっている。

そこで、日本カボチャに代わって、家庭で食べられているのは、明治以降に入ってきた「西洋カボチャ」。こちらは日本カボチャよりもほくほくして、甘味がある。甘いものを好む人には、西洋カボチャのほうがおいしく感じられるはずだ。

◐青首ダイコンが市場のガリバーとなったわけ

いま、家庭で食べられているダイコンのほとんどは青首ダイコンである。

クセがなく、甘味が強い青首ダイコンが、一気にシェアを拡大したのは、八〇年代のこと。家庭の食卓が父親から子供中心になって、食べやすい青首ダイコンが大きなシェアを獲得したのである。

一方、練馬ダイコンや三浦ダイコンは、ダイコン独特のクセや香りが嫌われて売れ行きを落としていった。スーパーや八百屋に並ぶのは、一部の人にとってはとてもおいしいダイコンではなく、多くの人々に好まれるダイコン。そこで、青首ダイコンばかりとなったのである。

◐現在のきゅうりは品種改良の大失敗作

きゅうりは昔、表面を白い粉でおおわれ、その白い粉は「ブルーム」と呼ばれてきた。やがて、研究者の間で、ブルームのないきゅうりのほうがおいしいと考える人が増えて、ブルームの少ない〝ブルームレス〟きゅうりが開発された。これが、現在のきゅうりである。

ブルームレスきゅうりは、「ツヤツヤしていて、見た目がきれい」なのでよく売れ、全国で白い粉の出ないきゅうりが栽培されるようになった。

ところが、後の研究で、ブルームの有無ときゅうりの味には、何の関係もないことがわかった。むしろ、ブルームは、きゅうりの組織を保護するために必要なもので、きゅうりが自らを守るために出していたのである。

というわけで、ブルームを失った現在流通中のきゅうりは、いろいろな病気に襲われるようになり、収穫までに農薬を繰り返し散布しなければならなくなった。

◐シナチクって何もの?

ラーメンでおなじみのシナチク。その材料になるのは、中国産の麻竹《まちく》という種類のタケノコである。日本のタケノコは土から出るか出ないかという時期に掘り起こすが、麻竹は地表から五〇センチは顔を出したものを使う。

とはいっても、固い部分はおいしくないので捨ててしまい、上の部分だけが食用になる。

作り方は、麻竹を細かく刻んで煮て、水切りしたあとで、土の中に入れて約一カ月ほど発酵させる。すると、タケノコの色がだんだんと薄茶に変わり、あの独特の風味が生まれてくる。

その発酵したタケノコを、塩漬けにするか、天日干しで乾燥させると、シナチクのできあがりだ。

◐弁当のおかずの仕切りに、なぜビニールの笹を使うのか?

駅弁、仕出し弁当、ホカ弁、コンビニ弁当……世の中にはさまざまな弁当があるが、弁当の〝仕切り役〟として欠かせないのが、笹の葉を模した緑色のビニールである。

業界では「葉蘭《はらん》」と呼ばれるこの緑のビニールには、次のような存在理由がある。

ひとつは、彩り。玉子焼き、かまぼこ、焼き魚は〝幕の内弁当の三種の神器〟と呼ばれるが、これらの他に煮物やテンプラ、あるいは漬物といったおかずが並ぶと、どうしてもお弁当は〝茶色系〟の色合いになり、食欲がいまひとつ湧かない。しかし、そこに目にも鮮やかなグリーンがあると、食欲がそそられるというわけだ。

もうひとつの理由は、昔、ホンモノの笹の葉を弁当に入れていた、その名残りというもの。笹には殺菌作用があるため、弁当のおかずの仕切りにはもってこいだったのだ。

現在でも、寿司屋の中には、笹の葉に寿司を乗せるところがあるが、あの笹は単なる皿の代わりではなく、衛生上の意味もあったというわけだ。

◐「濃縮還元果汁」とは、ふつうのジュースとどこが違う?

市販されているジュースには、「濃縮還元果汁」と表示されたものが多い。字義通り解釈すれば、「果汁を一度、濃縮し、それを還元したもの」ということになるが、なぜ、そんな面倒なことをしなければならないのか?

答えは、濃縮しておいたほうが、運搬したり貯蔵したりするときに便利だから。濃縮する方法には、減圧加熱法、凍結濃縮法などがあるが、いずれも四分の一くらいにまで濃縮し、還元するときには、元の濃さになるよう蒸留水を加える。

ちなみに、濃縮せずに、絞ったままの果汁を凍結させたものを業界では「ストレート果汁」と呼んでいる。

◐辛くないカラシ粉が、なぜ水で溶くと辛くなる？

カラシ粉は、じつはそれ自体は辛くない。もっとも、なめてしまうと唾液で溶けるため、とたんに辛くなるが、それでも最初は辛味を感じないものだ。その理由は以下の如し。

カラシ粉は、カラシナの種子を乾燥し、粉末にしたもの。この種子にはミロシナーゼという酵素があり、この酵素に水を加えると、やはりカラシナに含まれているシニグリンという物質が分解される。こうして誕生するのが、アリール芥子《からし》油。これが、あの辛味の正体である。

ただし、このアリール芥子油が発生するまでには、四、五分かかる。だから、カラシを水で溶いてすぐは、まだあまり辛くない。反対に、時間が経ち過ぎると、アリール芥子油が飛んでしまい、辛味はしだいになくなってしまう。

ちなみに、チューブ入りの練りカラシが発売されたのは昭和四五年のことだが、すぐに辛味が飛んでしまう練りカラシをチューブに入れるためには、大変な技術が必要だったという。

◐ポパイがホウレンソウ好きになった理由

アメリカン・アニメのヒーロー「ポパイ」は、いざというとき、ホウレンソウの缶を取り出して、ムシャムシャと食べる。すると、筋骨隆々になって、どんな相手も叩きのめす。しかし、なぜ、ホウレンソウなのだろうか？　じつは、ポパイがホウレンソウを食べるのは、ベジタリアン（菜食主義者）たちの仕掛け。ポパイは、一九二九年、ベジタリアンが宣伝のために作り出したキャラクターなのだ。

当時、全米ベジタリアン協会では、宣伝用のキャラクターを作って菜食主義を広めようと考えた。このとき生まれたのが、ポパイだったのである。

ただし、最初はキャベツを食べていたが、あまり人気が出なかった。そこで、缶詰のホウレンソウに変えると、一躍、人気爆発となった。

◐国産小麦ではラーメンを作れないわけ

ラーメンには、輸入物の小麦が使われている。国産物はラーメンには向かないのだ。

一言に小麦粉といっても、さまざまな種類がある。そのうち、ラーメンに向いているのは、グルテン量が一一パーセント以上の「準強力粉」。グルテン量が一一パーセントより少ないと、コシが弱く、弾力に欠けた麺になってしまう。

また、小麦粉は、含まれる灰分の量によって、三つの等級に分かれ、ラーメン用は灰分が最少の一等級が合うとされている。つまり、ラーメンに向くのは、グルテン量が多く、灰分の少ない小麦粉ということになる。

ところが、国産の小麦粉は、グルテンの量が少ないタイプ。そこで、ラーメンにはオーストラリア産やアメリカ産が使われている。

◐野菜ジュース用の野菜の産地

野菜ジュースの野菜の産地はどこだろう？

これには国内産と外国産野菜があるが、国内では、各メーカーがそれぞれ長野や群馬、福島、岩手県内などに産地を確保。地元の農家と契約して、土壌チェックや農薬の使い方などを指導しながら栽培している。たいてい、産地の近くに加工工場が建てられ、収穫された野菜は、その日のうちに製品化されている。

一方、外国産は、アメリカやオーストラリア、中国、チリ、トルコなどの野菜が、現地で濃縮還元され、輸入されている。

たとえば、トマト汁は中国やチリ、トルコ。ニンジン汁はオーストラリア、リンゴ果汁はアメリカ、レモン果汁はイスラエルなどから輸入されているという具合だ。

◐一〇〇パーセント芋からできているわけではない芋焼酎

「いも焼酎」といっても、一〇〇パーセントさつまいもだけで作られているわけではなく、さつまいも以外に、酒米を欠かすことはできない。その工程を紹介してみよう。

まず、酒米を蒸し、種麹を混ぜて麹を作る。そして、麹と水を加えたものに酵母菌を加え、一次仕込みをする。

一方、さつまいもは、よく洗ってから蒸し、細かく砕いておく。それを一次仕込みで作った一次もろみに水と一緒に加え、二次仕込みをする。この過程で、麹によって、さつまいものデンプンが糖化され、酵母がアルコール発酵をおこなう。

そして、発酵した二次もろみを蒸留機で蒸留して、もろみの中のアルコール分を取り出す。これが、原酒である。この原酒を樽に詰めて熟成させるとともに、分離した油成分を取り除くと、芋焼酎のできあがりとなる。

◐アメリカのビールを淡白な味にした企業戦略

アメリカには、かつて何百というビール製造業者があり、さまざまな地ビールを作っていた。しかし、第二次世界大戦後、企業の合併・吸収が繰り返され、ビール業界は寡占化が進んだ。

バドワイザーを発売するアンホイザーブッシュをはじめ、クアーズ、ミラー、ストローズ、ハプストといった企業に収斂《しゅうれん》されたわけだが、こうした大ビールメーカーが誕生する過程で、アメリカのビールの味は現在のようにどんどん淡白になってきた。

アメリカのビールメーカーは、モルトの量を減らして、米やコーンスターチで代用。ホップの量も減らしたビールを開発してきたのだ。

そこには、ビールの味をより淡白にすれば、たくさん飲めるようになり、結果として消費量が拡大するという狙いがあった。こうして、ジュース代わりに、ビールをガブ飲みする人が増え、メーカーはより儲かるという構図ができあがった。

◐中国の宇宙食は「中華料理」か?

さすが「以食為天」（食こそ生活の大本）という言葉をもつ中国だけのことはある。宇宙食にも中華料理を用意していた。中国が二〇〇三年十月十五日に初めての有人宇宙船「神舟五号」の打ち上げに成功したのは記憶に新しいが、その飛行士は宇宙でも美味なる中華料理を堪能した。

宇宙先進国の米ソとも、初飛行の宇宙食はチューブ入りののり状食品を口で吸い取る味気ないものだったが、中国は、宮保鶏（角切り鶏肉とピーナツの辛味あんかけ）や、魚香肉絲（細切り豚肉の甘辛炒め）、八宝飯（ハスの実やアンズなどの干し果実をもち米とあんの上に置いて蒸したデザート）など二〇種類の中華料理をメニューに組み込んでいた。さらに、漢方薬と滋養成分を配合した食後のドリンク付と至れり尽くせりだった。

宇宙中華料理は、すべてオブラートに包まれた一口サイズ。地上で試食した人によると、味もなかなかだったという。

◐サンマが昔より塩っぽくなったわけ

最近のサンマは、いよいよ塩辛くなっている。サンマが塩っぽくなった原因は、その流通過程にある。

まず、サンマ漁船は、網にかかったサンマを海水と氷とともに魚倉に入れる。陸揚げ後の加工工場でも、サンマは海水と同濃度の塩水に入れられている。さらに、出荷の際にも、氷に塩が振り込まれる。

これほど、サンマの流通過程で塩が使われるのは、サンマの鮮度を保つため。サンマは塩水につけておかないと、皮が白っぽく変色して見た目が悪くなるのだ。

こうして、流通過程で塩がたっぷりしみこんだサンマだが、家庭ではさらに塩をかけて塩焼きにする。だから、最近の焼きサンマは過度に塩辛くなってしまったのである。

◐模造キャビアの氾濫事情

世界三大珍味に数えられるキャビアは、チョウザメの卵を塩漬けにしたもの。しかし、世の中には、チョウザメ以外の魚の卵で作られた〝キャビア〟も大量に出回っている。

模造品には、タラやニシン、トビウオ、ランプフィッシュなどの卵が使われている。チョウザメのキャビアと同じように塩漬けにし、その後、調味液につけたり、着色されて市場に出回っているのだ。

欧米などでは、これらの模造キャビアは、本物とは厳密に区別され、たとえばサケの卵（イクラ）の塩蔵品は「レッドキャビア」として売られている。値段は、本物のキャビアと一ケタ、場合によっては二ケタも違う。

本物と模造品の見分け方は、まず色をよく見ること。模造品は着色されて黒光りしているが、本物のキャビアはくすんだネズミ色をしている。

◐アユが友釣りでは釣れなくなったわけ

アユは縄張り意識の強い魚で、他のアユが近づくと攻撃して追い払う習性がある。その習性をうまく利用したのが、アユの友釣り。そのオトリのアユを釣り竿につけ、わざと縄張りへ近づける。そのオトリを追い払おうとする瞬間を狙って、釣り上げるのだ。

ところが、最近のアユは性格が変わってきた。群れることが多くなって、縄張り意識が薄くなっているのだ。むろん、それでは、友釣りはできない。

アユの性格が変わった理由は、過密放流が一因といわれる。最近はたくさんの稚魚が放流されているため、一匹当たりの縄張りが狭くなり、アユも縄張りを主張する前に共存を心がけないと、生きていけなくなったのだ。

◐インスタントカレーの固め方

インスタントカレーの原料は、スパイスを混ぜ合わせたカレー粉、小麦粉、油脂、調味料で、これらを一〇〇度以上に加熱してかきまぜる。そのまま冷やせば、粉末ルウになるが、溶けた状態のルウを容器に詰め、ベルトコンベアにのせて冷却すると、ルウが固まって固形ルウとなる。

固形ルウは、粉末ルウに比べて、油脂分が多いという特徴がある。粉末ルウの油脂含有量が一五パーセントなのに対し、固形ルウは倍以上の三〇～四〇パーセントもある。これは、固形ルウの形を保つため、融点の高い油脂を使っているからである。

ちなみに、インスタントカレーの中心が、粉末ルウから固形ルウに変わったのは、一九七〇年代になってからのことである。

◐植物油の材料となる種の皮のむき方

植物油には、大豆油、なたね油、ごま油などがあるが、いずれも植物の種から油を絞りとる。油を絞りとる前には、種の皮をむかなければならないが、いちいち手作業でむいているわけではなく、そこでは、じつは〝風力〟が利用されている。

たとえば、大豆の場合、まず加熱して皮をむきやすくする。そして、二本のロールの間に通して皮を破くとすぐに、そこへ強風を吹きつける。すると、中身に比べて軽い皮だけが、風に吹かれて飛んでいく、という仕掛けである。

一方、ごまやなたねは、皮をむく必要がないタイプで、そのまま抽出機の中に放り込まれる。

◐チョコレートメーカーが熱を上げる本物論争

ヨーロッパのチョコレート業界によれば、チョコレートはカカオだけで作るもの。植物油を混ぜる日本のチョコは、チョコの名に値しないという。

実際、欧州連合（EU）では「植物油五パーセントまではチョコレートと認める」という方針を定めているが、日本のチョコレートには、六〜二〇パーセントもの植物油が混ぜられている。

その理由は、おもに次の二つ。日本は高温多湿の気候であり、カカオだけでチョコレートを作ると、夏にはすぐ溶けてしまうこと。もうひとつは、植物油を入れたほうが、日本人好みのとろけるような食感が生まれることである。

◐シナモンはニセモン

街のカフェで「カプチーノ」を頼むと、白い泡のうえに、褐色のパウダーがかかった飲み物が出てくる。「その褐色のパウダーは何？」と問えば、「シナモン」と答える人が多いだろう。若干の苦味と辛味、そして甘いウッディな香りに特徴がある。

その他にも、このシナモンは、アップルパイにかかっていたり、紅茶と一緒に一〇センチほどのスティックとしてついてくる。

ところが、現在、日本で使われているシナモンは、本物ではなく、たいていは「カシア」と呼ばれる植物で代用されている。

もともと、「シナモン」はスリランカでしか収穫されないため、値段が高い。そのため、インドネシア、マレーシア、ベトナムでも栽培されている「カシア」が、日本ではシナモンの代用品として大量に出回っているのだ。いまでは、シナモンとカシアの区別をすることなく、すべて「シナモン」として利用されている。

風味はシナモンのほうがデリケートで、カシアはシナモンより、強い辛味がある。もっとも、ヨーロッパでも、シナモンとカシアの区別はおこなわれていないというが。

●ビニールハウスのイチゴは赤くない!?

イチゴ狩りでは、ビニールハウス内で栽培されているイチゴを摘むが、このイチゴ狩りを楽しんだ人に、「イチゴは赤かったですか？」と問えば、ほぼ全員が「はい」と答えるはずである。

しかし、照明として蛍光灯の使われているビニールハウス内では、イチゴはいくら熟していても、真っ赤には見えないはず。なぜなら、蛍光灯の光は照らし出されるものを青白く見せるからである。

それなのに、イチゴ狩りを楽しんだ人たちが、「真っ赤だった」というのは、いわば錯覚である。頭の中に「イチゴは赤いもの」という先入観がインプットされているため、赤っぽいというだけで「真っ赤」と感じてしまうのだ。色彩心理学では、この原理を「色の恒常性」と呼んでいる。

たとえば、「イチゴは赤いもの」という先入観をもたない幼児が見れば、「このイチゴ、赤くないよ」という『裸の王様』のようなことが起きるはずである。

◐お菓子の袋に入っている乾燥剤は、本当に「食べられない」？

「〇〇するな！」といわれると、「〇〇したくなる」のが人情。たとえば、お菓子の袋に入っている乾燥剤。そこにはかならずといっていいほど「食べられません」の文字があるが、この乾燥剤には猛毒でも入っているのだろうか？

答えは、ノー。少なくとも、食べてしまっても死ぬようなことはない。

ビーズのように見えるのはシリカゲルという乾燥剤。ケイ素と酸素の化合物で、食べても無害だが、無味無臭だ。

シリカゲルには、無数の穴があいており、その表面に空気中の水蒸気を付着させて湿気をとる。一〇〇グラムのシリカゲルで、およそ二〇グラムの水分を吸収する力をもっているというから、なかなかのものである。

なかには、青いビーズの乾燥剤もあるが、これは塩化コバルトで染色したもの。水分を吸収するとピンク色に変わるから、一目で効力の有無がわかる。ちなみに、ピンク色になったら、フライパンで軽く炒めると青色に戻り、パワーも復活する。

◐クリスマスに七面鳥を食べるようになった理由

欧米では、クリスマスに七面鳥を食べる。ところが、最初に七面鳥料理を食べていたのは、十一月の感謝祭だった。

アメリカが英国の植民地だった一六四一年十一月、マサチューセッツ州にいた二代目総督のウィリアム・ブラッドフォードが、「これから、この日を神様に収穫の感謝を捧げる日にしよう。誰か、祝宴用の食べ物を調達してくるように」と命じた。すると、四人の部下が出発し、たまたま遭遇した野生の七面鳥を捕まえてきた。

これをきっかけに、感謝祭の日に七面鳥を食べるようになったのだが、一八世紀のはじめごろからは、これが、クリスマスの御馳走となった。そして、この習慣がアメリカからヨーロッパへも伝わった。

たしかに、野生の七面鳥は、冬に向かって脂がのるため、寒くなるほど、身が引き締まる。十一月の感謝祭より、クリスマスの頃のほうがおいしい鳥なのだ。

◐カキをカキの貝殻ではなく、ホタテの殻で養殖するわけ

カキの養殖は、七〜九月の「採苗」と呼ばれる作業からスタートする。これは海中を漂っている〇・四ミリほどの稚貝を、貝殻に付着させる作業だ。

このとき、カキを育てるのに使う貝殻なのだから、当然カキの殻を使うと思いきや、答えはノー。カキの養殖に使われるのは、ホタテの殻である。

ホタテを使うのは、ホタテのほうが種ガキがよく付着するうえ、形と大きさがそろっているので、作業がしやすいから。養殖の確実性と効率の二点から、カキの養殖にはホタテの貝殻が使われているというわけ。

◐落花生とピーナッツは、どう違う？

落花生とピーナッツは、どう違うのか？

広辞苑によれば、「落花生」とは、「マメ科の一年生作物。ボリビアなどアンデス地域の原産。世界中に広く栽培され、豆類では大豆

に次ぐ。インド・中国に多く産する。わが国には一八世紀初めに中国から渡来」とある。

一方、「ピーナッツ」は「落花生。南京豆。特に、殻、皮をとり塩などで調理したもの」ということになる。

つまり、落花生の殻と薄皮を取ったものが「ピーナッツ」で、たとえばこれにバター味をつけたものが「バタピー」というわけである。

◐青汁の原材料はどんな野菜？

「青汁」の原料はケール、あるいは大麦若葉という野菜の葉っぱである。

ケールは、キャベツの原種といわれる緑黄色野菜。ミネラルやビタミン類がバランスよく含まれていて、肝臓の機能を高めたり、血中のコレステロールを低下させる働きがある。

一方、大麦若葉は、大麦が初穂を実らせる前の葉や茎のことで、やはりミネラル、ビタミン、葉緑素が豊富。

たとえば、ホウレンソウと比べると、カリウム約一八倍、カルシウム約一一倍、マグネシウム約四倍、ビタミンC約三三倍、カロチン約六・五倍も含んでいる。

◐缶入り茶の缶に窒素が詰められる理由

缶入り緑茶のプルタブを引くと、「プシュッ」という音がする。あの音は、缶の中に詰められた窒素が抜けていく音である。

お茶は本来、色や味、香りがすぐに変化する飲み物。お茶が空気中の酸素と結びついて酸化することが原因だ。

お茶を缶に詰めても、そのままでは缶の中で酸化が進行する。とくに缶入り茶は、消費者の手に渡るまでに、ずいぶんと日数がかかる。

そこで、メーカーは缶に窒素を詰めて酸素を追い出し、酸化を防止している。窒素のおかげで、おいしい緑茶を飲めるというわけである。

◐無洗米が研がなくても炊ける理由

「無洗米」とは、研がなくても炊ける米のこと。でもなぜ研がずに炊けるのだろうか？

そもそも、ご飯を炊く前に米を研ぐのは、白米表面に付着した米ぬかを洗い流すため。特殊な精米機にかけて、この米ぬかを取り除いたものが無洗米だ。すでに米ぬかを落としてあるので、研がずに炊けるというわけだ。

米ぬかをとる方法は、粘着性の高い米ぬかを、同じように粘着性をもったぬかで、はがすように取り除くという方法。この他、少量の水分で肌ぬかを洗い流してから乾燥させる方法もある。

ちなみに、無洗米を炊くときは、普通のお米を炊くときよりも、一〇パーセントほど水を増やすのが、おいしく炊くコツ。同じ一合の米でも、無洗米は米ぬかを落としてある分、米の量が増えている。そのため、通常の水量では硬めに炊きあがってしまう。

◐「アイガモ農法」で役目を終えたアイガモの行方は？

アイガモ農法は、農薬や除草剤、化学肥料を使わずに、アイガモのヒナ鳥を水田に放して雑草や害虫の駆除をする、環境に優しい農法として知られている。

アイガモのヒナは生後約二週間で水田に出陣。自由に泳ぎ回ってえさを探し、それを食べて暮らす。ありがたいことに、それがそのまま害虫駆除になる。また、泳ぎ回るときに水田を足でかき回すことで水が濁り、雑草の成長や発芽を抑制。ふんも稲の養分になる。

まさに大活躍のアイガモなのだが、稲の葉が茂ってくれれば雑草対策はしなくてよくなるため、田植え後二カ月もすれば水田から引き上げられる。稲の穂が出る頃には、水田から引き上げられる。これには、そのままおいておくとアイガモが稲の穂を食べてしまうというウラ事情もある。

水田から引き上げられたアイガモは、その後三カ月ほど肥育され、十一月以降の脂が乗った頃に解体処理される。

◐スナック菓子が銀色の袋に入っている理由

ポテトチップスなど、スナック菓子の袋は内側が銀色である。その狙いは、太陽光線を完全に遮断することにある。

スナック菓子についた油脂は、高温で光が当たると、急速に酸化する。そこで、銀色の袋で光をさえぎり、油脂の酸化を防いでいるのである。

ちなみに、東南アジアへ観光旅行したとき、屋台で食事をして、お腹をこわすことがある。そんなとき、よく「油が合わなかった」といわれるが、この場合も、高温のもとで太陽光線が当たり、油の酸化が進んだせいであることが多い。

◐ウスターソースは何からできている?

現在、ソースは、JAS規格によって、普通の「ウスターソース」、とろみのついた「中濃ソース」、そして「濃厚ソース」に分類されている。これらは、どんな原材料からできているのだろう?

ウスターソースは、タマネギ、ニンジン、トマト、リンゴ、セロリなどを煮て、熟成させた液体に、コショウ、トウガラシ、ニンニクなどの香辛料、砂糖、塩、酢を加えて、カラメルで着色し、一カ月ほど熟成させて作られる。

中濃や濃厚ソースとウスターソースの製法の違いは、野菜の絞り方。ウスターソースはジュース状のものを使うが、中濃や濃厚は野菜をミキサーにかけ、ピューレ状にしたものを使う。このため、濃度と粘り気が違ってくる。

また、味の違いは、香辛料や調味料の使い方が違うため。

◐日本のキムチが韓国から〝キムチではない〟といわれるわけ

韓国の人にいわせると、「日本のキムチはキムチではない」そうである。

韓国のキムチは、塩漬けにした白菜にイカの塩辛やトウガラシ、ニラなどの薬味を塗り、自然発酵させたもの。要するに、発酵食品だ。

一方、日本製キムチの多くは、自然発酵過程を省いたものが多い。その代わりに、添加物で発酵したような味を演出しているのである。しかも、トウガラシの赤色は、パプリカで代用。とろみも「糊料」と呼ばれる添加物でつけている。

そのため、韓国キムチと日本キムチの味の違いは、誰にでもわかる。日本のメーカーは、コストを抑え、大量生産するには、添加物を使うほうが効率的と主張しているが……。

◐ワカメの養殖法

ワカメは、現在ではほぼすべてが養殖物だ。

ワカメの養殖に必要なものは、ウキとオモリをつけたロープだけ。このロープにワカメの胞子をつけた糸を巻きつけ、このロープを海に浮かべておけば、胞子から若芽が出て成長していく。そして、ロープごと船に引き上げれば、ワカメを収穫できる。

ワカメは、激しい潮流と荒波にもまれるほど、新陳代謝が盛んになり、厚くて身のしまったワカメになる。そのため、岩手県と宮城県の三陸海岸沖、徳島県の鳴門や関門海峡など、日本有数の激流地帯が名産地となっている。

◐残留農薬がもっとも心配な果物

ブドウ栽培では、農薬が二〇〜三〇回も散布される。除草剤、殺虫剤、殺菌剤、さらに種なしの品種を生産するためのホルモン剤などで、これらはブドウの皮についたり、皮の内側へ入りこみやすい。皮についた農薬は、よく洗えば落ちるが、皮の内側へ入りこんだ農薬は、そう簡単には取り除けない。

また、ブドウは、食べるとき、皮の内側に口や舌を触れ、甘酸っぱい水分を一緒にゴクンと飲み込む。

というわけで、ブドウは、残留農薬がもっとも心配な果物という専門家が多い。

◐野菜のヘタを見れば農薬量がわかる

果物やトマトのヘタが茶色に変色している

ことがあるが、そういうヘタは、農薬のかけ過ぎなど、危険な野菜作りをした証拠といえる。

そもそもヘタは、花器の外側にあって、果実の保護役をしている。そのため外界の影響をもっとも受けやすく、農薬の影響も端的にあらわれるのだ。

たとえば、使用許可されていない農薬を使ったり、濃度の高いものを乱用すると、てきめんにヘタは変色する。また、農薬を散布する回数が多すぎても、薬害の影響がヘタにあらわれるし、肥料のやり過ぎもヘタの状態にあらわれる。

ナスビ、トマト、イチゴなど、ヘタ付きの野菜・果物を買うときは、ヘタの状態をよくチェックしよう。

◐元城下町に和菓子店が軒を連ねる理由

江戸時代まで城下町だった都市には、いまでも銘菓の老舗が多い。元城下町に銘菓が多いのは、茶の湯と関係がある。

茶の湯は、千利休の時代を経て、江戸時代に広く普及したが、茶の湯にはかならず和菓子が必要になる。要するに、城下町の和菓子屋は、当時の支配階級である武士が茶の湯を楽しむ際に供される和菓子作りからスタートしたのである。

茶の湯では、甘味を抑えた和菓子が好まれるため、菓子職人は上品な味の和菓子作りに精根を傾けた。こうして、城下町の和菓子は、人々の口に合うように工夫され、後々までも残る銘菓が数多く生まれたというわけである。

◐出前寿司にアカガイが入っていないわけ

「出前」のにぎりには、まずアカガイは使われていない。

その理由は二つあって、ひとつはアカガイが短時間に変色してしまうこと。

もうひとつは、出前の寿司桶に並べると、値段のわりに見栄えがしないことがある。珍味といわれるアカガイの「ヒモ」も、マグロの赤身やイクラの軍艦巻きに比べると、見た目の豪華さでは勝ち目がない。

むろん、アカガイのような高級ネタは、出前ではなく、新鮮なものを目の前で握ってもらい、「ヘイ、おまちィ」と出されたものを食べたほうがおいしいに決まっている。だから、あえて出前に使わないという意味もある。

◐中華料理のメニューを解読する方法

中国や香港、台湾など、本場の中華料理店では、当然、メニューはすべて中国語で書かれている。しかし、以下のような漢字の意味を知っておけば、「魚のあんかけ」を注文したつもりが、「子豚の丸焼き」が出てきた、なんてことはなくなるはずだ。

ひとつは、材料を意味する漢字で、猪（ツウ）肉（ロウ）＝豚肉、牛（ニュ）＝牛肉、鶏（チイ）＝鶏肉、鴨（トウ）＝カモ、そして、蛋（タン）＝卵となる。

もうひとつは調理法を意味する漢字で、炒（チャオ）＝炒め物、炸（ツア）＝揚げ物、焼（シャオ）＝煮物、煎（セン）＝焼き物、蒸（ジョン）＝蒸し物、拌（バン）＝和え物、溜（リュウ）＝あんかけ、湯（タン）＝スープである。

素材と調理法がわかれば、だいたいの料理がイメージできるはずだ。

◐ドリンク剤の成分にアルコールが欠かせないわけ

そもそも、ドリンク剤は、開発段階では、ブドウ糖とビタミンB_1を使って試作された。ブドウ糖が疲労回復に効果があり、それをエネルギー化するのに必要なのがビタミンB_1だったからである。

ところが、消費者テストの評判は、「効いた気がしない」とさんざんなものだった。

そこで、メーカーは、ドリンク剤にアルコールを加えて再テストした。すると、「顔がカッカしてきて、よく効いた」と評判がよく、その方向で商品化されたのである。

アルコールを飲めば、顔がほてってくるのは当たり前の話。人間はそれを元気が湧いてきたように感じてしまうのである。それが以後踏襲されて、ドリンク剤にはアルコールが欠かせなくなった。そのため、ドリンク剤を飲んで酔っぱらい運転で捕まる人もいる。

◐お子様ランチには、なぜ旗が立っているのか？

デパートの大食堂や郊外のファミリーレストランで子供向けの定番メニューといえば、やはり「お子様ランチ」。このお子様ランチには、ご飯の上に万国旗が立っていることが多いが、これはどうしてか？

「ご飯に旗」が生まれたのは昭和初期の日本橋三越。料理長だった安藤太郎氏は、「お子様寿司」、「お子様弁当」、「お子様洋食」という子供向けメニューの中で、「お子様洋食」の人気がイマイチなのが不満だった。

そこで、安藤氏が考えたのが、それまで平らに盛っていたご飯を山型にするというアイデア。で、山型にしたのであれば、登山のときのように頂上に国旗を立ててみようとなった。

これが、味よりも〝外見〟を気にする子供たちにウケた。こうして、この「お子様洋食」は後の「お子様ランチ」の原型として完成。やがて、全国のデパート、食堂に広がったというわけだ。

◐ホワイトチョコレートは、なぜ白いのか？

チョコレート色といえば、誰もが茶色系のあの色を思い浮かべるはず。しかし、チョコレートの中には、白い、その名も「ホワイトチョコレート」というのもある。これは、簡単に言ってしまえば、原料が違うからだ。

チョコレートはカカオマス、ココアバター、乳製品、砂糖などを原料として作られるが、ふつうのチョコレートが、カカオマスをそのまま使っているのに対し、ホワイトチョコレートは、カカオマスの中に含まれている乳白色のココアバターだけを使っている。チョコレート色はカカオマスによって生じるから、ココアバターしか使わないホワイトチョコレートは白いというわけだ。

この違いは、当然、味にもあらわれ、ふつうのチョコレートは苦みが強いのに対し、ホワイトチョコレートはソフトな味になる。

◐インスタントラーメンの味が地域によって微妙に違う理由

インスタントラーメンの中には、一部「地域限定発売」の商品もあるが、大手食品メーカーで発売しているもののほとんどは「全国区」だ。

「全国区」である以上、チョコレートなどのお菓子と同様、全国どこの店で買っても、同じ味のはずだが、じつはこれが違う。

同じうどんでも、関西のそれは薄口しょう油、関東は濃い口しょう油を使うなど、東と西では味の好みが違う。インスタントラーメンに対する味の好みもしかりというわけで、同じ商品でも、出荷する地方によって、メーカーは味を変えているのだ。

「企業秘密」で詳しいことは公表されていないが、南北に長い日本をいくつかのブロックに分け、少しずつ味を変えて、生産・出荷しているといわれている。

◐日本市場をにぎわせるマツタケ多国籍軍

近年、マツタケの値段が下がったのは、世界中でマツタケが収穫されるようになったため。日本は世界中からマツタケを輸入しているのだ。

以前は、輸入マツタケといえば韓国産が有名だったが、近年は中国産に圧倒されている。最近では、輸入マツタケの四〇パーセントは中国から入ってきている。

次に多いのが、やはり韓国産と北朝鮮産で、両国で全体の四〇パーセント。他には、ニュージーランド、メキシコ、アメリカ、カナダ、ブータン、トルコ、モロッコなどから輸入されている。

なお、一キロあたりの値段は、国内産が三万〜一〇万円、外国産は二〇〇〇円から五〇

○○円が相場である。

◐牛肉の霜降り遺伝子戦争

現在、牛の「霜降り遺伝子」の解析が急ピッチで進められている。種牛となる素質をもつ牛を、遺伝子解析で探しあて、効率よく育てようという最先端の研究である。

かつて、優秀な種牛を見つけ出す作業は、経験と勘と運頼みだった。種付けしてみないことには、どんな子供が生まれるかわからなかったのだ。七、八年に一頭でも、まずまずの種牛に当たれば成功とされてきた。

ところが、遺伝子の解析技術が進歩して、状況は一変。将来、優秀な種牛になる素質をもつ牛を、遺伝子で見分けられれば、効率的に霜降り牛を育てることが可能になる。

もちろん、日本だけでなく、アメリカやオーストラリアでも、霜降り牛の遺伝子解析を進めている。もし、競争に負けて、先に特許を取られてしまうと、二一世紀の日本の畜産業界は大打撃を受けることになる。

◐クロワッサンはダイエットの敵

カロリー量を比べると、白飯と食パンが一〇〇グラムあたり四二〇キロカロリーなのに、クロワッサンは五七〇キロカロリーもある。クロワッサンは、見かけとは裏腹にきわめて高カロリーな食品なのである。

クロワッサンは、三分の一は油脂といわれるくらいに多量の油脂を含んでいる。それは、クロワッサンに触ると、指先に油がついてべたつくことでも、よくわかるだろう。

クロワッサンを毎日食べていれば、太ること確実である。

◆8章◆

「スポーツ・芸能」の陰で囁かれる〝裏舞台〟の数々

最近、妙なものが流行ってると思ったら……?

◐景気とボウリングの相関関係

昔から、「景気が悪くなると、ボウリング場が混雑する」といわれる。

たとえば、バブル経済期は、ゴルフやテニスが人気を集めたが、バブルがはじけると、お金のかかるスポーツは敬遠され、ボウリングが見直されるようになった。じっさい、バブル崩壊後の一九九三年には、ボウリングは、ゴルフやテニス、水泳を抑え、「最近、参加したスポーツ」の第一位に男女両方で輝いている。

その後の長い平成不況の中、ボウリング場の経営は、閑古鳥が鳴く他のレジャー産業に比べれば、はるかに堅調である。

◐体操競技に選手名がつくときの基準

体操競技のあん馬には「カシマ」と呼ばれる大技がある。アテネ五輪の男子団体で、みごと金メダルに輝いたメンバーのひとり、鹿島丈博選手の名前に由来している。また、体操競技には、平行棒の「モリスエ」や跳馬の

「ツカハラ跳び」など、選手の個人名がついたワザがいくつもある。

体操のワザに個人名がつくためには、それなりの条件をクリアする必要がある。まず、オリジナル技を開発したら、国際体操連盟に対して、五輪や世界選手権という大舞台で披露することを申請する。そして、本番で、その新技を成功させたうえで、体操連盟の技術委員会が、たしかに新技であると認めたとき、晴れて自分の名前をつけることができる。

「カシマ」の場合も、二〇〇三年八月の世界選手権で、鹿島選手が開脚旋回系のオリジナル技を披露して優勝。その後、国際体操連盟で正式に認められた。

鹿島の生み出した新技は、言葉でいえば、「倒立からの移動下り」。いちいち、そういうのがまどろっこしいことも、開発者の名前をつける理由となっている。

◐小川直也の「ハッスル、ハッスル」の由来

プロレスラーの小川直也の「ハッスル、ハッスル」というパフォーマンスが流行している。プロ野球選手が、ホームランを打った後に真似るばかりか、参議院選挙では自民党の安部晋三幹事長（当時）までが、選挙カーの上で「ハッスル、ハッスル」と腰を振ってみせた。

しかし、この「ハッスル、ハッスル」というポーズ、小川直也が初めて披露したとき、客席はシーンと静まり返った。

このパフォーマンスが初めて披露されたのは、二〇〇四年一月四日のこと。旗揚げしたプロレス興行「ハッスル」のリング上で、興行の宣伝としておこなわれた。ところが、客からの反応はゼロで、硬派のファンからはブーイングさえ起きた。

それでも回を重ねれば、なんとかなると信じて繰り返すと、三カ月後、試合に勝った興奮そのまま、四万人の観衆が「ハッスル、ハッスル」と呼応。これがテレビで放映されて、一気に広まった。

おかげで、死語になりつつあった「ハッスル」という言葉も、久しぶりに息を吹き返すことになった。

◐サッカーの控え選手が〝チョッキ〟を着ているわけ

サッカーの試合では、控え選手が黄色やオレンジのチョッキのようなものを身につけている。で、交代出場を告げられた選手は、急いで、そのチョッキを脱ぐ。

あのチョッキのようなものは、サッカー用語で「ビブス」と呼ばれている。ピッチ横でウォーミングアップする選手は、ルールでこのビブスの着用が義務づけられているのだが、その理由は、レフェリーの誤認を防ぐためである。

サッカーには、オフサイドというルールがある。相手ゴール前での待ち伏せ攻撃を防ぐため、味方がキックしたとき、自分と相手側ゴールラインの間に、少なくともゴールキーパーを含めて二人以上の相手選手がいなければ、オフサイドという反則になる。

このルールでは、二人以上という人数が問題になるため、控え選手がベンチ横やゴール裏にいると、ひじょうにまぎらわしい。プレイ中の選手とハッキリ区別するために、ビブス着用が義務づけられているのである。

◐Jリーグに背番号「12」の選手が少ないわけ

Jリーグの試合を見ていると、背番号「12」をつけている選手が少ないことに気づく。ところが、目を客席に転じると、背番号「12」のユニフォームを着たサポーターをよく見かける。

じつは、サッカーでは、サポーターは「一二番目の選手」と呼ばれる。そのため、背番号「12」はサポーター用として、わざと欠番にしているチームが多いのだ。

もっとも、Jリーグ発足当初は、先発メンバーから順に背番号が自動的に割り振られていたので、「12」はサブの選手の番号だった。その後、背番号を選手ごとに決める固定式に改められてから、いくつかのチームが「12」を欠番にするようになった。

ちなみに、日本代表のサポーター集団には、メンバー全員が背番号「12」の青いTシャツを着用しているグループもある。

◐ゴルフ練習場に閑古鳥が鳴く理由

ゴルフ練習場業界は、いまかつてない不況の波に洗われている。この長い不景気で、レジャー施設はどこも苦戦をしているが、ゴルフ練習場はその筆頭。その背景には、もちろんゴルフ離れがある。

ゴルフが嫌われた理由は、「金がかかり過ぎる」ことと「家族でできない」こと。収入が増えない中、ゴルフはぜいたくなレジャーであり、また家族からも評判の悪い遊びと化したのである。

とくに、練習場にとっては、企業の接待ゴルフが少なくなったことが大きな痛手となった。公務員倫理規定が制定され、企業が公務員の接待ゴルフを自粛、また経費節減で社内コンペも少なくなり、サラリーマンたちはゴルフの腕前を上げる必要がなくなった。

かくして、接待、仕事のために腕前を上げようと、練習場へ行く人の数は激減したのである。

◐サッカースパイクはポジションによって違う

サッカーのスパイクは、二種類に分けられる。ひとつは、シューズの裏に「スタッド」と呼ばれる突起のついているもの。もうひとつは、「ポイント」と呼ばれるアルミの爪が付いているもの。

スタッド付きのスパイクを使うのは、おもにフォワードなど前に出る選手。こっちのほうが走りやすく、小回りが利くためだ。一方、ポイント付きのスパイクを使うのは、おもにディフェンスの選手で、こちらは踏ん張りが利き、守りに適している。

しかし、これはあくまでも日本国内でのこと。ヨーロッパには、ポジションに関係なく、ポイント付きスパイクを使う選手が多い。一方、南米の選手は、ポジションがディフェンスでも、スタッドのスパイクを履いていることが多い。

◐FAで移籍した選手が活躍できないわけ

FAで移籍した選手は、ファンの期待を裏切るのが常。「FAして成績を残したのは、巨人→横浜の駒田と広島→阪神の金本くらい」といわれるほどだ。FAで移籍した選手が活躍できない理由は、二つあるといわれる。

第一は年齢の問題。FA権は九シーズン一軍でプレイしなければ獲得できないから、多くの選手は三〇歳を超えている。移籍したときには、すでにピークを過ぎていることになりやすいわけだ。

第二は、金銭面の問題である。FAでは大金が動き、数億円の大金を手にする選手もいる。選手はその金に見合う活躍をしなければと考えるが、それがかえってプレッシャーになり、思うようにプレイができなくなるという。また、老後まで安泰に暮らせるような大金を手にすると、ハングリー精神を失ってしまう選手もいる。

◐プロ野球選手がたった二〇〇球でバットを交換する理由

プロ用のバットを、メーカーは一〇〇〇球打つ程度は耐えられるように作っているが、そこまで使う選手はまずいない。二〇〇球も打てば新品と交換するのが、プロ選手の常識だ。それ以上打つと飛距離が落ち、また折れるリスクが増すからである。

二〇〇球といえば、特打ち二回分程度の球数。シーズン中は、ほとんど毎日のように「使用済みバット」が出ることになる。

草野球では、一本のバットをみんなで使いまわし、折れるまで使いつづけるが、まあ、そのへんがプロとアマの違いと言えよう。

◐球場に投げ込まれたメガホンのその後

サッカーに押され気味とはいえ、野球ファンだって負けてはいない。贔屓《ひいき》チームの試合結果に一喜一憂し、居酒屋では野球談義に熱くなり、スタジアムでの応援にも力が入る。

その応援に欠かせないグッズがメガホンだ。声を限りに熱い声援を送るだけでなく、叩いたり、振り回したり、メガホンは応援の友である。しかし、贔屓チームが負けると、八つ当たりはメガホンにも及び、思わずグラウンドに投げこんでしまう熱狂的なファンが後を絶たない。

さて、あのメガホンはその後、どうなるのか？　球場のスタンドのゴミは、夜中の三時ぐらいまでかかって清掃業者が片づけるが、メガホンだけでなくグラウンドに投げこまれたものについては、ボールボーイや警備員がすみやかに回収する。

メガホンはほとんどが割れたり、汚れたりしていて、燃えないゴミに。きれいなものもなかにはあるが、再利用はされない。投げ捨てられた応援の友の末路は悲しい。

◐下手なゴルフは脳梗塞のもと

ゴルフが下手な人の大振りは危険である。最悪の場合、脳梗塞を引き起こす恐れもある。

ゴルフクラブを振って脳梗塞で倒れるのは、首や肩に力が入った状態でクラブを振り回すことが原因。スイングした際、首が強くねじれ、頸椎《けいつい》横を通る動脈に傷が付く。すると、血管の壁がこぶのようにふくらみ、血液が脳に届かなくなるのだ。

とくにゴルフ場での第一打など、必要以上に全身が緊張しているときが危ない。

また、初心者ほどボールの行方が気になって、スイングしたときに頭が動きやすいが、これも首に負担をかける。本番では、肩の力を抜き、頭を動かさないようにスイングすることである。

◐ホールイン・ワンを大げさに騒ぐようになったわけ

ホールイン・ワンを達成したとき、盛大なパーティーを開くのは日本独特の習慣。一緒にプレイした人や友人知人に記念品を配ったり、ゴルフ場に記念植樹したりする人もいる。

戦前にも、ホールイン・ワンを達成すると、ゴルフ場名や日時を染め抜いた手ぬぐいなどを友人に配ることはあったが、それがこんなにも大げさになったのは、昭和三〇年代後半のこと。

当時は、中村寅吉プロが内外のトーナメントで大活躍し、ゴルフ人気に火がついて、アマチュアゴルファーが急増、接待ゴルフが盛んになった頃。それにつれて、ホールイン・ワンの祝いも大げさになったという。

ちなみに、日本では、プロのトーナメントでも「ホールイン・ワン賞」を設けているが、これも外国にはない話。

◐プロレスのレフェリーの職業病

プロレスのレフェリーは、レスラーがフォールの姿勢を取ると、マットを叩いてカウントを数える。二度や三度、フォール姿勢に入ったところで勝負が決まることはまずないから、一試合のうち、何十回とカウントを取るため、マットを叩きつづける。

しかも、一日一試合の選手と違って、レフェリーは一日に三～四試合は務めるから、一日に何百発とマットを叩くことになる。

当然、手首とヒジを痛めることになる。レフェリーにとって、手首の腱鞘《けんしょう》炎は当たり前。なかには、肘関節の軟骨が欠けている人もいるという。

◐クラウチング・スタートを考えた人

陸上競技のクラウチング・スタートは、両手を地面につき、前屈みになった体勢から飛び出すスタート法。

このスタート法を考え出したのは、ニュージーランドの先住民族マオリ族出身のマクナルドと伝えられる。

ただし、異説もあって、オーストラリアのリチャード・クームブスが、カンガルーからヒントを得て考案したという説もある。

公式試合で最初にクラウチング・スタートを採用した選手は、アメリカのチャールズ・H・シェリル。一八八七年、ニューヨークで開かれた陸上大会で、シェリルはクラウチング・スタートを試み、見事、優勝を飾っている。

では、シェリル以前、他の選手たちはどういう構えでスタートを切っていたかというと、これはてんでバラバラ。昔の写真を見ると、立ったままの選手もいれば、中腰の選手もいるという具合である。

◐ホームランを打つともらえる「ぬいぐるみ」事始め

ホームランを放った打者がぬいぐるみをもらえる習慣は、大リーグにはなく、日本球界独自の習わしである。

この〝システム〟を始めたのは、日本ハムファイターズ。ファイターズの当時のキャラクターは、「ギョロタン」という火の玉をイメージしたもので、一九七三年から、ホームランを打った選手に、このぬいぐるみを渡し始めた。

それを他の球団が真似て、日本球界独特の〝風習〟となったのである。

◐ドッジボールの正式ルール変遷史

ドッジボールは、明治時代、学校教育のための「運動教材」として、日本で考案されたスポーツ。

ただし、当初のドッジボールは円を描き、その内と外に分かれて戦われていた。現在のように、コートが四角になるのは、大正時代になってから。

長方形のコートを考案したのは、大正二年に文部省が公布した「学校体操教授要目」の起草者の永井道明。この永井によって、今もおこなわれているドッジボールの基本ルールが定められた。

ただ、そのとき、永井は「ドッジボール」ではなく、「デッドボール」という名称を提唱、一時期は「デッドボール」がこのスポーツの正式名称だった。

なお、「ドッジボール」の「ドッジ(dodge)」とは、「ひらりと身をかわす」という意味。

◐野球選手が背番号をつけるようになったわけ

野球のユニフォームに最初に背番号をつけたのは、メジャーリーグの名門ニューヨーク・ヤンキース。これには、ヤンキースの本拠地、ヤンキースタジアムの広さが関係していた。

巨大なヤンキースタジアムが完成したのは、一九二三年のこと。しかし、球場があまりに大きすぎて、試合が始まると困った問題が生じた。球場が広すぎて、バッターボックスに誰が立っているのか、外野席からは見えなかったのである。そこで、遠くからでも、どの選手かわかるようにと、背番号が考案された。

なお、当初の背番号は打順に従ってつけられていた。ベーブ・ルースの背番号は「3」だが、これは一塁手という意味ではなく、三番打者という意味。当時の四番打者は鉄人ルー・ゲーリッグで、彼の背番号は4。ともにヤンキースの永久欠番となっている。

◐アスリートを発奮させる色

闘牛の牛は赤い布に興奮するのではなく、ただ揺れている布に興奮するといわれるが、じつは、本当に赤という色に興奮する動物もいる。

それは人間。たとえば、アメリカのアメリカン・フットボールの競技場のロッカー・ルームには、壁を真っ赤に塗ってあるところがある。選手たちは、その真っ赤な部屋で闘志をかきたて、興奮がピークに達したときにグラウンドに出て行く。

さらに、アメリカの士官学校でおこなわれた実験では、赤い電灯の下では、蛍光灯の下より男性の勃起率が高くなることがわかっている。

性的な興奮と、戦いの前の興奮は、どちらも男性ホルモンによるものだが、赤は、こうしたホルモンの分泌を活発にするようなのだ。

●より速く泳ぐための原始的ウラ技

水泳といえば、百分の一秒を争う世界。より速く泳ぐために、選手たちは先端技術を駆使した水着を着たり、水の抵抗を少しでも減らすためにスキン・ヘッドにしてみたりと、あらゆる工夫をしているが、一九七六年のモントリオール・オリンピックに出場したドイツの某選手が考案した方法は、あまりにも奇抜だった。

その方法とは、「空気浣腸」。お尻の穴から空気を注入して浮力をアップさせ、ついでに記録もアップさせようという狙いである。なんでも一四〇〇ccくらいが適量だといい、とくに中距離では効果があるとか。もちろん、薬物を使用するわけではないから、ドーピング違反でもない。

このドイツ選手、メダルを獲得することができたかどうかは定かではないが、その後、この「空気浣腸」の話を聞かないところをみると、実際の効果はあまりなかったと思われる。

◐野球のブロック・サインはこう作る

現代のプロ野球は、技と技、力と力の戦いだけではなく、情報と情報の戦いでもある。

たとえば各球団が工夫を凝らしているのがブロック・サイン。バントやヒットエンドラン、あるいはスクイズなど、その基本的な解読法を紹介しておこう。

まず、試合ごとに、胸のマーク＝バント、ベルト＝ヒットエンドラン、肩＝盗塁と決めておく。しかし、これだけでは簡単にバレてしまうから、ここにもうひとつその試合のキーになるサインを決めておく。たとえば、キー＝帽子のひさしにしたら、帽子のひさしに触ったあとのサインだけが本当のサインということにしておくのだ。

たとえば、ベルト↓帽子のひさし↓肩↓胸のマークは、肩＝盗塁のサイン。ベルト↓肩↓胸のマークというときは、いかにもサインを出しているようで、帽子のひさしには触っていないから、何もサインが出ていないというわけだ。

◐ゴルフでミスショットする「究極の理由」

ヘッドアップ、スウェイなど、ゴルフにおけるミスショットの原因はさまざまだが、じつはこれ以外に「究極のミスショットの原因」とでもいうべきものがある。それは、ゴルフではボールが止まっている、ということである。

止まっているボールなら打ちやすいと思いがちだが、人間の眼球は、止まっているものを見つめることが苦手なのだ。

たとえば、暗闇の向こうに電球が一個ついているとする。その明かりをじっと見ていると、だんだん揺れているように見えてくる。これは眼球がつねに動いているせい。専門的には動態視といい、これが止まっているゴルフボールを巧く打てない理由だ。

つまり、ナイスショットしようとして、ゴルフボールを見つめれば見つめるほど、ボールは動いて見える。だから、ミスショットしてしまうというわけだ。

◐薬物を使用しないドーピングのカラクリ

オリッピックなど世界レベルのスポーツ大会では、ドーピングが深刻な問題になっているが、じつはクスリを使用しないドーピングというのもある。

これは一九七〇年、スウェーデンのビョルン・エクブロム助教授が考案したもので、競技の一カ月前に、自分の血液を五分の一ほど抜いて保存しておく。すると、人間の体は足らなくなった血液をちゃんと補う。で、一カ月後に、抜いた血液を元に戻すと、血管が拡張して心臓の働きが活発になる。さらに赤血球が増えて酸素運搬能力も格段にアップするという理屈である。

もちろん、クスリは使用しないからチェックは不可能。ＩＯＣではエイズなど細菌感染の可能性もあり、禁止しているが、実際は選手たちのモラルにまかされているのが現状だという。

◐マラソンで苦痛が快楽に変わる理由

「ランナーズ・ハイ」という現象がある。ジヨギングやマラソンなど、最初は苦しくとも走っているうちにしだいに気分がよくなる、つまり「ハイ」になる現象である。

苦しみが快感に変化するのには、以下のような理由がある。

人間の脳は、強い痛みやストレスを受けると、防衛機能が働いて、一種の麻薬を分泌する。エンケファリンやエンドルフィンなど、脳下垂体から出る物質がそれで、これらの物質には人間の痛みやストレスを和らげる作用がある。たとえば、出産のとき、女性のエンドルフィンは通常の六倍の濃度にもなるという。

ただし、一種の麻薬だから中毒になる場合もある。マラソンやジョギングがなかなか止められないのは、脳が先の麻薬物質で満たされ、その快感が忘れられないからだといわれている。

◐なぜ登山事故は午後二時に集中する?

登山関係者から、「魔の時間帯」と呼ばれる時間がある。それは、午後二時。登山の事故や遭難は、疲れが蓄積する午後遅い時間に起きやすそうな気がするが、実際には、午後二時台に集中して起こるという。

実際、関西大学総合情報学部の青山千彰教授が二〇〇一〜四年の山岳遭難事故のデータを分析したところ、宿泊登山の場合はそうした傾向ははっきりしなかったが、日帰り登山の事故は午後二時台にピークに達し、全体の二割近くがこの時間帯に発生。山男たちの印象を裏付けた結果となっている。

日帰り登山の場合、交通機関のダイヤによって行程が自ずと決まる。午後二時というのはだいたい、頂上に登って食事をすませ、しばらくたったころ。職場でも何かと注意力が散漫になる時間帯だ。食後のボーっとしやすい時間帯だけに、注意力や集中力の低下が事故をもたらしているようだ。登山する際は午後二時にご注意あれ。

◐箱根駅伝のユニフォームに「漢字」が増えたわけ

新春を飾る風物詩となった箱根駅伝。日本テレビ系の実況放送は、高視聴率を稼ぎ出す〝お化けソフト〟になっている。それだけに、箱根駅伝は出場校にとって絶好の宣伝の場。なにしろ全国放送で大学名が連呼され、画面ではユニフォームに書かれた大学名が大写しになるのだから、その宣伝効果は計り知れない。

そこに目をつけたのが、駅伝新興大学。優秀なコーチを招き、素質のある選手を引っ張ってきて、駅伝強化に努めた。その成果もあって、平成に入ってから初出場校が多くなった。

ただ、せっかく出場するのに、早稲田のW、中央のCのように英語の頭文字にしたのでは学校名がアピールできない。そこで、新興大学では、大学名がひと目で認識してもらえる漢字を採用。それで知名度アップを図ろうというわけだ。

箱根駅伝は、いまや大学生き残りをかけたマーケティング戦略の一大ツール。宣伝効果をさらに上げようと、テレビに映る可能性が高い一区に有力選手を走らせるよう、学校側がチームに圧力をかける場合もあるという。

◐大相撲の「待った」は、窮余の策

相撲で史上初めて「待った」をしたのは、江戸時代は享保年間、大坂相撲で活躍した八角楯之助とされている。彼は、ある場所で強敵の大関谷風と対戦することになった。このとき、八角のタニマチの一人が、「大関に勝ったら、町屋敷を二軒やる」と約束。しかし、ふつうに相撲を取ったのでは、どうみても勝ち目がないことは、当の本人がいちばんよく知っていた。

そこで窮余の策として考えたのが「待った」だった。当日、土俵に上った八角は、「待った」を連発。あまりの「待った」の多さに業を煮やした大関は、立会いに一瞬のスキができた。八角は、そのスキをついて、一気に押し出してしまったのだ。

以後、「待った」は立ち合いの駆け引きの常套手段となった。

◐相撲の懸賞金、力士の取り分はどれだけ?

大相撲の人気力士の取り組みには何本、何十本もの懸賞金がかかる。

懸賞金は一本六万円。一〇本もかかれば、締めて六〇万円になるが、勝ち力士は、まるまる六〇万円を手にできるわけではない。

財団法人日本相撲協会が手数料として一本につき五〇〇〇円を取るため、力士が受け取れるのは五万五〇〇〇円。

さらに、力士が土俵上でもらえる金額は一本につき三万円で、残りの二万五〇〇〇円は、力士の銀行口座に振り込まれる。これって、力士がムダ遣いしないための配慮?

◐土俵入りで力士がまわしをちょいと持ち上げるわけ

大相撲の土俵入りを見ていると、次々と土俵に上がった力士たちが、輪になって一斉に両手で化粧回しをちょいとつまんで持ち上げている。あの動作はいったい何? とつねづね疑問に思っている方も多いのでは?

じつはあれ、しこを簡略化した動作なのである。横綱の土俵入りがそうであるように、本来、正式な土俵入りでは、右二回、左一回のしこを踏むことになっている。昔は幕内力士も横綱と同じように、土俵入りの際にはしこを踏んでいた。江戸時代の錦絵には、五～六人の幕内力士がしっかりしこを踏んで土俵入りする姿が描かれている。しかし現在では、東西それぞれ二〇名ほどの幕内力士がいるため、一度に土俵入りしてしこを踏むことは不可能。そこで、まわしを両手で持ち上げることで、力強くしこを踏む動作を表すことにしたというわけ。

ちなみに、天皇が観覧する天覧相撲と皇太子が観覧する台覧《たいらん》相撲の際には、「御前掛《ごぜんが》かり」といって、土俵入りのとき全力士がしこを踏むことになっている。

◐力士はどうやって移動している？

大相撲の本場所は、国技館だけではなく、三月場所は大阪、七月場所は名古屋、十一月場所は九州で開かれる。春夏秋冬の地方巡業もあって、力士はけっこう移動が多い。

あの大きな体で移動となると、想像するだに大変そうだが、列車の場合、関取からはゆったりしたグリーン車に乗れるものの、幕下以下は普通車というのが日本相撲協会の規定。しかも、一人一席だから、大柄な幕下力士には苦行に近い。少しでも狭さ解消にと、大きな力士と細めの力士が隣り合って座るなど、涙ぐましい工夫をしているようだ。

一方、飛行機の場合は、規定はなく、搭乗時間が長い国際線では二席に一人で座ることが多い。その場合、やはり運賃は高くなり、国際線は一席の二倍、国内線は一・六～二倍ほど。前に座席がない席が一番の人気シートだ。大変なのは、シートベルト。備え付けのものでは長さが足りず、航空会社が用意している追加の取り付けベルトを利用している。

◐五輪の日の丸は誰が用意する？

海外の映像を見ていると、赤い丸が大きすぎたり小さすぎたり、なんとも不思議なバランスの日の丸を見かけることがあるが、オリンピックの開会式の行進で選手代表が持っている日の丸の旗はいつも適正バランスのもののように見える。

では、これは自前で日本から持っていくのかというと、意外にも大会側が用意したもの。オリンピックの主催はＩＯＣ、つまり国際オリンピック委員会だが、運営にあたるのは開催都市の組織委員会。オリンピックで公式に使用される旗は、選手行進だけでなく、表彰式や会場のポールに掲げられる旗など、すべてその組織委員会が用意する。

参加国が自分たちで用意して持ち寄ると、大きさや形がまちまちになるため、表彰式のときなど見栄えが悪い。そのため、縦横の比率が二対三のスタイルで統一したものを組織委員会が用意するようになっている。

◐競馬の天皇賞の楯は、天皇が提供している？

春と秋におこなわれる競馬の天皇賞。天皇賞の勝ち馬の馬主には楯が贈られるが、これは天皇から賜るものではない。中央競馬会が天皇の名前を拝借して贈っている。

天皇賞には前身ともいうべきレースがあっ

た。軍馬を養成するために、明治三八年からおこなわれていた「御賞典」がそれで、当時から戦前までは、このレースの優勝馬の馬主には、皇室から楯が贈られていた。

その後、「天皇陛下御賞杯」「宮中御賞杯」「帝室御賞杯」と名前を変え、戦後「天皇賞」という現在の形になった。しかし、当初とレースの目的が違ってしまったため、「天皇賞」になってからは、天皇の名前を拝借するだけになったというわけである。

◐競馬と占いの深い関係

競馬と占いには、じつはちょっとした関係がある。

たとえば、現在、JRA（日本中央競馬会）で基本的なレースのスタイルとなっている「八枠制」の「八」という数字は、中国の占いのひとつである「四柱推命」からきている。

さらに、枠を表す色分けの、1枠＝白、2枠＝黒、3枠＝赤、4枠＝青、5枠＝黄色、6枠＝緑、7枠＝オレンジ、8枠＝ピンクも、四柱推命がルーツだ。

また、優勝候補のことを競馬では「本命」と呼ぶが、これは生まれた年の干支《えと》を意味しており、易学では「運命を左右する星」のことをいう。

あとは、勝ち馬がズバリわかる占いがあれば完璧だが、そういう占いはまだない。

◐プロ野球の遠征費用は地方球団ほど割高になる？

プロ野球の遠征試合では、当然、地方球団のほうが、在京球団よりも、移動の距離や時間もかかる費用も多くなる。

たとえば、セ・リーグでは、巨人、横浜、ヤクルトの三者間の対戦なら、自宅からの通

いですむ。一方、阪神、中日、広島は、自分たちの本拠地での試合以外は、すべて遠征しなければならない。

これでは地方球団が貧乏くじを引くことになってしまうが、救済措置はある。遠征費が各球団均等の負担になるよう、シーズン終了後に、セ・パ両野球連盟を通じて清算することが規定で決められているのだ。

ただし、遠征費を計算するときの移動人員は四五人という規定がある。実際には、監督、コーチ、選手以外に、打撃投手やトレーナーなどのチームスタッフも加わるため、通常の遠征は、六〇人ほどにもなる。超過した一五人分は自腹となるだけに、交通費がかさむ地方球団のほうが、やはり不利になるといえる。

◐なぜ、大リーグの始球式では、観客席からボールを投げ入れる？

日本のプロ野球の始球式では、アイドル歌手などがマウンドに登場。キャッチャーに向かって山なりのボールを投げると、先攻チームの一番バッターが空振りする。これが日本の始球式のスタイルである。

しかし、野球の本場であるアメリカ大リーグの始球式では、こんなことはしない。指名された有名人が、客席からボールをグラウンドに投げ入れるだけだ。

これには、「私は野球が上手ではありません。けれども、野球が好きなので、ここで見ていますから、選手の皆さんはいいプレイをして、私たちを楽しませてください」という意味がある。神聖なマウンドに、素人など立てないというわけだ。

だから、歴代のアメリカ大統領にしても、この方法で始球式をおこなってきたのだが、最近は、アメリカでも始球式を日本式でやる場合もある。その理由は、始球式で素人がボールを投げると、そのあまりの下手さ加減に、プロの上手さがより際立つからだという。

◐オーケストラの奏者はいつ譜面をめくる?

オーケストラの奏者たちは、何十分も続く交響曲のときなどは、何度も楽譜のページをめくらなければならない。しかし、数十人の奏者が、いっせいに同じところで譜面をめくったりしたら、演奏が止まったり、乱れたりして、せっかくの演奏が台無しになる。

そこで、オーケストラなどの譜面は、パートごとに、別々のところで譜面をめくるように工夫されている。

たとえば、管楽器の場合、あらかじめ各奏者ごとのパート譜面となっていて、自分の休めるところで、譜面をめくる。

弦楽器の場合は、同じパートを担当する二人が一組ずつになって並び、ステージ奥の奏者が譜面をめくることになっている。こうすることで、もう一人は演奏に専念できるように工夫されているというわけ。

◐指揮者なしで演奏できるのは何人まで?

オーケストラには、基本的に指揮者がつく。とくに、パートの多いシンフォニー・オーケストラでは、指揮者なしで演奏するのは不可能で、よほど才能のある演奏家が集まらなければ、演奏が始まったとたん、微妙にズレていくという。

一方、十数名の弦楽合奏団では、指揮者をおくことはめったになく、ヴァイオリンのトップがリーダーになり、指揮者の役割も兼ねる。一般に指揮者がつくのは二〇名以上の室内管弦楽団ぐらいからである。

室内管弦楽団は、弦楽器、管楽器、打楽器からなる〝小さなオーケストラ〟。これだけの楽器が集まれば、まとめる人が必要になるし、また指揮者がいないと、曲をどう解釈して表現するかという点でも、意見が分かれやすい。

というわけで、さまざまな楽器奏者が二〇人以上集まれば、指揮者が必要になる。

◐ピアノの鍵盤が八八鍵になった理由

アメリカやイギリスで、「88（エイティエイト）」といえば、俗語で「ピアノ」を指す。ピアノの鍵盤は、どれも八八鍵なので、「88」という数字がピアノの代名詞となったのだ。

ピアノが八八鍵になった理由としては、次の三つが考えられている。

一つ目は、八八鍵の最低音である「ラ」より低い音と、最高音「ド」よりも高い音は、音楽としては耳障りな音であること。

二つ目は、八八の音階が人間の聞こえる音の限界であること。

そして、三つ目は、演奏者が座ったまま演奏できる限界であること、である。

八八の鍵盤をもつピアノが、初めて登場したのは一九世紀後半のこと。フランス人のエラールやオーストリア人のベーゼンドルファーによって作られた。二〇世紀初頭には、九〇鍵を超えるピアノも製作されたが、しだいに白鍵五二、黒鍵三六の計八八鍵のピアノが普及。これが統一基準となった。

◐ギターの弦の数が六本になったわけ

ギターには、アコースティック、エレクトリック、クラシックといった種類があるが、どれも弦の数は基本的に六本である。わずか六本の弦で、旋律、和声、リズムの美しい音色を奏でるわけだが、現在の本数になったのは、一八世紀末のことである。

それまで、ギターの弦は羊の腸で作られ、一組二本をセットとした「複弦」が使われていた。最初は三組（六弦）のものだったが、時代とともに楽器の音量を増やすため、四組（八弦）、五組（一〇弦）、六組（一二弦）と増えてきた。

ところが、一八世紀末、ナイロンの芯に金属製の細線を巻きつけた「巻弦」が開発されると、わずかな太さでも豊かな低音の響きが可能になり、単弦六本を張る現在のスタイルが確立された。

というわけで、現在のスタイルになってからでも、二〇〇年以上の歴史がある。

◐ギターの立ち位置はなぜ右？

バンドがステージで演奏するとき、それぞれのパートの立ち位置は、ある程度決まっているようだ。具体的には、客席から見て、ギターが右、ベースが左ということが多い。

一説には、派手な動きの多いギターが右（上手）、比較的動きが少なくどっしりかまえるベースが左（下手）のほうが、視覚的に落ち着くから、といわれている。

また、ベーシストはバンドマスターであることが多いので、右利きの場合、コードを押さえる左手側が見渡せる下手のほうが、都合がいいのだという説もある。

実際には、ライブハウスのアンプが、ギタ

ーが上手、ベースが下手に置かれていることがほとんどなので、そのまま自然に立ち位置が決まってしまうことが多いようだ。

かの有名なビートルズの場合、ベース担当のポール・マッカートニーが左利きだったため、ともにボーカルをとるギターのジョン・レノンとネックがぶつからないよう、ベースが下手、ギターが上手になったという。

◐ディレクターズカット版が作られる意図

昔の映画や少し前に封切られた映画が、「ディレクターズカット版」として上映されたり、DVDで販売されたりすることがある。「ディレクターズカット版」とは、監督が思い通りに編集した作品のことだ。

映画を製作するとき、もっともエラいのは映画監督と思っている人もいるだろうが、それはあくまで、撮影現場でのこと。とくにアメリカがそうだが、映画製作では、プロデューサーが最高責任者である。製作資金を調達するのはプロデューサーで、映画監督もプロデューサーから雇われ、契約を結ぶことになる。

もちろん、監督は監督で、作品に対する思い入れやイメージをもっている。しかし、そのすべてがプロデューサーに認められるとは限らない。プロデューサーの関心事はその映画がヒットするかどうかであり、プロデューサー権限で、監督の思い入れたっぷりのシーンをカットしたり、上映時間を短くすることもある。編集権が監督にあるのは、監督自身がプロデューサーである場合などに限られる。

そのため、封切される映画は、かならずしも監督の満足のいく作品には仕上がっていないことが多いのだ。

そこで、映画公開後、監督がプロデューサーから作品の権利を買い、自分の思い通りに編集した作品を「ディレクターズカット版」として上映したり、販売することがある。たいていの場合、上映時間が長くなるので、「ロング版」とも呼ばれている。

こうした「ディレクターズカット版」は、以前は「完全版」と呼ばれていたが、「それでは最初に上映されたのは不完全版なのか」との批判があったため、こう呼ぶようになったとの説もある。

◐「手タレ」「足タレ」のスカウト事情

宝石や石鹸、食器用洗剤のCMなどに、手や足だけ登場するモデルは、正式には「パーツモデル」、通称「手タレ」「足タレ」と呼ばれている。

雑誌やテレビCMで活躍するモデルには、街角でスカウトされたという人が少なくないが、手タレや足タレは、街角でいきなり「あなたの手、美しいですね。〝手タレ〟になりませんか」と声をかけられるのだろうか。

と思ったら、パーツモデルの場合、スカウト活動はおこなわれていないという。基本的には、新しいCMでモデルが必要なとき、オーディションが開催される。

その際、オーディションで選ばれた人はもちろん、最終選考に残った人も、モデル事務所に登録されることが多い。雑誌撮影など、わざわざオーディションを開かないレベルの仕事は、登録しているモデル事務所から仕事が入ることもある。

◐動物タレントの最新ギャラ事情

映画やCMなどにほほえましい姿で登場する動物たち。業界では「ネタに困ったら子どもか動物を出せ」というくらい、重宝がられる存在だ。じつは彼らの多くは、タレントとして動物プロダクションに所属している。

動物タレントのギャラの相場は、猫や犬は一日一〇万円台、ライオンなどの大型動物だと一〇〇万円からが一般的。キリンなどの国際条約に抵触しかねない動物では一〇〇〇万円程度。変わったところだと、ゴキブリ一匹あたり五〇〇〇円から、なんてのもある。

では、後ろ足で立ち上がる姿が人気を集めた、千葉市動物公園のレッサーパンダ、風太君の場合はどうか。レッサーパンダも絶滅の危機に瀕する保護動物だが、にもかかわらず、彼のCM撮影時のお値段は、時給一五〇〇円とかなりお安い。というのも、市営である千葉市動物園はギャラを設定できないため、公園使用料として請求された額だからだ。

◐海賊盤を「ブートレッグ版」と呼ぶ理由

違法に複製し、販売されているCDやDVDのことを「海賊盤」と呼ぶ。「海賊」は、英語で「パイレイツ」。だから、アメリカでは、「パイレイツ版」と呼ばれていると思っう人もいるのではないだろうか。

ところが、アメリカでは「ブートレッグ」と呼ぶことが多い。「Bootleg」と綴り、その直接の意味は「ブーツをはいた足」である。

違法にコピーされた音楽や映画が、ブーツと結びついたのは、この言葉が一九二〇年代の禁酒法時代に生まれたからだ。

当時、アメリカ国内では、酒の製造はもち

ろん、運搬・販売も禁止されていた。しかし、酒好きたちがそう簡単に酒がやめられるわけはなく、お隣のカナダから大量に密輸されていた。当初、密輸者は酒をブーツの中に隠していたことから、密輸を「ブートレッグ」と呼ぶようになった。

やがて、クルマを使って大量に密輸する密輸業者のことも、そう呼ぶようになり、さらに密造されたレコードという意味で、海賊盤のレコードやCDを「ブートレッグ」と呼ぶようになったのである。

◐映画の「R指定」の「R」の意味

「U18」と書いてあれば、自然に「アンダー18」と読む人も少なくないだろう。サッカーでは、選手育成のため、各年代ごとに大会が開催されており、一八歳以下のカテゴリーを「U18」と表記する。「U」は英語の「under」の頭文字である。

ところが、同じ年齢制限でも、映画の場合、一八歳未満入場禁止は「R18」と表記される。この場合の「R」は、「restricted（規制された）」の頭文字。

日本の映倫が、アメリカで導入されたシステムを参考にしたため、日本でも「R」が使われるようになった。

もっとも、日本の「R18」や「R15」の規制は、あくまで自主規制。「R18」指定の映画に中学生や高校生が入場しても、法的に処罰されることはない。

ちなみに、アメリカで規制を受けるきっかけになった映画は、ラストで主人公の男女が蜂の巣になる『俺たちに明日はない』だった。

◐楽器の音色と照明の関係

クラリネットやフルート、トランペットな

どの管楽器は、演奏前に息を吹き込み、楽器を温めることがある。これは、演奏によって、急激に楽器の温度が上がり、音程が狂ってしまうのを防ぐためである。

楽器は繊細にできていて、温度が高かったり、湿度が低いと、すぐに音程が上がってしまう。強い照明を使っただけでも音程が上がるので、テレビ撮影のときには細心の注意が払われている。

とくに、ピアノ、チェンバロ、ハープといった楽器は、テレビ撮影のときにも、広い部屋で間接照明が使われるなど、周囲の温度が急激に上がらないように工夫されている。

楽器に最適な温度と湿度は、人間とほぼ同じ。二二度、五〇パーセントがベストである。

◐童謡『コガネムシ』はゴキブリの歌

「コガネムシは金持ちだ〜」で始まる『コガネムシ』という童謡。日本人なら子供の頃、誰もが歌ったのではなかろうか。それほど全国的によく知られた歌だが、じつはこの歌の「コガネムシ」とは、ゴキブリのことだという説がある。

作詞をしたのは野口雨情で、雨情の出身地である茨城県では、昔から、チャバネゴキブリのことを、方言で「キガネムシ」と呼んでいた。しかも、その体型が小判に似ていることから、チャバネゴキブリが増えると、その家は金持ちになるという言い伝えがあった。

さらに、雨情は書斎で仕事中に現れたゴキブリを見ながら、この歌を作ったともいわれている。

いまとなっては真相はわからないが、「コガネムシは金持ちだ〜」と歌うたびに、ゴキブリの姿が浮かんだのでは、これだけ国民に親しまれなかったことだけはたしかである。

◐「トロイカ」は本当は悲しい歌

「雪の白樺並木　夕陽が映える　走れトロイカほがらかに」という歌詞の『トロイカ』という歌は、終戦直後、日本に伝えられた。シベリアに抑留されていた日本人兵士の間で歌われ、彼らによって日本へ持ち帰られたのである。

ところが、当時、翻訳されていた歌詞は、現在のものと違い、もっと悲しい歌だった。

トロイカとは三頭立ての馬ゾリのことで、この歌での主人公は、トロイカで郵便物を運ぶ男。お金がないため、自分の恋人を金持ちの地主に奪われて、その不運を嘆く歌だったのだ。

この歌が、日本へ伝えられた終戦直後は、元の歌詞のまま歌われていたが、内容が暗すぎると、明るくほがらかな歌詞に変更された。

そういえば、このトロイカのメロディーは、どことなく物悲しい。歌詞は変わっても、そのメロディーには、恋人を奪われた男の恨みが刻まれている。

◐映画スクリーンに小さな穴があいているわけ

最近の映画館のスクリーンには、小さな穴がたくさんあいている。その目的はスピーカーの音を客席によく響かせるためだ。

新しい映画館のスクリーンの裏側には、スピーカーが設置されている。館内に響く効果音やセリフ、映画音楽は、スクリーン裏に設置されたスピーカーからも出ているのだ。

しかし、スピーカーの前に厚い幕があったのでは、音がこもってしまう。そこで、スクリーンに穴をあけ、音の通りをよくしているというわけ。

◐楽器の音が年々高くなったわけ

楽器奏者がチューニングの基準とするのは「ラ」の音。現在、「ラ」の音の周波数は四四〇ヘルツとされているが、一八五八年には四三五ヘルツだった。また、モーツァルトの時代は四二二ヘルツだったという。つまり、「ラ」の音は時代とともに高くなっており、現代の「ラ」とモーツァルトの時代の「ラ」では、半音ほども違うのである。

これは、現代人は高音好みになっている証拠とも言える。実際、モーツァルトの時代の音の高さで演奏すると、間延びしているように聴こえるという。

◐音楽家の知られざる身体的悩み

アメリカには「芸術医学」という医療分野がある。演奏家やバレリーナの〝職業病〟を専門に扱う分野で、このことから分かるように、音楽家たちは想像以上に職業病に悩んでいるのだ。

まず、バイオリニストは、楽器をあごの下にはさむので、首の筋肉と骨を痛めやすい。また、背骨が曲がったり、左耳だけ難聴にもなりやすい。

ピアニストや和太鼓奏者は腱鞘炎になりやすく、トランペット奏者は唇を傷つけることが多い。さらに、声楽家はノドにポリープができやすい。

最悪の場合、そうした病気のせいで演奏活動そのものができなくなることもあるから、アメリカでは芸術医学という分野が発達してきたのだ。

◐新人アーティストのデビューが難しくなったわけ

ここ数年、新人アーティストは年間一〇〇組程度しかデビューしていない。一九九〇年代前半には五〇〇組以上がデビューしていたのに、である。

この背景には、新人育成をめぐるレコード会社の姿勢が変わってきたことがある。

これまで音楽業界では、「一〇〇万枚売れるアーティストを一人育てるよりも、一〇万枚売れるアーティストを一〇人育てるほうがいい」と考えられていた。そのほうがビジネスとして確実と考えられていたのだ。また、一人のアーティストが売れたら、その利益は新人の発掘・育成に投資するというサイクルも確立されていた。

ところが、このサイクルがくずれてしまったのである。「一〇人育てるよりも、ビッグスターを一人捕まえる」ことが重視され、利益は新人育成にではなく、ビッグスターの次回作品の宣伝費にまわされるようになった。むろん、そのほうが手っとり早く儲かるからである。

◐道ばたで生まれた「パラパラ」

クラブでときおり流行するパラパラのルーツをたどっていくと、一九七〇年代後半の竹の子族に行き当たる。原宿の歩行者天国で踊っていた彼らである。

パラパラ第一次ブームが起きたのは、八〇年代中頃のことで、当時、新宿のディスコの黒服には元竹の子族が多かった。その頃のディスコでは、パラパラは手を振りながら踊ることから、「手踊り」と呼ばれていた。

その後、「a-ha」のヒット曲『take on me』のイントロ「パパパラッパ、パッパッパ、パララ〜」を口ずさんで踊っている客を見て、DJが「パラパラ言いながら踊っているよ」と言ったことが、パラパラという名前の由来になったという。

その後、九四年頃、安室奈美恵の『TRY ME』に乗って第二次ブームが到来、さらに二〇〇〇年前後にキムタクの影響で第三次ブームが巻き起こった。

◐ハリウッドがジャパニーズホラーは金になると踏んだわけ

『リング』『らせん』『死国』『仄暗い水の底から』とヒット作がつづいて、ジャパニーズホラーは、ひとつのジャンルとして確立した。レンタルビデオ店でも、回転率の高いジャンルのひとつである。

以前から、このジャンルでは、日本と欧米の作品の間に大きな違いがあるといわれてきた。背筋がゾゾッと寒くなるような怖さは、日本ならではのもの。その欧米にはないタイプの怖さに、いまハリウッドが注目して、『リング』など、リメイクされる作品が増えている。

もっとも、そこにはハリウッド側の裏事情もあって、これまでビッグスターの集客力に頼り過ぎてきたために、ギャラが高騰、利益が上がらなくなっているのだ。そんな行き詰まりから、ジャパニーズホラーに飛びついたわけである。

◐経費がかかっても海外レコーディングするわけ

ＣＤのプロモーションで「ニューヨーク録音」「ロンドン録音」などと謳われることがある。海外でレコーディングするのと、日本国内で録音するのとでは、どこがどう違うのだろうか？

海外でレコーディングする理由はいくつかある。

まず、海外には優秀なバックミュージシャン、プロデューサーやエンジニアがたくさんいるから。外国のスタッフと一緒に仕事をして、新境地を開こうというわけだ。

第二の理由は、いわば〝気分〟である。たとえば「ヒップホップ」や「ソウル」ならアメリカで、「ユーロビート」ならイギリスで録音という具合で、本場の空気に触れると、アーティストたちのノリが変わってくることがあるのだ。

第三のケースは、これらの理由をタテマエにして、単に箔《はく》付けのために海外へ行く場合である。

◐ＣＤが水曜日を選んで発売される理由

ＣＤ発売日は水曜日に集中している。これは、新曲を「ヒットチャート」の上位にランクインさせるため。

レコード会社にとって、オリコン社をはじめとする調査会社によって集計・発表されるＣＤの「週間売り上げランキング」は、まさしく生命線。調査会社では、その集計のベースを「月曜日から日曜日まで」としている。

ということは、月曜発売の新譜が有利のようだが、そうするには、前日の日曜日にＣＤ

ショップへ納品しなければならない。ところが、流通・物流が止まる日曜の納品は難しく、土曜も同様。となると、金曜日には納品しておかなければならない。

しかし、そうすると、CDショップによっては商品が金曜日に店頭に並ぶこともあって、売り上げが二つの集計期にまたがり、ランキングが下がることになる。

そんな事情から、水曜日発売が定着している。

◐楽譜はどうやって書く?

かつて楽譜は手作業によって作られていた。五線譜に音譜や休符、その他いろいろな記号の〝ハンコ〟をひとつずつ押していく作業が必要だったからだ。

ところが、最近は、パソコンの進歩と楽譜作成ソフトの出現で、コンピュータによる楽譜作成に変わって、作業は劇的に楽になっている。

◐ゴジラの姿かたちが決まるまで

昭和二〇年代の終わり、『ゴジラ』第一作を作り上げるまでには、数多くの試行錯誤があった。まず、最初のイメージ図を描いたのは、阿部和助という絵物語作家。ところが、キノコ雲をモチーフにした阿部の試作画は、あまりにも生々しすぎると、採用を見送られることになった。

その後、アメリカの『LIFE』誌で恐竜特集が組まれ、そのイラストを参考にしながら、特殊美術監督の指示のもと、粘土の原型づくりが始まった。モデルとされたのは、ティラノサウルスの頭部、イグアノドンの体形とステゴサウルスの背ビレだった。

かくして誕生した第一号原型は、ゴジラが

海からくることを考えて、全身にウロコがあったが、あまりに爬虫類ぽいとボツ。つづいて試作された第二号原型は全身コブだらけだったが、やはりNG。ようやく、全身がワニ皮のような第三号原型ができあがり、OKとなった。それが、ゴジラ第一号である。

◐不景気になると歌舞伎の襲名が増えるわけ

歌舞伎界の襲名は、歌舞伎の興行元である松竹経営陣や歌舞伎界の大幹部らが、その役者の力を認めたところで話を進め、本人が承諾して決定される。ただし、興行だけにそこには経済的な要因もからんでくる。

襲名興行は、松竹を含めて関係業界に〝特需〟をもたらす。襲名披露興行なら黙っていてもお客が集まってくるから、歌舞伎界の大収入源であり、昔から不景気なときほど襲名興行が増えるといわれるのも、そのためだ。

襲名興行では、歌舞伎界の大看板が勢ぞろいするので観客の入りは格段によくなる。東京の歌舞伎座での二カ月間の興行は、観劇料だけで二〇億円以上の売り上げが計算できるという。

◐マジシャンのネタの権利相場

近ごろはマジックがブーム。マジシャンがテレビに登場する回数も増えているが、マジックのネタのすべてを彼らが考案しているわけではない。マジック業界には、マジックを演じるマジシャンだけでなく、マジックのアイディアや道具を考える人もいて、両者の間でネタが売買されることもある。

ネタのお値段は、内容によってピンキリ。トランプマジックなどの手軽なものならそれほど値も張らないが、大掛かりなイリュージョン系のネタになると、ウン千万円もするものもザラだという。

たとえば、アメリカで有名なイリュージョニストのデビッド・カッパーフィールドは、「このネタは五年間、ほかのマジシャンに売るべからず」という契約を、高いお金を出して結んでいる。たとえ、他のマジシャンがネタの仕掛けを見抜いたとしても、勝手に上演することはできないわけだ。

◐「ハロー・キティ」には、どうして口がない?

子供だけでなく、大人の女性にも人気の「ハロー・キティ」。このネコのキャラクターには、じつは口がない。それには、次のような理由がある。

キャラクターというものは、持ち主にとっては「友達」、あるいは「もう一人の私」的存在だ。楽しいときも悲しいときも、いつも一緒。持ち主は、キャラクターにそのときどきの自分の感情を投影することで、慰められたり、元気づけられたりする。

では、そんなキャラクターに口があったらどうなるか?

笑っている口がついていれば、そのキャラクターはいつも笑っていることになる。なるほど、そんな表情を見て気持ちが慰められることは多いだろうが、気分によっては、笑っている顔が慰めにはならないときもある。

つまり、口のあるキャラクターは表情がひとつしかないということになり、万人から愛される対象ではなくなる。これではキャラクターとして弱い。むしろ、口などはないほうが、持ち主が自分勝手な感情を投影することができて好都合というわけである。

◐映画で雪の代わりに使われていた食べ物がある!

現代では、映画の雪は、発泡スチロールな

どが使われているが、そんな便利な小道具がなかったハリウッドの創成期は、羽毛が使われていた。

白くてふわふわと空中を漂う羽毛は、それなりにリアリティがあったが、ある映画の撮影で、俳優が羽毛を吸い込んで、あやうく窒息死しそうになるという事件が起こった。

そこで登場したのが、コーンフレークだった。アメリカの代表的な朝食としてしられる、とうもろこしの加工品である。

このコーンフレークを白く塗り、スタジオの天井から降らせたのである。一九三八年の『北海の子』で採用されて以来、発泡スチロールが登場するまで活躍したというが、まだフィルムの感度が悪かった時代ならではの話である。

◐FMがAMよりも電気を食うわけ

携帯用ラジオは、たいていAM放送とFM放送の両方を聴けるようになっているが、そのAM放送とFM放送では、電気の消費量に違いがあることをご存じだろうか。

興味のある人は、AM放送とFM放送のどちらが早く電池が切れるか試してほしい。一般に、FM放送のほうが、二〜三割多めに電気を食うといわれている。

ラジオは電波をキャッチして、それを電気信号に変え、さらにそれを音に変えて出力する。このとき、AM放送では、一個のIC

（集積回路）チップを使っているが、FM放送では、音質をよくするため、二個のICを使っている。そのぶん、FM放送のほうが電気の消費量が大きくなるというわけ。

ちなみに、世界初のラジオ放送がおこなわれたのは、一九〇六年のクリスマスイブ。アメリカのフェッセンデンという人が、自分で作った無線局から、自らのヴァイオリンと歌で「きよしこの夜」を流したのが最初だ。

もちろん、このときはAM放送で、FM放送が実用化されるのは、それから二七年後のことだった。

◐CMは早口のほうが効果的？

CMには、概して早口のものが多い。一五秒から三〇秒という短い時間の中で商品の魅力を伝えるためには、早口になるのも当然という感じだが、これには次のような理由もありそうである。

以前、アメリカで放映されたオーデコロンのCMに、テニスプレーヤーが登場し、三〇秒で商品のセールスポイントをしゃべるというものがあった。ところが、実験でこのCMをまったく内容を変えずに二四秒に縮めたところ、視聴者の記憶に残る率が三六パーセントも上昇したのだ。

二割も時間を縮めれば、当然、早口になる。早口になれば、それだけ頭の中を通過するスピードも早そうなものだが、実際は逆に印象深かったのである。

◆9章◆

誰もが気になる「男と女」の〝裏腹〟の数々

そろそろ、どうにかしたい……?

セックスレスは死をまねく!?

ここ数年、セックスレスな男たちが増えている。しかし、泌尿器の専門医たちによれば、セックスレスがつづくと体にさまざまな悪影響が出てくるという。

男性機能に対するもっとも直接的な悪影響は、生殖機能の低下だ。

男性の体は、射精をすると、脳から前立腺と精嚢に「新しい精液を作れ」という指令が飛び、同時に睾丸が精子を作り始めるようになっている。

射精をしなければ、これらの機能はサビつき、ひさびさに射精したときには「精液中の精子の数が平均値の半分しかない」なんてことに。〝射精レス〟が五年以上もつづくと、精子がまったく作られなくなる可能性もあるという。

さらに、睾丸で精子が作られないと、性欲も減退。最終的には勃起不全ということになる。

この他、カゼをひきやすくなったり、脳の老化が進むせいで早くボケやすくなったり、前立腺肥大になりやすくなったり。セックスレスは、ほとんどロクなことがないのである。

◐健康を守るための「適切な射精回数」とは？

前項でセックスレスの危険性を指摘したが、では、健康を守るための「適切な射精回数」とはどれくらいなのか？

それは、次の数式によって導き出すことができる。

自分の年齢の一〇の位に九をかけるというもので、

・二〇代↓2×9＝18で、一〇日に八回
・三〇代↓3×9＝27で、二〇日に七回
・四〇代↓4×9＝36で、三〇日に六回
・五〇代↓5×9＝45で、四〇日に五回

相手がいない人は、自分一人ででも射精したほうが身のためである。

◐人工ペニスの材料は？

事故などでペニスを切断した男性が、人工ペニスをつける手術を受けることがある。そのとき、人工ペニスの原材料となるのは、自分自身の皮膚と軟骨である。

手術では、まず患者の肩先から上腕部の皮を切り取り、その一部の皮膚だけをはがし、ストロー状に巻いて尿道とする。この尿道を切り取った皮の中心にいれ、海苔巻きの要領で巻く。これが、人工ペニスの本体となる。

次に、患者の肋骨の先端部分の軟骨を切り取り、人工ペニスの支柱とする。そして、手術用の顕微鏡を使って、血管や神経を縫合する。

この手術には、一〇時間前後はかかるという。

◐コンドームの売れ行きが落ち込んだわけ

ここ一〇年間、コンドーム市場に異変が起きている。輸出は堅調なのだが、国内向けの出荷数が年々減ってきているのだ。原因は、日本人がセックスをしなくなったことである。

まず、セックスレスの夫婦、カップルが増加している。セックスをするのは盆と暮れくらいという夫婦が増えて、コンドームを買わなくなったのだ。

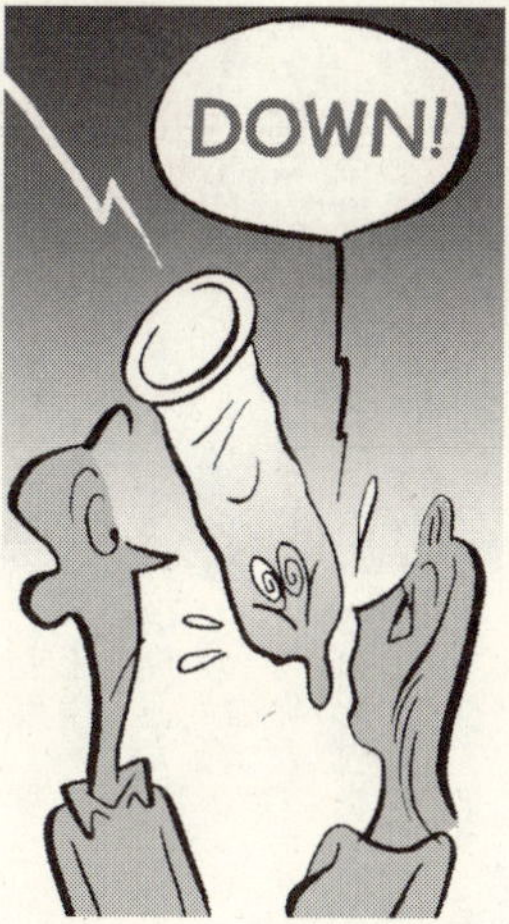

晩婚化の影響も大きい。昔は、新婚カップルといえば、毎日のように励んだものだったが、最近は結婚年齢が上がったぶん、そういうパワーを残しているカップルは少ない。

こうした傾向に対して、コンドームメーカーでも危機感をつのらせ、さまざまな新商品を開発、発売しているが、長期低落傾向に歯止めはかかっていない。

◐パイプカットをしても、妊娠させてしまうことがある理由

パイプカットとは、精子の通り道である精管をカットし、精液に精子が混入しないようにする方法。これなら、どうやっても妊娠しようがないはずだが、ある夫婦の場合は、亭主がパイプカットをしたにもかかわらず奥さんが妊娠し、大変な騒ぎになった。

当然ながら、疑いは奥さんに向けられた。亭主に製造能力がない以上、〝善意の第三者〟

が介入したと思われるのは当然だが、奥さんは断固として否定した。

調査の結果、意外な事実が判明した。手術によって切断されたはずの亭主の精管が、いつの間にか〝開通〟してしまっていたのである。じつは、こうしたことはしばしばあることだった。それだけ人間の再生能力はすごいということなのだろう。

ともかく、この夫婦は、精管がふたたび開通することがありうることを事前に説明しなかった医師を告訴。しっかり慰謝料をもらうことに成功したという。

◐プロ野球選手に「姉さん女房」が多い理由

俗に「ひとつ年上の女房は、金の草鞋《わらじ》を履いてでも探せ」というが、この格言がまさに通用するのが、プロ野球の世界。「ひとつ年上」かどうかはともかく、二〇〇四年三月現在では、プロ野球選手の四八パーセントは独身で、既婚者の奥さんは、年下↓一九パーセント、同い年↓一三パーセント、姉さん女房↓二〇パーセントと、世間と比べれば、圧倒的に姉さん女房が多いのだ。

しかも、この世界では高給取りの選手ほど「姉さん女房率」が高くなるという法則がある。なるほど、古くは、現中日監督の落合博満選手や現巨人の原辰徳監督、現在では、西武の和田一浩選手、大リーグのイチロー選手、野茂英雄投手、元巨人のペタジーニ選手など。

しっかりものの年上の奥さんが家を守っていれば、選手はそれだけ野球に集中できるということなのだろう。

もっとも、プロ野球選手は若くして結婚するケースが多い。世間知らずの若者が、年上の女性にコロリとだまされて……というケースもありそうだが、結果よければすべてよし、か。

◐浮気はこうしてバレる

浮気はどうしてバレるのか、といえば、ひとことでいえば「油断」である。具体的には、次のような行動が、もっとも浮気を発覚させることになる。

①電話に浮気相手の電話番号を残す
　ケータイはもちろん、固定電話も、いまどきはリダイヤル機能がついていることをお忘れなく。

②アドレス帳に浮気相手の名前を書く
　システム手帳やケータイのアドレス帳に浮気相手の名前を書くのは禁物。「男名に変えて書けばバレない」と、たかをくくっていると命取り。そんな手はいまどき知れ渡っている。

③部屋や車に浮気相手の髪の毛を残す
　服についた髪は、「満員電車でついた」の言い訳がきくが、部屋や車の助手席に落ちた長い髪、本命と違う色やウエーブの髪は、〝落ちていた理由〟を説明するのが苦しい。浮気したあとは粘着テープで髪の毛を掃除しておくこと。ベッドの中も忘れずに。

④浮気相手に掃除してもらう
　いつも部屋を散らかしている人が浮気相手に部屋を掃除してもらうのはタブー。トイレが異常にキレイなど、こうした不自然さから足がつく。

◐不倫に時効はあるのか？

不倫は不法行為の一種。しかし、法的には過去の不倫はどこまで罪に問われるのだろうか？　一般に、不法行為による損害賠償請求権は、行為のあったときから二〇年か、請求する相手が判明してから三年の、いずれか短いほうで時効消滅する（民法第七二四条）。

つまり、不倫相手が判明している場合は、最後の性交渉から三年以内に慰謝料を請求しなければならない。相手が判明しなかった場合は、判明時点から三年以内となる。

離婚せずに不貞行為の慰謝料を配偶者に請求する場合には、不貞行為の存在を知ったときから三年以内に請求することが必要だ。また、不貞行為の結果、離婚した場合には、離婚が成立した日から三年以内なら配偶者に対して離婚の慰謝料を請求できる。

時効の進行を止めたいなら、慰謝料請求の意志があることを相手に明示すること。慰謝料請求の裁判を起こすと、時効は再びゼロに戻って進行するので、早いうちに弁護士に相談するべし。

◐相手の同意ナシで離婚する方法

夫婦が離婚するためには、双方の同意が必要。そうでない場合は、調停や裁判のお世話にならなければならないが、次の三つの場合は、相手の同意などなくてもさっさと別れることができる。

・相手にだまされて結婚した場合。わかりやすい例が、相手が結婚詐欺師だったという場合である。

・相手に脅迫されて結婚した場合。

この二つは、家庭裁判所に「婚姻取り消し申立て」をし、認められれば、即、他人になれる。ただし、婚姻届を出してから三カ月以内でないと無効。

・妻が産んだ子供が、夫の子でないと判明した場合、夫は婚姻の取り消しを申し立てることができる。こちらも期限は、子供が産まれてから三カ月以内だ。

心当たりのある男性は、早めに手を打つべし？

◐離婚歴を葬り去る方法

いまどきは、バツイチやバツニも珍しくないが、再婚するときには、やはり自分の離婚歴を隠しておきたいという人もいるはずである。

ただ、戸籍を見れば、過去に結婚歴があることは一目瞭然。しかし、こんなときは、本籍を別なところに移せばいい。

本籍を移すと、過去の夫婦関係は転記されず、まっ白な状態に戻る。文字通り、過去を白紙に戻して再出発することができるのだ。

ただし、転籍前の戸籍は「除籍簿」として残されるため、相手の過去を徹底的にチェックしようと思えばできなくはない。

◐近視の女性が美人に見える理由

人間は大好きなものを見つめるとき、瞳孔（瞳）が大きくなることがわかっている。

また、そんなときの人間の顔は、とても魅力的に見えるものだが、近眼の女性が美人に見えるというのも、同じ理由だ。

近眼の女性は、瞳孔がやや開きかげんになるため、瞳が大きく、うるんだように見える。

ひと昔前、コンタクトレンズで有名なボシュロムが、目の美しい有名人のアンケート調査をしたところ、上位三人は、松坂慶子、大原麗子、多岐川裕美だった。この三人の美女がみな、ドのつく近眼なのは、けっして偶然ではあるまい。

◐「ブスは三日で慣れる」理由

昔から、「美人は三日見ると飽きるが、ブスは三日見ると慣れる」といわれる。

前段はともかく、後段の「ブスは三日見ると慣れる」というのは、本当である。

初対面のときは、ブスはブスとしか見えないかもしれない。しかし、二度目に会ったときは、相手の性格が少しわかってくる。三度目には、自分と気のあうところも発見できたりする。

こうなると、ブスであることがあまり気にならなくなる。それどころか、恋愛の対象になることだってありうる。

このことは心理学でも証明されており、専門的にいうと「熟知性の法則」と呼ばれている。要は、人は相手のことがわかってくればくるほど、好意を持つ傾向があるというわけである。

◐女をその気にさせる「媚薬」はある?

アメリカのモネル化学研究所のプレッティ博士が、こんな実験をおこなっている。まず男性の汗の成分を抽出。これを生理不順に悩む女性一二人に対し、一三週間にわたってかがせてみたところ、すべての女性の生理不順が正常な周期に戻ったというのである。

「男の匂い」は女性ホルモンを活性化させる

というわけだ。

そこで、最近では外国人のワキの下の匂いやブタのフェロモンをもとにしたフェロモン入り香水なるものが発売されているが、「究極の媚薬」として使えるかどうかは定かではない。

◐「恋人たちの破局」は、いつが多い？

夏が「恋の季節」なら、秋は「別れの季節」ということになりそうだが、現実はそうでもない。大学生を対象に異性との別れについて調査したところ、男女とも、三月が「別れの季節」であることがわかっている。

三月に別れが多いのは、卒業や進学で二人が離れ離れになることが多いからだろう。あるいは学年が変われば、クラスも変わる。二人の間に生まれた物理的距離が、二人を別れに追いやるわけである。

女性の場合は、三月に次いで六月が多いが、これは、四月から六月にかけて「新しい出会い」があったからだ。そこで、それまでつきあっていた彼との仲を清算しようとしたわけである。

一方、男性は三月に次いで八月の別れが多い。これは夏休みのせい。帰省などで二人が離れ離れになってしまえば、やはり別れが近くなる。あるいは、夏休みの長期バイトで知り合った彼女と「ひと夏の経験」をして、八月の終わりには早くもサヨナラ、というケースもありそうである。

◐女性がパンティをはくようになった理由

日本女性が着物の下に何もはいていなかったように、西洋でも、その昔は、ドレスの下はスッポンポンだった。

そんな時代にあって、最初にパンティをは

いた女性は、一六世紀半ばのフランス王妃・カトリーヌ・ド・メディシスだと言われる。それまで女性が馬に乗るときは、横座りというのが当たり前だったが、彼女はこれをやめ、左脚を鞍頭にかけて乗るというスタイルを編み出した。そうすることで自慢の長くて美しい脚を周囲に見せようとしたのだという。

しかし、この乗り方では風が吹くと裾がめくれあがり、下半身が丸見えになってしまう。そこでパンツをはいて、馬にまたがったのが始まりらしい。

◐二店あるキャバクラの元祖

キャバクラの「元祖」とされる店は二つある。一店は、一九八三年開店の「キャンパスクラブ・ブスッ子倶楽部」。「キャンパスクラブ」というように、この店のホステスは全員学生だった。

それまで水商売の世界では、「学生アルバイトのホステスは使えない」というのが定説だった。ところが、この「ブスッ子倶楽部」は大ウケ。学生ホステスの素人っぽさが、お客には新鮮に受け止められたのである。

もう一店は、一九八四年に新宿歌舞伎町にオープンした「ＣＡＴＳ」。この店のホステスも、水商売未経験のアルバイトが中心だった。

「ブスッ子倶楽部」よりも後にできたのに、「ＣＡＴＳ」も「元祖」と呼ばれるのは、素人ホステスというアイデアは「ブスッ子倶楽部」が先でも、時間制・飲み放題といったキャバクラ独特のシステムを確立したのは「ＣＡＴＳ」だからである。

◐マネキンのモデルはどんな女性？

現在のマネキンは、リアルな感じが好まれ

ることもあって、実在のファッションモデルをモデルにして作るケースが増えている。オーソドックスなマネキンのサイズは、身長一七五センチ、バスト八二、ウエスト五八、ヒップ八五ぐらい。九号サイズをピタッと着こなせるプロポーションとなっている。

ちなみに、昭和三〇年代までのマネキンは、身長一六八センチに対してウエスト五〇センチと、現実離れしたプロポーションのものが主流だった。当時、顔はハリウッド女優をモデルにしたり、マネキン制作者によっては、奥さんをモデルにする人もいたという。

◐丙午より出生数の少ない年がある！

「丙午《ひのえうま》」の女性は、とかく「男を食う」だとか、「八百屋お七」がそうだったとかで敬遠されがち。そのため、出産を控える夫婦もあるようで、「午年」生まれの人というのは少ない。

では、十二支のうちでもっとも人口が少ないのが「午年」なのかといえばそうではない。総務庁の人口調査によると、干支《えと》別の人口でもっとも多いのが、丑年生まれ。以下、②申年、③未年、④子年、⑤巳年、⑥亥年、⑦辰年、⑧寅年、⑨卯年、⑩酉年、⑪午年、⑫戌年の順。午年より、戌年の人口のほうが少ないのである。

六〇年に一度まわってくる「丙午」。次回は二〇二六年が「丙午」になるが、その頃には「丙午」といっても、ただの迷信になっているかも？

◐ポルノ文学だった『眠れる森の美女』

『眠れる森の美女』は、シャルル・ペローが童話集に収めて有名になったが、もともとの話は非常にエロティックでグロテスクな話で

ある。

昔々、ある国にお姫様がお生まれになった。

しかし、お姫様は、仙女の予言通り、指にトゲを刺して長い眠りにつく。そして百年後、あるハンサムな貴族が通りかかった。と、ここまでは現代版やペロー版とたいして違わない。ところが元の話では、この貴族、眠ったままの姫をレイプしてしまうのだ。

九カ月後、姫は眠ったまま男の子を出産。この男の子がお姫様の指を吸うと、トゲがとれて姫は眠りから覚める。貴族はふたたび姫のもとを訪れ、以後ちょくちょくと通ってくるようになる。

二人が一緒に住まなかったのは、貴族がすでに結婚していたから。そして、この不倫関係は本妻にバレてしまい、怒り狂った本妻は、姫の子供を捕まえてソースで煮込んで調理するよう料理長に命ずる。何くわぬ顔で、夫にその〝料理〟を食べさせた妻は、「あなたが食べたのは、自分の子供ですよ！」と告げる。

あまりのことにショックから立ち直れない貴族。しかし、じつは料理長の機転で、料理したのは山羊の肉で、子供は無事であったというハッピーエンドで終わる。

◐アラビアンナイトが千夜一夜物語になった理由

ペルシア、インド、エジプト、イラクなどに伝わる伝説などを集大成した、アラビアの古典『アラビアンナイト』は、通称「千夜一夜物語」とも呼ばれる。シェヘラザードという王妃が、シャリアール王に不思議でおもしろい物語を千一夜にわたって語りつづけるという形式をとっているため、「千夜一夜物語」という名がついた。

もっとも、現存する写本にある物語の数は、一二五〇編。「千一夜」といえば約三年がかり、それだけ長大な物語であることを示している。

では、単に「長い」ことを表すだけなら、なぜ「千夜」ではなく、「千一夜」とキリの悪い数字にしたのだろうか。

これについて、英語訳をしたバートンは、アラブ人は偶数を嫌うため、わざと一をプラスしたのではないかと言っている。また、ドイツのオリエント学者であるエンノ・リットマンは、トルコで「千一」は「多数」を表すからと分析している。

◐「遠距離恋愛」がうまくいかないワケ

心理学に、ボサードの法則というものがある。「婚約中のカップルが結婚する確率は、二人の距離が増大するほど着実に驚異的に減少する」というもので、遠距離恋愛のむずかしさを示したものだ。

なぜ「遠距離恋愛」は、うまくいかないのか。理由のひとつは、物理的距離が離れたため、二人の「心理的距離」も広がるからだ。遠距離恋愛のカップルは、デートするにしても週末が精々。交通費や電話代など、なにかと費用もかかる。

こうして会う機会が減れば、どうしても「好き」という感情は弱まる。「遠くの恋人より、近くの他人」というわけで、近くにいる人に親近感を感じるようにもなる。それだけ、恋人への愛も冷めていくというわけである。

遠距離恋愛を成就させようと思ったら、物理的距離・心理的距離をものともしない気力、体力に加えて、財力も必要だろう。

◐親が結婚に反対するほど本人たちは燃え上がるワケ

心理学で「ロミオとジュリエット効果」といわれるものがある。これは、周囲が反対すればするほど、二人の恋は燃え上がるという心理メカニズムのこと。じっさい、さまざまなカップルについて、恋愛感情の度合いと両親の干渉の度合いを測るテストをおこなったところ、両親の干渉度合いが高いカップルほど、二人の恋愛感情が深いことがわかっている。

さらに、そのテストから半年後、同じカップルに対して同様の調査をおこなったところ、両親の干渉度が相変わらず高いカップルは、さらに恋愛度が高まっていることもわかった。親が干渉すればするほど、二人の愛はロミオとジュリエットのように熱く燃え上がっていったのである。

これは、周囲が反対すればするほど、その相手に〝希少価値〟を見いだしてしまうからだ。「娘の結婚」に反対する父親は、「どうぞご自由に」と言い放ったほうが、娘の目が覚める？

◐女性との別れは、騒々しい店で

ほんとうのプレイボーイといわれるためには、女性との別れ方も上手でなければならないが、女性に別れを切り出すとしたら、次のどちらの場所がふさわしい？

①静かなバー
②騒々しい居酒屋

映画や小説では、①というケースが多いものだが、心理学の教えるところによると、正解は②。別に居酒屋である必要はないが、静かな場所より騒々しい場所のほうが、成功率が高いことがわかっている。

人間は、自分が飲めない話を聞かされるときは、誰でも反論しようと身構える。女性があなたと別れたくない場合も同じ。あなたが別れを切り出すや、泣きわめいたり、逆に食ってかかられたりする可能性が高い。これは彼女に反論を形成する余裕を与えたからだ。そして、この反論、静かな場所のほうが形成しやすいのである。

その点、騒々しい場所なら、人の声などいろんな情報が飛び交っているため、なかなか反論が作りにくい。そのため、ふつうなら簡単に飲めないことも、ついうなずいてしまいがちなのである。

◆10章◆

ありふれた「モノ」にひそむ〝裏方〟の数々

こんなモノにも物語がねえ……?

◐ビニール傘に付着している白い粉の正体

雨が急に降ってきたとき、頼りになるのがビニール傘。コンビニでも駅のキヨスクでも売っているので、とても重宝する。

ところが、このビニール傘を買って、さっそく開くと、白い粉がついていることがある。「白い粉」といえば、覚醒剤を連想する人もいるかもしれないが、いったいあの白い粉は何なのだろうか。

メーカーに聞くと、ただのデンプンだという。デンプンは、お米やジャガイモなどに含まれる成分であり、もちろん人畜無害、口に入っても平気だ。わざわざデンプンのような白い粉を使っているのは、傘がくっついてしまうのを防ぐためである。

塩化ビニールで作られた傘は、作りたてのとき、ビニール部分がくっつくことがある。それを防ぐため、デンプンの粉が使われているのだ。道理で、ビニール傘は購入後、すぐに開けるわけである。

◐ブラックボックスの耐熱温度が一一〇〇度に決まったわけ

航空機事故のたびに、フライトレコーダーやボイスレコーダーという言葉をよく聞く。フライトレコーダーとは、航空機の飛行状態を詳しく記録するメタルテープで、ボイスレコーダーは、操縦室内での会話や管制塔との交信記録、またスチュワーデスのアナウンスを記録したテープのことである。

事故直前までの飛行状況や操縦室での会話内容などがわかるため、事故原因の解明に大きな威力を発揮する。そのため、これらのレコーダーは、ブラックボックスと呼ばれる箱に入れられ、航空機に搭載されている。

重要な記録を守るブラックボックスには頑丈さが要求されるが、アメリカ製の製造基準では、「一一〇〇度の温度に三〇分耐えられる」ことが基本的な基準となっている。

耐熱温度が一一〇〇度とされているのは、金の融解点（一〇六四度）と銅の融解点（一〇八四度）を目安にしたため。金と銅の融解点より高温に設定しておけば、どんな事故に遭っても、そう簡単に溶けることはないと判断されたのだ。

ブラックボックスの材質は明かされていないが、グラスファイバーやハードスチールが使われているとみられている。

◐オルゴールの奏でる曲は編曲が必要

オルゴールの主要部品は「振動板」と「ドラム」。筒状のドラムが回転し、振動版をはじいて曲が奏でられる。

しかし、この振動板とドラムの構造に制約があって、オルゴールは一八の音しか出せない。そこで、オルゴールを作るさいには、原曲をオルゴール用に編曲する必要がある。

ただ、その一八の音は、ドレミファソ――という順番になっていないため、原曲で使われる音の中から一八音を選んで編曲されている。

ブタの貯金箱がブタの形になったわけ

貯金箱といえば、世界でもっともポピュラーなのは「ブタの貯金箱」である。初めてブタの貯金箱を作ったのは、一八世紀の英国人だった。

なぜ、ブタにしたのか？　その理由は、その数世紀前までさかのぼらなければ、わからない。

その時代、金属はまだ貴重品で、家庭用品には使われていなかった。代わりに利用されていたのが、「ピッグ」と呼ばれる粒子の細かいオレンジ色をした粘土である。この粘土で、皿やカップ、ポット、水差しなどが焼かれ、その陶器も「ピッグ」と呼ばれた。

当時の人々は、そのピッグ製のポットや水差しに小銭を貯えていた。

その後、ピッグ製の陶器は使われなくなったが、お金を貯めるための入れ物という意味の「ピッグ・ジャー」という言葉は残った。そして、一八世紀のイギリス、このピッグという単語を「豚」と勘違いする人物が現れて、ブタ型の貯金箱第一号が作られたのだ。それが、英国だけでなく、世界中で人気を集めたのである。

オカリナ作りに石鹼が欠かせないわけ

オカリナはイタリア生まれの楽器。テラコッタという粘土を焼いて作られるが、その工程では石鹼が必要になる。あの丸い形を作るためである。

まず、石鹼を土台にして、そのまわりを粘

土で包みこむ。石鹸を土台にするには、表面がつるつるしている分、粘土がはがれやすく、形が壊れにくいため。石鹸は、粘土をオカリナ形にしてから、二つに割って取り出す。

その後は、二つに割った粘土に、「吹き口」と「唄口」と呼ばれる穴を開ける。そして、二つの胴体を張り合わせて、穴を表に六つ、裏に二つ開け、乾燥させて焼けば完成だ。

◐「瓶入りの錠剤」には、なぜ詰め物がしてある？

薬局で売っているビタミン剤などの「瓶入り錠剤」には、たいていスポンジやクシャクシャに丸められたビニールが入っている。業界では〝詰め物〟というミもフタもない呼び方をしているが、その役目は何か？

あの詰め物は、運搬の際に衝撃などで錠剤がおどって破損するのを防ぐために入れられている。薬によっては、〝保管上の注意〟のところに、この旨が記されているものもある。

ということは、たとえば、あなたが薬局で錠剤やカプセル薬を買った場合、自宅に戻ってきたところで、詰め物はお役御免というわけである。

◐最近の線香花火がすぐに消えてしまう理由

昔の線香花火は、消えそうでなかなか消えないところに風情があった。しかし、今はほんの一〇秒くらいで消えてしまう。

その原因は、原料にある。線香花火の原料は、「松煙」と呼ばれる松の根っこを燃やして作った墨。良質なものほど燃焼が長続きするが、現在は、ほとんどが中国で作られるようになり、この原料の質が落ちているのだ。

そこには、熟成期間の問題がある。線香花火の素材は何年も寝かせるほど、熟成が進み、質がよくなる。しかし、現在は熟成を待たずに出荷してしまう。そのため、昔ほど線香花火はパチパチと輝かなくなったのだ。

◐マラカスの中には何が入っている？

現在、日本で市販されているマラカスのほとんどは、メキシコやアフリカからの輸入品。マラカスの本体は、マラカという木の実を乾燥させたもので、中には植物の種や小石が入っている。

ただし、最近のマラカスには、木片や小さな木の実、プラスチックや金属片を入れたものも出回っている。

種や木片、小石などの自然の材質を入れておくと、やがてお互いに削れ合って小さくなる。すると、音が小さくなってしまうのだ。

その点、プラスチックや金属片なら、摩耗する度合いが少ない。そのため、長く一定の音色を保て、中身だけを交換すれば、いつまでも使える。プラスチックや金属片のほうが音色が安定して、楽器としては扱いやすい。

◐油絵具の油ってどんな油？

油絵具の原料は、石や鉱物。それらを「顔料」と呼ぶが、顔料だけでは、キャンバスに描いたとき、すぐに色が落ちてしまう。そのため、油絵具には「乾性油」が混ぜられ、顔料をキャンバスにくっつける接着剤の役割をしている。この油が混ぜられているから、

「油絵具」と呼ばれるわけだ。

さらに、粘り、硬さ、光沢などを調整するために、油絵具にはさまざまな「助剤」と「乾燥剤」が加えられている。

これらの素材をミキサーで、ペースト状になるまで混ぜ合わせ、つづいてローラーでさらにきめが細かくなるように混ぜられる。

こうして、混ぜ合わされた油絵具は、空気の入らない容器に入れられ、半月から半年間ぐらいかけて、じっくり熟成させられる。すると、どろっとした感じが増して、油絵具の出来上がりとなる。

◐プラモデルの部品が木の枝みたいな形になっているわけ

プラモデルの部品は、プラスチック枠に木の枝のような形でぶらさがっている。

一つひとつの部品が木の枝のような形でぶらさがっているのは、部品を作るときに、鯛焼き器のような二枚一組の金型を使うため。

プラモデルの商品化が決定すると、まず組み立てやすさを考えながら、部品点数が決定される。それが決まると、各部品を金型にどのように並べるかが検討される。

鯛焼き器のような金型が完成すると、そこに溶かしたプラスチックを流し込むのだが、金型にはプラスチックが流れる通り道が必要になる。そのとき、流し込まれたプラスチックの通り道になった部分が、木の枝のような部分になるというわけである。

もちろん、その部分は、小さな部品がバラバラにならないように、お互いの部品を結びつける役割も果たしている。

◐ヘルスメーターの北海道用と沖縄用の違い

日本国内で販売されているヘルスメーターは、三タイプに分けて作られている。「北海道型」と「沖縄型」と、その「中間型」である。

これは、北と南では、地球の重力にわずかな違いがあり、重量計測に微妙な誤差が生じるため。南北に長い日本は、時差はないが、〝重差〟が生じるというわけだ。

現実に、本州に住んでいる体重六〇キロの人が、中間地域用のヘルスメーターを運んで計測すると、北海道では五九・九五キロになり、沖縄では六〇・〇五キロになる。

◐口紅の表面のツヤを出すワザ

口紅の表面は、ツヤツヤ輝いているもの。あのツヤ出し作業がおこなわれるのは、口紅の製造工程の最後の最後。それ以前の口紅は、クレヨンのような感じで、あの独特のツヤツヤ感はまったくない。

口紅のツヤ出しの方法は、ガスバーナーを利用した「フレーミング」である。

「フレーミング」とは、炎を使って加工することをいう。口紅の場合、炎や熱風に当てると、表面の油分が溶け出し、ツヤが出てくるのだ。

◐ブラジャーの実寸サイズが表示よりもずいぶん小さいわけ

ブラジャーのサイズは、実際には表示サイズより一〇〜一五センチ小さくなっている。たとえば、B70サイズのブラジャーは五五センチしかないこともある。

これは、素材に伸縮性のあるものを使っているから。アンダーバストを表示どおりに七〇センチの仕上がり寸法で作ると、体にフィットせず、ブラジャーの役割を果たさない。アンダーバスト七〇センチというのは、実寸が七〇センチなのではなく、着用したときに七〇センチになるブラジャーなのだ。

また、同じB70のブラジャーでも、見た目のサイズはバラバラ。この差は、メーカーの違いによるものではなく、使っている素材や設計による。たとえば、レースをたくさん使ったデザインなら、伸縮性がないため大きめになるし、ポリウレタンなど伸縮性の高い素材なら小さくなる。どちらも同じB70であることに変わりはない。見た目のサイズではなく、着用感で選べばよいということだ。

◐綿棒の綿の部分のくっつけ方

日本で最初に綿棒製造に取り組んだのは、つま楊枝メーカーだった。つま楊枝と綿棒の製造技術がよく似ていたからである。昔の綿棒は軸部分が木製で、いってみれば当時の綿棒は、つま楊枝の先に脱脂綿をくっつけたもの。つま楊枝メーカーとしては、手慣れた技術を応用できたので、綿棒製造に乗り出したのだ。

さて、最近の綿棒工場の様子を紹介してみよう。まず、紙軸だけがベルトコンベアの上に乗せられ、コンベアの途中には接着剤を塗るためのローラーが置かれている。このローラーに軸の両端が接すると、軸に接着剤が塗られる。

軸は、さらにコンベアの上をころがっていくが、その過程で、細かくちぎられた脱脂綿が雪のように降ってくる。すると、接着剤が塗られた部分だけに脱脂綿がきれいにくっつくのだ。

◐軽石って何者？

火山国の日本は軽石の宝庫。大がかりな装置など使わなくても、火山の近くを掘れば、スコップで簡単に採取できる。

軽石の素になるのは地下のマグマだ。この

マグマが噴出するとき、大量の水蒸気が発散して、マグマの中にたくさんの気泡が発生する。それが石に無数の孔をあけて軽石となる。

ただし、そのようにして生まれた石でも、マグマに含まれるケイ酸が全体の六〇パーセント以上で、白色か黄白色のものでなければ、軽石とは呼ばれない。ケイ酸が六〇パーセント以下で、黒や褐色のものは「岩滓《がんさい》」と呼ばれている。たとえば、富士山には「岩滓」が多く、軽石はほとんどない。

しかし、それ以外のおもな火山近くには、軽石の層があって、その厚さは平均二〇メートルもある。

◐パチンコの玉が、一分間に一〇〇発しか発射できない理由

パチンコがまだ手動式だった頃は、どれだけ早く玉が弾けるかが腕の見せ所だったが、電動式になってからは、一分間に発射できる玉数が一〇〇発と決められている。

これは、「風営法」によって「射幸心をいたずらにあおらないようにするため、一分間に、四〇〇円分より多くの遊戯球（パチンコ玉のこと）を打ち出す機械はダメ」と決められているからだ。

現在、パチンコの「貸し玉」は、一発四円。つまり、四〇〇円分なら、一分間で一〇〇発がその上限というわけである。

◐ボタンは誰がデザインしている？

日本だけで、例年何千種もの新しいデザインのボタンが登場しているが、ボタンのデザインは誰が考えているのだろうか？

これは、二つのパターンに分けられる。ひとつは、洋服デザイナーが服に合わせてボタンまでデザインをするケース。もうひとつは、ボタンメーカーの社員がデザインを担当して

いる場合である。後者のほうが圧倒的に多いという。

たとえば、ボタンのトップメーカーには、他の仕事と兼務しているボタン・デザイン担当者が四人いて、年に二回の展示会のために、その年流行の洋服に合わせて、ボタンのデザインを考えている。

◐歯ブラシの品質管理法

歯ブラシは、柄の棒とブラシ部分を別々に作って、あとで〝植毛〟される。今では全工程が機械化されているが、最後の品質検査だけは、一本一本、人間の目によって検品されている。

一本一本、目で確かめながら、不良品を取り除くわけだが、その際、不良品は「トンボ、トラ、フンドシ」というユニークな符号で呼び分けられている。

「トンボ」は、歯ブラシの毛が抜けてしまったもののこと。毛が抜けおちた棒が、羽根をもがれたトンボに似ているからである。

また、「トラ」は、毛が不ぞろいのもの。「トラ刈り」が語源である。

「フンドシ」は、毛が二つの穴にまたがっているもの。棒のある部分をまたがっているから、フンドシと呼ばれている。

◐歯型の石膏にコンブを混ぜるわけ

義歯を作るときは、歯型をとるため、クニャクニャとしたものを歯に押しつけられ、しばらく嚙みしめていなければならない。最近は数分ですむが、以前は三〇分近く、じっと嚙んでいなければならず、顎は疲れるし、唾液はたまるし、退屈だし、途中でいやになりそうだった。

あの得体の知れないものは「印象材」と呼

ばれ、その主成分は石膏。ただし、石膏だけで歯型を取ると、カチカチに固まって、歯からはずすときに痛い思いをすることになる。そこで、印象材にはコンブが混ぜられている。

コンブを煮詰めると、アルギン酸という成分が抽出される。このアルギン酸に水を加えながら石膏と混ぜると、やわらかく、クニャクニャした「印象材」になるのだ。

ちなみに、歯型をとるためのコンブには、チリ沖でとれるレッソニアという種類が使われている。日本産コンブにもアルギン酸は含まれているが、値段が高すぎてこの用途には使えない。

◐ベニヤ板作りで木材どうしをくっつける法

「ベニヤ板」には、おもに熱帯林産のラワン材が使われる。ラワン材を薄板に加工し、接着剤で貼り合わせて「合板」にしたのがベニヤ板。

明治時代には、その接着剤にニカワや卵白が用いられていた。大正時代から昭和初期にかけては、カゼインという接着剤が使われ、そして戦後から現在まで使われているのが、熱を加えると固まる熱硬化樹脂性の接着剤である。

作る手順は、まず単板にローラーをかけて接着剤を塗りつける。その単板どうしをソリが出ないように、約二〇分間仮付けする。その後、一一〇～一三五度の温度まで熱すると接着剤が固まり、単板と単板がピタッとくっつく。

◐温泉入浴剤に真似てはいけない温泉があるわけ

全国の有名温泉のお湯を〝再現〟した温泉入浴剤が売れ行きを伸ばしている。ところが、群馬県の草津温泉と大分県の別府温泉は、正確に再現したものは商品化されていない。

そもそも、温泉入浴剤は、各温泉の成分を分析し、より多く含まれている成分を基本にして、いろんな成分をブレンド。さらに、地区の役所が認めた温泉分析表に、できるだけのっとって処方されている。

ところが、温泉によっては、その成分の中に、浴槽や風呂釜を傷める物質が含まれている場合がある。硫黄泉や濃い食塩泉などである。したがって、そういう泉質の草津温泉や別府温泉に近い入浴剤は、作りたくても作れないというわけである。

◐「どこからでも切れる袋」のカラクリ

最近のスナック菓子やラーメンスープの袋は、どこからでも簡単に切れる。これは「マジックカット」や「マジックオープン」と呼ばれる技術。袋のとじしろに無数の小さな穴を開けたり、傷をつけておくと、強度が弱くなり、手で切ることができるという仕組みだ。

この技術を考案したのは、旭化成ポリフレックスという企業。そのきっかけは、同社役員のこんな体験だった。

ある日、その役員は新幹線の中で、イカの燻製《くんせい》を食べようとして、袋を破ろうとしたが、まったく破れない。そこで、会社に戻った役員は技術者にどこからでもすぐに切れる袋を作るよう話した。その提案に応えて、マジックカット技術が誕生した。

◐タオルが使用量の三倍も作られているわけ

タオルは、日本人が必要とする量の約三倍生産されている。その大量のタオルはどこへハケるのかというと、買った人が自分で使うのではなく、人から人へ贈り贈られる贈答品として使われている。

お中元、お歳暮をはじめ、商店街の景品や引っ越しの挨拶など、タオルが贈答品に使われる機会は数多い。旅館名を印刷したタオルを宿泊者へ提供している温泉宿もあれば、年始の挨拶に自社名を印刷して配る企業もある。そういう、あっちこっちでもらったタオルが、使われることもなくタンスの奥にしまわれている。

かくして、必要量の三倍ものタオルが生産されることになったというわけだ。

◐蚊取り線香が渦巻き型なワケ

日本初の蚊取り線香は、じつは渦巻き型ではなく棒状だった。

棒状の蚊取り線香を発案したのは、金鳥の創業者である上山英一郎氏。発売は、一八九〇（明治二三）年のことである。

上山氏は和歌山県の出身。みかん園を営みながら世界進出の夢をもっていた。そして、慶応義塾での恩師である福沢諭吉の紹介で、アメリカで植物栽培の会社を経営していたH・E・アモア氏と知己になり、みかんの苗と除虫菊の種を交換する。除虫菊はノミ取りに効果があったが、上山氏は日本国内の需要を考えて蚊取りにできないかと試行錯誤を繰り返す。その中で、仏壇線香業者と知り合ったのをきっかけに線香に練り込むアイデアが浮かぶ。これが蚊取り線香の誕生である。

ところが、普通の線香では数本まとめなければ効果が上がらず、しかも燃え尽きるまでの時間が短い。また、無理に長くすれば折れやすいと、納得の行く商品とはなりえなかった。

そんなある日のこと、ゆき夫人が渦巻き型にすれば、一本でも長い時間燃やすことができることを思いつき、上山氏に提案。こうして一九〇二（明治三五）年、渦巻き型の蚊取り線香が発売され、現在にいたっている。

◐エンピツの長さと太さの由来

エンピツが使われ始めたのは、江戸時代末期、開国後のこと。最初はむろん輸入品だったが、明治三〇年代になると、国内でも生産されるようになった。

このとき、エンピツのサイズには、ドイツの有名メーカーの基準が採用された。現在、JIS規格で、エンピツは一七二ミリ以上、直径八ミリ以下と決まっているが、これも当時、採用された基準が受け継がれている。

明治時代、日本のエンピツメーカーのお手本となったのは、ドイツのA・W・ファイバー社。同社の標準規格が、「長さ七インチ（一七七・八ミリ）、直径一六分の五インチ（七・九ミリ）」となっていたのだ。

この長さは、成人の手首から中指の先端までの寸法に合わせたもので、直径はもっとも指にはさみやすい大きさに経験的に決められたもの。結局、その長さが日本人の感覚にも馴染みやすく、ドイツの規格が採用されたのである。

現在、日本製の長さがドイツ基準よりも少少短くなっているのは、もちろん日本人の手が、ドイツ人の手よりも小さいためである。

◐ハンドクリームに「尿素」が必要な理由

ハンドクリームの表示には、「尿素配合」と記されている。この「尿素」は哺乳類の尿の中に含まれる窒素化合物のこと。

メーカーの説明によると、尿素は、カサカサした乾燥肌のお手入れにはピッタリだという。肌の水分保持量を増やし、角質化して硬くなった皮膚をやわらかくする効果があるのだ。手が荒れたり、ヒジやカカト、ヒザなどの角質部分が硬くなっている人が、ハンドクリームを塗ると効果があるのも、この尿素のおかげである。

なお、ハンドクリームなどに使われる尿素は、哺乳類の尿から抽出されているわけではない。アンモニアと二酸化炭素から化学的に合成されている。

◐日本の食器に直径七五ミリのものが多いわけ

みそ汁のお椀に、湯のみ、そばつゆ用の器など、日本人の身のまわりには、直径七五ミリの食器があふれている。

さらに、ビール瓶や缶詰なども、直径七五ミリとなっているが、これは江戸時代の食器職人が、日本人にはこの大きさがもっとも持ちやすいことを発見したからといえる。

昔から、日本では、モノのサイズを手で測

ることが多かった。「一寸法師」といえば、親指ほどの大きさの法師のことである。また、手をいっぱいに広げたとき、親指の先端から中指の先端までの長さを「咫《あた》」と呼び、「一咫」は「五寸」で、約一五〇ミリ。身長のおよそ一〇分の一とされていた。

昔の職人は、寸法を測るとき、この咫をよくつかっていたのだが、あるとき、一人の職人が、食器の直径は一咫（一五〇ミリ）の半分の七五ミリがもっとも持ちやすいことに気づいた。その後、このサイズの食器がよく売れ、日本の食器の基準となったのである。

◐サイコロは、なぜ「1」の目だけ赤い？

マージャン、チンチロリンなど、ギャンブル系のゲームに欠かせないサイコロ。このサイコロ、「1」の目だけが赤く塗られているが、これはどうしてか？

理由については、「1が赤いのは、太陽を意味している」「日の丸のデザインを借用」「マージャンの赤五筒《ウーピン》のマネをした」など諸説あるが、真相は、昭和の初期に、あるサイコロメーカーが他社との差別化をはかるために赤くしたのが始まりだとか。つまり、売り上げ増をねらったちょっとしたデザイン上の工夫というわけである。

ところが、これがウケたのを見て他社が追随。現在では国内向けに作られているサイコロのほとんどが、赤い「1」になった。

ちなみに、輸出用のサイコロは、すべての目が黒い。

◐香水を芳しくしている〝ある臭い〟

スイカに塩をかけると甘く感じるように、香水に〝ある臭い〟をプラスすると、なんとも芳しい匂いになるという。

その〝ある臭い〟とは、じつはウンコの臭い。この〝匂いのトリック〟が利用されるのは、おもにムスクなどの動物系の香水。ムスクはジャコウネコの香腺が主成分だが、このムスクの匂いを構成している成分の中に、スカトールというものがある。で、このスカトール、ウンコの中にも含まれており、一〇〇パーセント純正のスカトールの匂いはウンコそのものなのだ。

もちろん、香水で使われるのは、スカトールをアルコールで薄めたもので、その量も香水全体の一〇〇〇分の一程度。しかし、その効果は抜群で、スカトール入りの香水は、香りに広がりが出て、ぐっとひきたってくるのである。

◐神社のお守りは、どこで作られている？

たいていの神社で売っているお守り。神社によって、交通安全や合格祈願などの〝得意ジャンル〟があり、いかにもその神社特製のお守りという感じがするが、じつはこうしたお守りが、その神社で作られていることはめったにない。

お守りのおもな製造場所は、大阪の町工場。こうした町工場には、ちゃんと神様が祀られてあり、そこでパートのおばちゃんたちが、紙や布を切ったり貼り合わせたりしながら、お守りをひとつひとつ手作りしている。

さらに、ここで作られたお守りが、そのま

ま参拝者の手に渡るというわけではなく、それぞれの神社やお寺で祈願されて、初めて本当の「お守り」となるから、御利益はちゃんとあるはず。

◐これから学校の天井が低くなる理由

小中学校の教室の天井の高さには、国が定めた規制がある。この規制の起源は、一八八二（明治一五）年の文部省により、「一丈（約三メートル）」を下回ってはならない」とされたことにさかのぼる。

一九五〇（昭和二五）年の建築基準法では、通常の建物の場合、天井の高さは二・一メートル以上と決められたが、小中学校は例外。子どもの数が多く、すし詰めの教室の中できれいな空気を保つため、三メートル規制のままだった。

その規制が二〇〇五年撤廃され、市町村など設置側の裁量にゆだねられることになった。

きっかけは、厳しい財政のなか、学校の建て替えを進めなければならない、ある自治体からの申請だった。天井を低くすることで、コスト削減につなげようというわけだ。

当初懸念されていた、小中学生への心理的影響についても、テストの結果、三メートル未満の教室のほうが「より落ち着いている」と感じることがわかった。これから新しくできる学校は、天井の低い教室になりそうである。

◐お猪口の底に蛇の目模様が描かれている理由

白木のカウンターがあるような、こざっぱりとした居酒屋。そんなお店で使われているお猪口には、底に青い輪の模様が描かれているものが多い。

正式には「蛇の目」と呼ばれるこの模様。

じつは、利き酒のための模様である。

器全体が白いのは、かつて酒が濁り酒だった頃、その色を見るため。そして、青い蛇の目は、酒の透明度や冴え、照りを見るためのものだった。

ちなみに「青冴え」といって、蛇の目の青が鮮やかに見えるほど酒の照りがよく、味も引き締まっていて、おいしいという。

◐セーラー服が女子高生の制服になった理由

女子高生の制服といえば、セーラー服。もともとはその名の通り、水兵や水夫のための服だったことはご存じの通りだ。

それが、女子高生の制服となったのは、昭和の初期にお茶の水女子大学附属高等学校（当時は東京女子高等師範学校附属高等女学校）や雙葉《ふたば》高等女学校などの有名女学校が、セーラー服を制服として採用したのが全国に広まったためといわれている。

しかし、さらにルーツを逆上ると、セーラー服には次のような歴史があった。

セーラー服を水兵以外に最初に着たのは、一九世紀中頃のイギリス皇太子エドワード七世。彼は、水兵から献上されたセーラー服を愛用していた。

つまり、最初にセーラー服を制服として採用した先の女学校は、イギリスの皇太子のマネをしたというわけである。

◐スポーツブラの乳首部分の構造

運動中の女性特有の怪我で多いのが、胸の靭帯（クーパー靭帯）の損傷。乳房の激しい揺れが原因で、乳房を支える靭帯が伸びたり切れたりしてしまうものだ。靭帯が傷つくと、若くても乳房が垂れ下がってしまう。

それを防ぐために開発されたスポーツブラ

は、締めつけずに乳房を固定する工夫がなされている。

構造としては、右乳房なら右斜め下から乳頭に向かってナイロンポリウレタンのテープで固定。さらに乳頭を中心に放射状にテープを増やし、全部で五本のテープが縫い込まれている。これによって、乳房を胸の位置に固定するサポート機能が強化され、激しい動きから乳房の揺れを抑えてくれるわけだ。

◐携帯電話第一号の性能は？

携帯電話の第一号は、一九八五（昭和六〇）年、当時の電電公社（現在のNTT）が発売したもの。

長さ二二センチ、幅五・五センチ、高さ一九センチで、重量はなんと三キロ。むろん、ポケットに入るわけもなく、肩から下げるタイプだった。

しかも、充電にかかる時間は八時間で、連続待ち受け時間はたったの八時間。そんな不便なシロモノだったにもかかわらず、月額使用料は二万六〇〇〇円もした。

◐カーナビの到着予測時刻の計算方法は？

カーナビで目的地を設定すると、案内ルートだけでなく、ルートごとに目的地までの距離と到着予測時刻が表示される。到着予測時刻は、平均時速を一般道なら時速三〇キロ、有料道路なら時速八〇キロに設定して、その速度で走ったときの所要時間を計算する仕組みになっている。

ただし、都心を走るのか、郊外を走るのかなど、使用環境によって平均速度は違うので、ユーザーが利用状況に応じて事前に速度設定を変えることができるものもある。

また、同じルートでも、渋滞の有無で到着

予測時刻はまったく変わってくる。そのため、電波や赤外線でVICS情報（渋滞や事故情報、交通規制など）を取り込んだり、過去の渋滞データを参考にしたりして、渋滞事情にも配慮するシステムが採り入れられている。

◐原作には登場しない「お宮の松」が実在するわけ

尾崎紅葉の『金色夜叉』が新聞連載されたのは明治三〇～三五年。熱海の海岸は、この小説の中で、金持ちとの結婚を決意したお宮を、貫一が足蹴にした場所である。

その場所あたりには、現在「金色夜叉の碑」が建てられ、「お宮の松」と呼ばれる松の木が植えられている。

しかし、尾崎紅葉の原作には、そのような松は登場しない。じつは、その場所近くに、江戸時代からあった松を『金色夜叉』にちなんで、「お宮の松」と呼ぶようになっただけのことである。

その松の木は、江戸時代初期の一六五〇年頃、老中松平伊豆守信綱が伊豆を巡視したときに植えさせた松の一本と伝えられる。一八三〇年頃、いまの場所近くに移植され、その美しさから「羽衣の松」と呼ばれていた。

その後、「金色夜叉の碑」が建立され、観光スポットとして有名になると、昭和一〇年頃から、その近くにあった「羽衣の松」は「お宮の松」と呼ばれるようになった。

ただし、この初代の松は枯れてしまったため、現在は熱海ホテルにあったクロマツを移植、二代目「お宮の松」としている。

◐信楽焼のタヌキを作り始めた人物

滋賀県の信楽町《しがらき》は日本六古窯のひとつで、平安時代からつづく焼き物の里。この町で初めてタヌキの置き物を作ったのは、藤原銕造《てつぞう》という陶芸家である。

藤原は一八七六（明治九）年、三重県で生まれ、京都の伯父のもとへ引き取られた後、十一歳から陶器を作り始めた。そして、信楽へ移住、一九六六（昭和四一）年、八九歳で亡くなるまで、その地で作陶活動をつづけた。

タヌキの置き物を作り出したのは、昭和一〇年、六〇歳頃のこと。一説に、藤原は幼い頃からタヌキが好きだったともいうが、なぜタヌキの置き物を作るようになったか、詳しい事情はわかっていない。

その後、一九五五（昭和三〇）年頃から、信楽では町をあげてタヌキの置き物作りが始まり、全国に知られるようになった。

◐なぜ教会にはステンドグラスが使われる？

色とりどりのガラスの断片をつなぎ合わせて作るステンドグラス。ステンドグラスと聞けば、やはり教会をイメージする人が多いはずだが、そもそも、教会にステンドグラスが用いられるようになったのは、文字の読めない信者のために、神の教えをステンドグラスで描いた絵でわかりやすく伝えるためだといわれている。また、薄暗い教会のなかにステンドグラスを通して差し込む光は、神秘性を演出するのに大いに役立ちもした。

現存する最古のステンドグラスは、フランスのアルザス地方にあるヴィッサンブール修道院のキリストの顔を描いたもの。一三〜一五世紀には、ステンドグラスは最盛期を迎え、なかには、教会の建造物と同じくらいのコストをかけて作られた例もあったとか。ルネサンス以降は、宗教画にその地位を奪われたものの、一九世紀以降には、再び世界各国の教会でステンドグラスが使われるようになっている。

◐デパートの屋上に鳥居がある歴史的経緯

三越、髙島屋、伊勢丹、松屋など、デパートの屋上にはたいてい鳥居があるのをご存じだろうか。

日本の大手デパートの多くは、もとは呉服屋。たとえば、三越の前身は「越後屋呉服店」で、明治時代になると、服飾雑貨や装飾品も扱うようになり、やがて百貨店へと生まれ変わった。

髙島屋、大丸なども、老舗呉服店から百貨店への変身組。いずれも呉服屋時代には、商売の神様を祀るための社殿を設けていた。

そんな呉服屋が、時代の最先端のデパートになったからといって、商売の神様を敬うという気持ちは捨てられない。かといって、デパートの前に鳥居を建てるわけにもいかず、屋上に鳥居と社殿を設けたというわけである。

◐「東京ドーム一個分」の厳密な大きさ

マスコミでは、大きな量を表すとき、しばしば「東京ドーム○個分」という表現をする。

この「東京ドーム一個分」、どれくらいの大きさかというと、約一二四万立方メートルに相当する。これは、ドームの天井までぎっしり詰め込んだ場合の容積で、観客席や柱などの構造物は除いていない。

また、この「東京ドーム」という単位は、体積だけではなく、面積を表すときにも使われる。こちらは、四万六七五五平方メートルである。

◐東京タワーが「三三三メートル」なわけ

東京タワーが完成したのは、一九五八（昭和三三）年十二月二三日のこと。高さは三三三メートルと、なんとも覚えやすいゾロ目だが、この数字にはどんな意味があるのか？

じつは、「三三三メートル」というのは、パリのエッフェル塔の高さを意識したものだった。エッフェル塔の高さは三三〇メートル。当時の日本は、欧米に追いつき、追い越せの時代。そこで、フランスのシンボルであるエッフェル塔より高くしたいというわけで、東京タワーの高さは「三三三メートル」に設定されたというわけである。

◐郵便ポストはどんな会社が作っている？

街のあちこちで目にする赤い郵便ポスト。普段、何気なく使ってはいるが、いったい誰が作っているのだろうか？

ポストを作っている会社のひとつは、業務用や家庭用の清掃用品やくず入れなどを作っている某メーカー。もともとモップの製造から始まったというこの会社では、業務用くず入れを作る技術を応用して、郵便ポストを作っている。

ポストは郵政公社指定の図面をもとに製造され、二〇～三〇年はもつように頑丈に作らなければならない。しかし、モノを入れる口と取り出す扉がある、という基本的な構造は、ポストもくず入れも同じ、というわけである。

郵便ポストのメーカーは、日本郵政公社の入札制度によって決められている。ちなみに前述のメーカーでは、平成九年から毎年製造を請け負っており、現在ある六種類のポストのうち、四種類を作っている。新しく設置されるポストのほとんどがこの会社の製品と考えていいだろう。

◐電車の〝車検〟はどのように行われている？

自動車と同じく、電車も定期的に決められた検査が行われている。この検査には、いくつかの段階がある。

まずは、マニュアルに基づいて行われる毎日の点検業務。次が、四八～七二時間ごとの「仕業検査」で、専門技術者たちが毎日運行前に、車両基地と呼ばれる車庫のような場所で行っている。ラッシュ時にも出番待ちして、この検査を受けることになっている。

その次の段階は、三〇～九〇日以内あるいは走行距離三〇キロ以内に行う「交番検査」。この検査も車両基地で行われるが、車両はその日は運行されることはない。

車の車検にあたるのが、八年ごとに一回は行わなければならない「全般検査」で、もっとも本格的である。この検査では、車両は設備のある工場に送り込まれ、一～二週間かけてすべての機器を取り外してチェックされる。

◐豪華客船が長い航海中、飲み水を確保するしくみ

船旅において、燃料と同様、必需品となるのが水。豪華客船ともなれば、たくさんの乗客や船員を乗せて長い航海をするのだから、それだけの水を確保しておかなければならない。船上で消費される水（真水）の量は、乗船人数によっても異なるが、日本の豪華客船で一日当たりおよそ二〇〇トンから三〇〇トンといわれる。必要な量をあらかじめ積んで航海するのはとてもじゃないが不可能だ。

では、どうしているかというと、現在の客船は造水機という機械を持っていて、この機械で海水から真水を作っているのである。造水機では、一日当たりおよそ四〇〇トンという十分な量の真水を作ることができる。

ただし、造水機で作られるのは純粋な水で、まるっきり無味無臭で飲用には適さない。そのため、造水機の水は風呂、シャワー、トイレ、洗濯用などの雑用水として使用。飲み水や調理用の水には、寄港地で補給した水が利用されている。

◐青函連絡船はいまどこにいる？

一九八八（昭和六三）年三月、青森―函館間の海底トンネルの開通にともない、その役目を終えた国鉄・JR青函連絡船。当時全部で八隻あった船には、それぞれ新しい役割が与えられたが、その後、日本経済が低迷期に入ってから、海外に転売されたものも多い。それぞれの現在の消息をみてみよう。

大雪丸は、長崎で「ホテルシップ・ビクトリア」としてホテル営業中。石狩丸と空知丸は、ギリシャの船会社のカーフェリー「オリンピア」と「シー・セレナーデ」として、ギリシャ―キプロス―イスラエル間の航路を就航中。檜山丸は、韓国の船会社に売却されている。羊蹄丸は、東京都の「船の科学館」で展示中。八甲田丸は、青森で「メモリアルシップ八甲田丸」という博物館に。摩周丸は、函館の展示館で展示中。十和田丸は、フィリピンでカジノ船「フィリピン・ドリーム」として活躍している。

◐エスカレーターの乗り方に東西の違いが生まれたわけ

エスカレーターに乗るとき、東京では急ぐ人のために右側を開ける。一方、大阪や京都では右に寄って、左側を開ける。

東京で、この右を開けるルールが徹底したのは一九九〇年前後のこと。その時期、ＪＲや私鉄の駅構内で、「急ぐ人のために、右側をお開けください」というアナウンスが、繰り返し流され、定着した。以来、東京を中心とした関東では、左に寄って右側を開けることがマナーとなったのである。

一方、大阪では、東京より少し早い時期から、デパートなどで左側を開けるようにアナウンスされていた。そこから、駅構内でも左側を開けるようになった。なお、欧米では、大阪と同じく、左側を開けるのが一般的。

◐「虫食算」が生まれた〝経済的理由〟

「虫食算」は、「3□」＋「□9」＝「83」というような問題で、□の中に入る数字を答えるもの。

この虫食算を考え出したのは、江戸時代の商人である。

その時代、商人たちは、貸し売りした代金を大福帳に記入しておき、盆暮れに大福帳を見ながら計算、お得意先を回って代金を回収していた。

ところが、その時期、大福帳を開くと、シミに食い荒されて穴が開いていることがあった。すると、数字が読めず、いくら貸し売りしたかがわからない。それでは、代金を回収できないから、穴が開いて消えた数字が、いったいいくらなのかを推理するという計算方法が考え出された。

それが「虫食算」。文字通り、虫が食った数字を探す方法だったのだ。

◐電子メールなどのフェイス・マークの起源

電子メールなどの電子化テキストでは、文

字や記号を組み合わせたフェイス・マークがよく使われる。

「いや〜、あぶなかった（^_^;）」のように、そのときの心情を顔の表情で伝えるもので、「顔文字」「顔マーク」などと呼ばれることもある。

日本でフェイス・マークが使われたのは、一九八六（昭和六一）年前半、アスキーネット（パソコン通信）上でのことといわれている。最初の使用者として名前が挙がっているユーザーの一人は、当時、核物理や量子力学を勉強していて、毎日のように〈a:?b〉や(x:?y)といった記号とにらめっこしているうち、(0:?0)などが人の顔に見えてきたことから、（^_^）などを考案したという。

アメリカにも「スマイリー」と呼ばれる同じようなマークがある。こちらは、一九八二年九月一九日、IBMの研究者がカーネギー・メロン大学の電子掲示板のジョーク投稿につけるマーク「:-)」を提案したことが始まりだ。

◐ババ抜きに日本人が加えた改良点

外国にも「ババ抜き」に似た遊びがあるが、ジョーカーは使わず、クイーンを一枚抜いてババにする。すると、残りのクイーン三枚のうち、一枚は最後まで残るから、それが「ババ」になるというわけである。

しかし、日本のババ抜きは、五二枚のカー

ドにジョーカーを加えて「ババ」としたことに、その面白みがある。外国のようにクイーンをババにしたのでは、たとえクイーンを引いても、残り二枚のクイーンがあるから、一組は合わせることができる。

一方、ジョーカーは、最初から最後まで一枚きり。それだけに、誰かがジョーカーを引いたときの盛り上がりは、同じゲームでも、外国の「クイーン抜き」や「ジジ抜き」の比ではない。

同種のゲームの中でも、日本式ルールがいちばんおもしろいといっていい。

◐男子トイレにおける所要時間の研究

アメリカで、男性が公衆トイレでオシッコをするとき、隣に人がいるのといないのとでは、排尿までの時間や所要時間がどう違うかという調査がおこなわれたことがある。

この調査では、小便器が三つ並んでいる公衆トイレが使われた。つまり、

①一人だけでオシッコをする場合
②一人分の間を開けてオシッコをする場合
③隣り合わせでオシッコをする場合

の三パターンを比較しようというわけである。

その結果、排尿までの平均時間、つまりオチンチンを社会の窓から出して、実際にオシッコが出るまでの時間は、①で約五秒、②約七秒、③約一〇秒であることがわかった。隣に人がいると、緊張してオシッコが出にくくなるというわけである。

所要時間は、①も②も平均が二五秒ほどだったが、③は十数秒で終わることがわかった。隣に人がいても平然とオシッコしているように見える男性だが、じつは隣の人を非常に意識しているのである。

◐宇宙船のトイレはどんな構造？

宇宙のような無重力状態でウンチやオシッコをするのは、想像以上に難しい。地上にいるときと同じつもりでいようものなら、たちまち船内を排泄物がプカプカ漂うことになってしまう。そんなことがないよう、宇宙船のトイレには特別な仕掛けが施されている。

まずオシッコは、トイレの中に据えつけられた尿回収装置を使って出す。乗組員それぞれに用意されたカバーキャップを、オシッコの出口に装着してスイッチを入れる。すると機械がバキュームカーのように吸引をはじめ、ホースを通じて、オシッコはすべてタンクの中に吸い込まれる仕組みだ。タンクがいっぱいになると、中身は宇宙空間へ捨てられる。

ウンチのほうは、便座に腰掛けたあと、まずシートベルトで体を固定。そのままスイッチを入れておくと、ウンチは体外に出た瞬間に便座の下に吸い込まれる。その後、電動カッターでこなごなに粉砕し、これを乾燥させて地球まで持って帰る。

ただし、このトイレ、一度使うと、その後の処理などに時間がかかるため、次の人は一五分近くも待たなくてはならない。

◐アメリカの公衆トイレに前扉がない理由

アメリカでは、高級ホテルなどは例外としても、町中のショッピング・センターなど、前扉がないトイレが珍しくない。

なぜ前扉がないのかというと、その理由がいかにもアメリカらしい。犯罪大国であるアメリカでは、犯罪防止のためトイレの前扉をなくしているというのだ。公衆トイレの個室は麻薬常習犯が薬を打つ温床となっているようで、それを防止する意味があるという。

さらに、ゲイ大国でもあるアメリカでは、個室に入っている男性を襲うゲイもおり、これを防ぐ目的も兼ねている、ともいう。

これまで日本はコーラやハンバーガーをはじめ、アメリカ文化を数えきれないほど輸入してきたが、この「前扉なしのトイレ」を輸入する時代も、いずれやってくる？

◐便器は、どうやって作る？

コーヒーカップや皿、茶碗などの食器の多くは、陶磁器である。一方、トイレの便器も、じつは陶磁器である。

同じ陶磁器だけに、便器の作り方も食器の作り方とほとんど同じだ。ただ通常の食器よりも重量があり、形も複雑なだけに、作り方は少々大がかりになる。

主原料となるのは、凍石と長石である。凍石とは、緻密質で塊状あるいは微砕状の岩石で、おもに滑石からできたもの。長石は、地殻の表面から深さ一五キロまでのところで多くとれるケイ酸鉱物の一種で、これらを粉砕機の中で粗く砕いたあと、粘土や水、水ガラスとともに、ボールミルの中に入れて、さらに細かく粉砕する。

次に、これらを攪拌機でゆっくり混ぜながら、数日間寝かせる。こうして原料同士を馴染ませた生地ができたら、次に石膏の型に流し込んで成形する。

成形した生地は、乾燥炉に入れられ五〇度から七〇度で二日間ほどかけてゆっくり乾燥させる。その後、釉薬《うわぐすり》を塗ったり色付けを行ない、一二〇〇度の炉の中で、二〇時間ほどかけて焼き固めれば完成である。

◐下剤のメカニズム

便秘の「最後の切り札」として登場してく

るのが、下剤である。

その下剤、大別すると、小腸で下痢を起こさせる即効性の強い「峻下剤《しゅんげ》」と、腸に自然な反射を起こさせる「緩下剤《かんげ》」の二種類がある。

峻下剤は、勉強嫌いの子どもに対し、「勉強しないと夕飯抜きだよ」と無理やり机に向かわせるようなもの。一方、緩下剤は、おだてて自主的に机に向かうよう仕向けるものといえばいいだろうか。

即効性のある峻下剤には、ひまし油や硫酸マグネシウム、オリーブ油などを使ったものがある。ただし、これら峻下剤は栄養の吸収を妨げ、腸の細胞にも障害をもたらすという理由で、現在はほとんど使われていない。

◐建築資材にも使われるウンチ

なんでもリサイクルされる昨今だが、ウンチも例にもれない。

トイレで出たウンチは、下水道を通り処理場へと運ばれ、沈砂池や沈澱池などに入れられる。ここで砂、ゴミ、土などを沈め、微生物に泥や汚染物質を食べさせる。

上澄みは塩素消毒され、海や川などに流されたり、一部は高層ビルのトイレ用水、工業用水などに使われる。

一方、汚泥部分は濃縮槽に入れられ、ここでさらに上澄みと濃縮汚泥に分けられる。濃縮汚泥は約四〇度の消化槽の中で二〇時間温められ、メタンガスや消化汚泥などに分離される。

メタンガスは処理場内の燃料に使われ、消化汚泥は水洗いのあと脱水し、焼却炉で焼却され茶褐色の灰になる。これで、ウンチの処理はようやく完了である。

問題は、この茶褐色の灰をどう再利用するかである。多くはセメントと混ぜたあと埋め立てに使われるが、燃料や肥料としても利用される。さらに、その一部は、高温処理したあと、建築用の軽量細粒材としても使われているのである。

◐「うぐいすのフン」に美白の効果がある理由

化粧品には、米ぬかやアロエなど天然素材を使ったものが少なくないが、そうした商品の中で、かなり異彩を放っているのが「うぐいすのフン」だ。

この、昔から日本人に親しまれてきた洗顔料には、肌をきれいにしてくれる栄養素と漂白酵素が含まれている。

うぐいすは、穀類を食べる鳥と違い、毛虫や昆虫をエサにしているため、タンパク質や脂肪の摂取量が多い。しかも腸が短いため、これらの栄養分の大部分は体内に吸収されずにフンに混ざっている。また胃からは漂白酵

素を出しているが、うぐいすは胃も小さく短いため、ほとんど胃には吸収されずに体外に出される。

そんなわけで、うぐいすのフンは栄養補給と美白効果を兼ね備えた、すぐれた洗顔料というわけである。

ちなみに、うぐいすのフンが日本の文献に登場するのは平安時代。朝鮮半島から伝わってきたもので、当時はその漂白作用を生かして、襦袢《じゅばん》の柄や家紋抜きに使われていたという。これを最初に洗顔料として使い出したの

は、江戸時代の役者や遊女たちだったという。

◐女性に「痔主」が多いワケ

作家の野坂昭如《あきゆき》氏は、「エッセイのネタに困って痔の話をするのは卑怯だ」と書いたことがあるが、男性作家の中にはそれだけ痔主が多いということだろう。たしかに、作家は座りっぱなしの仕事で、なおかつ大酒飲みという人が少なくないから、痔主が多いのは無理からぬ話。そんなこともあって、世間では痔主＝男性というイメージができあがっているようだが、じつは男性よりも女性のほうが痔になりやすいのである。

痔には、大きく分けて痔核、裂肛、痔瘻《じろう》の三種類があり、このうちもっとも患者が多いのは痔核だ。イボ痔とも言われる痔核は、肛門周辺の静脈のうっ血によって起こるのだが、このうっ血は強くいきんで肛門に力が入ると起こりやすい。

強くいきむといえば、何といっても出産時である。実際、出産のときに痔になったという女性は少なくない。また何日も便秘がつづいたあと、カチカチになったウンチをいきんで出すときも危ない。この便秘、男性より女性に多く見られることはいうまでもなく、ゆえに女性のほうが痔主が多いということになるのである。

◐イボ痔は三時、切れ痔は六時にできやすい⁉

痔の中でイボ痔に次いで多いのが、切れ痔である。こちらは固いウンチを出したとき、肛門近くの皮膚や粘膜に傷ができたものだ。日本人の五人に一人は「痔主」といわれているが、これらの痔について専門医の間では、こんな格言がある。

「イボ痔は三時と七時、十一時、切れ痔は六時にできやすい」

ここでいう「三時、七時」などは時間を指すのではなく、肛門周辺を時計の文字盤に見立てて、痔のできやすい位置を示している。性器にもっとも近いところを十二時とし、時計同様、右周りに一時、二時、三時……と割り振っていけば、大体の位置がおわかりだろう。

三時、七時、十一時のあたりは細かい静脈が集まっているため、うっ血が起こりやすく、だからイボ痔になりやすい。

一方の切れ痔は、固いウンチが通るとき、六時のあたりにもっとも負担がかかるため、このあたりが切れやすいというわけである。

◆11章◆

学校では教えない「社会と理科」の〝裏知識〟の数々

結局、学んだことって覚えてない……?

ゴビ砂漠で洪水が起きる壮大な理由

ゴビ砂漠では、日照りがつづくと洪水になるという、奇妙な現象が起きる。

その原因は、ゴビ砂漠のはるか彼方にそびえる天山山脈にある。天山山脈は、長さ約二〇〇〇キロにもおよぶ大山脈であり、最高峰のポベーダ山は海抜七四三九メートル。当然、天山山脈の高い地帯は、万年雪で覆われている。

問題は、この万年雪。ゴビ砂漠で日照りがつづくと、天山山脈を覆っている大量の雪が解け始める。それが地下水脈に流れ込み、地下水の出口であるオアシスで一気に噴き出す。そして、人々が暮らす地域を水びたしにしてしまうのである。

エーゲ海の島の家がそろって白く塗られたカラクリ

エーゲ海諸島には白壁の家が多い。というか、白壁の家ばかりである。いったいどうして、エーゲ海諸島の家々は、そろって白く塗られているのだろうか。

もともとは、強烈な太陽光線を跳ね返すため、白く塗られてきたのだが、最近では観光目的のために意図的におこなわれている。家屋を白く塗るよう、島民どうしで申し合わせているのである。

とくに、ミコノス島では、〝白い家化〟政策が徹底している。ミコノス島では、一九七六年、すべての家屋を白く塗ることが決められ、以来、遵守されている。壁を塗るハケは、一家に一本の常備品であり、美しい白を保つため、年に三回は塗り直しているという。

ちなみに、ミコノス島では、ドアと屋根は白ではなく、茶色かブルーと決められている。

◐西部劇に登場する岩山の正体

西部劇には、柱のようにそそり立つ岩山がよく登場する。どうやってあの不思議な形の岩が生まれたのだろうか。

あの岩山は、じつはマグマの固まったもの。専門的には「溶岩柱」と呼ばれるものだ。大昔、アメリカ西部では火山活動が活発で、地中ではマグマが煮えたぎっていた。マグマは上へ上へとせり上がり、地上に出る直前に冷えて、地中で固まった。それが地殻変動や浸食作用などによって地表に現れ、ああいう形の景観となったのである。

◐韓国の若い女性が友だちと一緒にトイレの個室に入るわけ

日本の女の子にも、数人で連れだってトイレに行く子はいる。たいてい、トイレでおしゃべりしながら、化粧を直すためである。しかし、友人同士で、個室にまで一緒に入ることはない。

ところが、韓国の若い女性は、二、三人でトイレの個室にまで入ってしまうのだ。

といっても、中で順番に用を足すのではな

く、じつはタバコを吸うのが目的だという。日本の中学生や高校生がトイレに隠れてタバコを吸うようなものだが、韓国の若い女性がトイレの個室でタバコを吸うのも、世間の目から逃れるためである。

韓国では、儒教の教えがいまも色濃く残っている。目上の人を敬い、男性を立て、女性はおしとやかでいなければならない。そのため、女性がタバコを吸う姿を人前で見せることは、依然としてタブーとされている。若い女性が人前で堂々とタバコを吸えば、どんな噂が広まるかわからないのだ。

そこで、愛煙家の若い女性は、トイレへ隠れてこっそり吸うというわけ。

◐中国人は漢字をド忘れしたとき、どうする？

文章を書いていると、漢字をド忘れしていることがある。そんなとき、日本人なら、ひらがなやカタカナを使って切り抜けることができるが、すべて漢字を使う中国人は、どうしているのだろう？

ある中国人は、ローマ字表記するという。もともと、中国では、漢字の発音をローマ字で表記することがある。だから、ド忘れしたところに、「中ｇｕｏ」というようにローマ字を書いておけば、読む人が「『中国』のことだな」と理解してくれる。

また、ある中国人は「とりあえず、同音の漢字を書いておく」と答えた。つまり、当て

字である。

もちろん、人によっては、日本人と同じように、その漢字を使うのを諦め、別の表現を探すという。

◐中国南部が涼しいと、ウナギの値段が上がる理由

現在、ウナギは中国と台湾から大量に輸入されている。国内消費分の約八〇パーセントは、中国と台湾からの輸入品だ。

そして、中国と台湾の気温が低い年には、ウナギの値段がハネ上がる。水温が高いとウナギの成長は速くなるが、水温が低いと成長は遅くなって、エサもたくさん食べることになる。気温の低い日がつづくと養殖コストがかさみ、値段が上がってしまうのである。

また、養殖ウナギは、池から上がったあと、水だけで一カ月ぐらい生きている。しかし、水温が低いと死んでしまうものが増えるため、これもウナギの出荷量が減って値段が上がる原因になる。

◐ツボの位置は日中韓でビミョーにずれている！

鍼灸《しんきゅう》医療やマッサージなど東洋医学の基本であるツボ。その位置が、日中韓の三カ国でビミョーにずれているのをご存じだろうか。

ツボは約二千年前に中国で発見されたが、その後、各国で独自に試行錯誤を重ねたことで数も増え、名称や位置にも諸説ができていた。欧米でも東洋医学の効能が注目されるようになってきたのに、このままでは混乱を招いてしまうと、一九八九年の専門家の協議を経て、世界保健機関（ＷＨＯ）が古典的な三六一カ所の名称を統一し、認定した。

しかし、二〇〇四年に調べたところ、およそ四分の一にあたる九二カ所でその位置が日中韓でずれていたのだ。そのうち、いちおう

七七カ所については三カ国による合意を得たが、まだ一五カ所は位置が違ったままだ。

もともと同じ国のなかでも、流派によってずれていたというから、多少のずれがあっても問題ないのかもしれないが、ツボは本当に効くのか、いささか心配になってしまう。

◐日本に台風が上陸すると、英国が困るわけ

日本で台風が猛威を奮うと、イギリス経済が混乱するといわれる。そのカラクリはこうである。

台風によって被害が発生すると、被害者が災害保険に加入していれば、保険金が支払われる。かつてのリンゴ台風のケースでは、二九〇〇億円もの保険金が支払われたが、そのうちの二分の一とも三分の一ともいわれる金額を支払ったのは、ヨーロッパの保険会社だったのだ。

各国の保険会社は、保険金支払いのリスクを軽減するため、外国の保険会社に再保険をかけている。日本の保険会社は、ヨーロッパ、とくにイギリスの保険会社を中心に再保険をかけることが多い。そこで、台風が日本列島を直撃すると、イギリス経済にまで影響が及ぶというわけである。

◐ロシアが暖冬になると、アメリカの穀物相場が高騰するカラクリ

ロシアが暖冬になると、アメリカの穀物相場がかならず高騰する。ロシアの国内産穀物、とくに小麦が不作となって、アメリカから輸入しなければならなくなり、世界的に品薄状態になるためである。

ロシアの穀物は、秋まき三割、春まき七割の割合で生産されているが、暖冬になると、この秋まきと春まきの両方が悪影響を受ける。

ロシアでは、冬の気温は氷点下になるため、

秋まきの若芽は雪の下で春を待っている。積もった雪に覆われて、低温被害から守られているのである。しかし、暖冬になって降雪量が少ないと、この効果を期待できなくなり、大寒波が襲来したとき、致命的な打撃を受けることになる。

また、冬に雪が少ないと、春以降の雪解け水が少なくなり、春まきの種を育てる土壌中の水分が不足する。ロシアでは、暖冬は春の干ばつにもつながり、年間を通しての生産量が激減するのである。

◐アフリカのダムが地中海のイワシを滅ぼした理由

ナイル川中流の「アスワンハイダム」。その貯水容量は一六九〇億トン。日本最大の貯水量を誇る奥只見ダムが六億トンだから、〝三桁はずれ〟の大きさである。ここに貯えられた水は、ナイル川流域の砂漠の緑化に大きく貢献してきた。

ところが、この巨大なダムを作ったことで、建設当時は想像もしなかった弊害も起きている。そのひとつは、地中海のイワシが絶滅したことである。

河川は水だけではなく、大量の土砂を下流へ運び、その土砂に含まれた養分が海のプランクトンを育てる。

ところが、アスワンハイダムによって、土砂がせき止められると、地中海まで養分が運ばれなくなった。そして、地中海のプランクトンは激減。それをエサにしていた地中海のイワシは、ほぼ姿を消すことになった。

◐日本人が使っている中国製品比率

いまや、日本人の気づかないところでも、中国製品は日本市場を席巻している。

たとえば、ベビーカーはその九〇パーセン

トが中国製。焼きとり用の竹串も九〇パーセント以上が中国からの輸入品だ。

スーパーで売られている野菜などの食品も、中国からの輸入品が増え、生しいたけの四〇パーセント、冷凍野菜の四五パーセントは中国産。

また、あられなどのお菓子も、最近は中国で作られ、ビールのおつまみとして人気の柿のたねの大半は、中国で作られている。

さらに、墓石は八〇パーセント、自転車は五〇パーセント、メガネのフレームと畳表は六〇パーセント、仏壇は五〇パーセント、淡水真珠は四五パーセントが中国製という具合である。

◐韓国で水子供養が流行っているわけ

「水子供養」は広い意味では仏教の風習だが、日本で生まれたもの。インドや中国にはない。

その水子供養の風習が、今韓国で広がっている。韓国はもともと中絶大国。韓国では儒教思想が今も根付き、父系血統を重視し、跡取りとして男児を産むことが重んじられる。そこで、妊娠中、女児とわかると中絶してしまうケースが多いのだ。

かつては、子供の性別は出産直前までわからなかった。しかし、近年の科学技術の発達で、妊娠初期でも男女の判別が可能になったものだから、中絶件数が増えたというわけだ。

それにともない、水子供養をおこなう寺院も増えた。一九八〇年頃に、日本を訪れた韓国の僧侶が、この風習を持ち帰って広めたとみられている。

◐オーストラリアが羊毛大国になったわけ

オーストラリアは、世界の羊毛生産の三分の一を占める世界最大の牧羊国。なぜ、オーストラリアで牧羊が盛んになったのだろうか？

オーストラリアの国土の大半は、年間降水量五〇〇ミリ以下の乾燥地帯・半乾燥地帯。人が居住するには過酷な環境だが、羊を飼うには最適の気候である。牧草地に適した降水量は年間二五〇～七五〇ミリなのだ。

しかも、オーストラリアの大地には、起伏がほとんどない。羊を放牧するには、ふさわしい地形だ。

さらに、オーストラリア大陸は豊富な地下水に恵まれている。オーストラリアの地下水は塩分が強すぎて、人間用の飲み水にはできないが、羊や牛の飲料としては、問題なく使用できる。こうした条件がそろって、オーストラリアは世界最大の牧羊国となった。

◐ブラジルをコーヒーの大産地にしたアメリカの大事件

世界最大のコーヒー生産国ブラジルに、コーヒーの苗木がもたらされたのは、一七二七年のこと。ただ、すぐに大産地になったわけではなく、ブラジルのコーヒー生産量が急増したのは、アメリカで起きた「ボストン茶会事件」以降のことである。

一八世紀後半、英国の植民地だったアメリカでは、コーヒーよりも紅茶がよく飲まれていた。しかし、イギリス政府が「茶条令」を発布して輸入紅茶販売を独占、価格をつりあげた。これに憤激した植民地の人々は、ボストン港に停泊中のイギリス船を襲撃、積み荷の紅茶を海中に投げ捨てたのだ。

この事件をきっかけに、アメリカでは独立への機運が高まり、またアメリカ人は英国を利する紅茶ではなく、コーヒーを飲むようになった。

そのコーヒーの大半を供給したのが、ブラジルだった。この事件を契機に、ブラジルのコーヒー生産は大発展し、一九世紀後半には世界のコーヒー生産量の五〇パーセントを占めるまでになった。現在も全世界のコーヒーの二割はブラジル産である。

◐オーストリア人が自分たちを「オーストリア人」と呼ばないわけ

オーストリアでは、自分たちのことを「オーストリア人」とは呼ばず、「ザルツブルガー」とか「チロラー」など、州の名前で呼ぶ。それが彼らのアイデンティティの核になっている。

オーストリアに根強い州意識が生まれたのには、いくつか理由がある。まず、ひとつは山の多い国であり、遠方地域との交流がスムーズでなかったこと。また、各地に散在する城塞都市を中心として発達したため、それぞれの地域に独自の文化が生まれたことがある。

現在、オーストリアはウィーン市と八つの州があるが、それぞれの州に伝統的な郷土色が色濃く残っている。

◐カナダにフランス語圏がある歴史的経緯

カナダのケベック州は、フランス語のみを公用語と決め、八割の人がフランス語を話している。このケベック州は、「州」といっても、面積は約一七〇万平方キロ、日本の五倍近くもある。なぜ、この地域だけ、フランス語を公用語とするのだろうか。

カナダに初めて上陸したヨーロッパ人は、フランスの探検家。以後、この広大な北の大地はヌーベル・フランスと呼ばれ、フランス人の入植が進んだ。

ところが一八世紀半ば、イギリス軍がこの

地を征服。一七六三年、フランスはイギリスにカナダの所有権を引き渡した。

そこで、カナダの「英国化」が進められたが、ケベック州だけは頑として従わなかった。そして、イギリスもフランス語の使用を認めるという宥和《ゆうわ》策をとった。

かくして北米に唯一のフランス語圏が残ったわけである。

◐国名は「ミャンマー」でも言葉は「ビルマ語」

かつてのビルマがミャンマーに国名を改めたのは、ミャンマー政府の説明では、「ビルマはイギリスの植民地時代に名付けられたもの。もともとはミャンマーだった」というのがその理由。

ところが、これには異論もあって、ビルマは昔から国名として使われていた言葉で、イギリスが勝手につけたものではないという主張もある。

そこで、現在も、ミャンマーでは、国名はミャンマーに変更したものの、公用語はあいかわらず「ビルマ語」と呼んでいたり、民族、言語、文化に関する場合は、「ビルマ」という言葉を使ってもOKということになっている。

◐中米が数多くの小国に分かれた理由

メキシコの南、南米大陸北側の回廊のような部分には、グアテマラ、ベリーズ、ホンジュラス、エルサルバドル、ニカラグア、コスタリカ、パナマと七つの国が密集している。日本の一・四倍の面積に小国が分立したのは、支配者階級の利益を優先させるためだった。

もともと、中米各国はスペインの植民地だったが、メキシコの独立に刺激されて、ベリーズとパナマを除く五州が、一八二三年、

「中米諸州連合」として独立。その後、「中米連邦」と改称したが、その後、一八三八年、五つの共和国となった。

各国の支配者階級は、植民地時代に富を蓄えた大地主や大商人、軍人指導者たち。まとまろうとしても、お互いの利害が対立し、結局、狭い土地に五つもの国が生まれることになったのである。

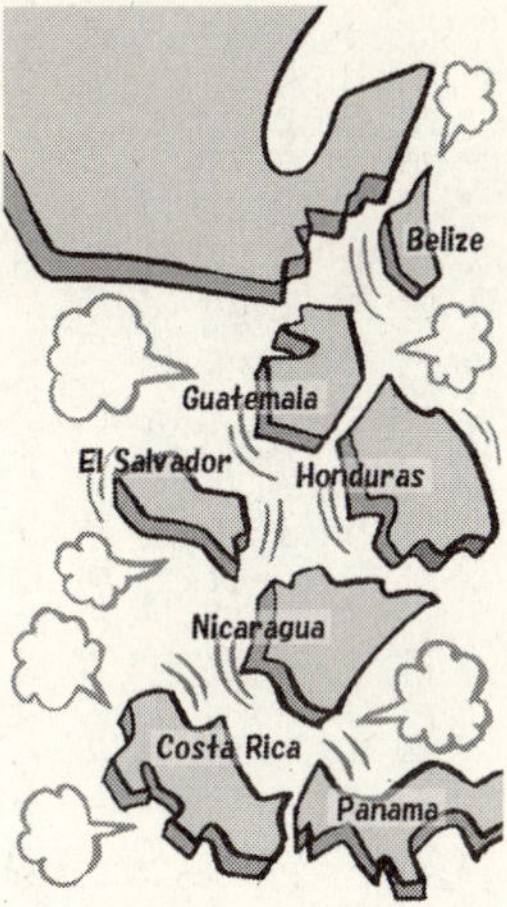

◐メキシコシティの大気汚染が深刻になる理由

現在、世界で大気汚染がもっとも深刻なのは、メキシコの首都メキシコシティである。

メキシコシティには工場が集中し、自動車交通量も多い。そのうえ、メキシコシティは標高二三〇〇メートルという高地にある。

この標高になると、平地よりも酸素が薄くなり、工場でも自動車でも不完全燃焼が起きやすくなる。この不完全燃焼によって、ほかの都市以上にガスが大量発生するのだ。

こういう危険なガスがスモッグとなり、メキシコシティの盆地に充満する。これが、大気汚染が年々深刻になる理由である。

◐回教徒は、なぜ一カ月も断食をつづけられる？

アラーの神の教えによれば、回教徒は一年

のうち一カ月は断食をしなければならない。断食をおこなうのは、大陰暦の九の月（ラマダン）。新月の夜から次の新月が出るまでの約三〇日間だが、そんなに長期間、断食して、ほんとうに大丈夫なのか？

しかし、心配には及ばない。アラーの神はなかなか寛容で、断食月でも、日没から夜明けまでは、飲み食いOKなのだ。

もちろん、昼間は食事はもちろん、水もツバさえ飲み込むことが許されないが、午後になれば食事作りはOK。で、じっと日没を待ち、日没を知らせる空砲がなると、いっせいに食事に突入するというわけ。

しかも断食月の食事は、知人を招いての豪華版。さらに、食事の回数は、日没、深夜、夜明け前と三回もあり、食料費はふだんの月の三倍にもなるという。断食月には、やせるどころか、太る回教徒も珍しくないという。

◐イギリスにパブがたくさんある歴史の因縁

イギリス名物のパブは、正式には「パブリック・ハウス」という。パブが英国内に無数にできたのは、一九世紀初頭まで、パブでしかアルコール類を販売できなかったからである。

イギリスでは一七世紀まで、商品製造や販売の独占権が王室や貴族に与えられていた。しかし、ブルジョワ（市民層）が台頭して議会の力が強くなると、これらの独占権は、一八世紀の後半までにほぼ撤廃された。

ところが、アルコール類だけは、一九世紀になっても、相変わらずの独占販売がつづいていた。そのため、イギリスの市民が酒を飲むには、パブに行くしかなかったのだ。

こうして、イギリス中に無数のパブができることになり、酒好きの人々はこぞってパブに集まることになったのだ。

◐北海道で殺虫剤が売れない理由

北海道では、殺虫剤が売れない。むろん、北海道にもいろいろな虫がいるのだが、それでも殺虫剤が売れないのは、北海道には「ゴキブリ」がいないためである。

ゴキブリは気温の低い場所が苦手。北海道は年間を通じてカラリとした気候で、気温が低いから、ゴキブリの繁殖には向いていないのだ。

殺虫剤といえば、蚊、ハエ、ダニ、ゴキブリ用など、害虫によって使い分けるものだが、北海道では、本州以南でもっともよく売れているゴキブリ用の殺虫剤は必要ない。そこで、殺虫剤にかける金額が他県よりも低くなるというわけ。ゴキブリ嫌いの人にとって、北海道はまさに天国と言える。

◐あんなに遠い成田に空港を作ったわけ

東京から成田空港へのアクセスの悪さは世界の空港の中でも群を抜いている。都心から遠く離れた成田に空港を作ったのは、次のような事情からだった。

一九六〇年代、日本の表玄関は羽田空港だった。ところが、国内・国際線が乗り入れていたため、空港はパンク状態。そこで、国際線専用の新空港をつくろうということになったのだが、そのときに重視されたのが、羽田空港の空路の邪魔にならないことと、気象条件。当時、海に面した羽田空港は、風の影響で着陸できないことが少なくなかったのだ。

一方、内陸部の成田なら、風の影響をほとんど受けない。また、東京が雪の日でも雨が降る程度で、天候が安定しており、離発着への悪影響の心配もいらなかったのである。

実際、成田空港は、アクセス面で評判は悪くても、開港後、風の影響でコース変更や到着に遅れが出たことはほとんどない。

◐東海道新幹線の事故は上りに多い理由

東海道新幹線は、開通以来、一件の死亡事故も起こしていない鉄道の優等生だが、故障による事故はちょくちょくある。

とくに多いのは、冬場の雪による事故。雪が凍結してパンタグラフを壊したり、車両の下に凍結した雪が溶けてドサッと落ち、線路の砂利が飛んで床下の機器を傷つけたりするケースが多い。

で、こうした雪による事故は、下りより上りの新幹線に圧倒的に多い。それには次のような理由がある。

東海道新幹線の豪雪地帯といえば、米原付近。上り電車は、ここを通って浜松、静岡な

どの暖かい地域に向かう。すると、このあたりで凍結した雪が溶け出し、先に述べたような事故が多発してしまうのだ。

一方、下り電車は、米原あたりで雪が凍結しても、次の京都は寒いし、新大阪はすぐというわけで、事故が起きる前に終点に到着してしまうのである。

◐海のない長野県で寒天が作られるわけ

寒天の原料は、テングサ、オゴノリといっ

た海藻類。しかし、寒天づくりがもっとも盛んなのは、〝海なし県〟の長野県である。

もともと、寒天を発明したのは、京都の旅館「美濃屋」の主人、美濃屋太郎左衛門。真冬、ところてんを外に出しておいたところ、寒さで凍り、自然乾燥の状態になった。これを見た太郎左衛門のひらめきで、寒天製造法が編み出され、和菓子の原料として使われるようになった。

この寒天に目をつけたのが、信州の行商人だった小林粂左衛門。冬の寒さが厳しく、空気が乾燥している諏訪地方にはピッタリと思い、その製法を持ち帰った。

原料のテングサは伊豆から買い付けて、製造を開始。やがて、農家の副業として広まり、四角く、長細い角寒天が考案されて、信州の地場産業として発展してきた。現在も、寒天の製法にはあまり変わりはなく、長野県は全国シェア六〇パーセントを占めている。

◐鹿児島からお寺を消した歴史的熱狂

鹿児島県内には、有名な寺院がほとんどない。現在、鹿児島県内の有名な寺といえば、志布志町の大慈寺くらいのもの。こんな状態になったのは、幕末に起きた廃仏毀釈《きしゃく》運動の影響である。

その時代、祭政一致の方針から、神仏混淆禁止という考え方が広まり、薩摩藩の島津久光は、一八六五年（慶応元）、寺の廃止を命じた。

さらに、六八年の維新後、明治政府も、この廃仏毀釈を全国的にすすめたので、翌年までに、鹿児島県内では由緒ある寺をつぎつぎと打ち壊してしまったのだ。

むろん、ほかの県でも廃仏毀釈はおこなわれたのだが、そのやり方は中途半端なもの。薩摩っぽの「やるときは、とことんやる」というキャラクターが、鹿児島県からお寺を消してしまったといってもいい。

◐名古屋に都市銀行が少ないわけ

名古屋には銀行が少ない。都市銀行の数は、東京の十分の一、大阪と比べても二分の一以下。人口比率からいって、少なすぎるのだ。

これには、二つの理由がある。ひとつは、旧東海銀行の存在。名古屋では、一九九〇年代まで東海銀行が圧倒的な力を誇り、他の都市銀行が太刀打ちできなかった。出店したところで顧客を獲得できないのだから、他銀行は出店しようとしなかったのだ。

もうひとつは、利回りの問題。都市銀行の利回りは、郵便局や農協よりも低いことが多い。名古屋人は、都市銀行の信用よりも、利回りを重視するのである。

◐九州のコメの味がイマイチなわけ

コメの味は、粘り具合を決めるでんぷん中のアミロースの比率によって決まる。一七〜一八パーセントが最適で、それより多いと粘り気が乏しくなる。九州産のコメは、一般にアミロースが多すぎて、業界では「味がもうひとつ」といわれている。

これは、気候が原因ではない。九州のコメが実をつける時期の平均気温は、コメどころの東北や北陸とほとんど変わらず、むしろ、九州は東北地方よりも稲作に向いているという専門家は少なくない。

それなのに、九州のコメの味が落ちるのは、農家の経営形態のせいだと指摘されている。九州では専業農家がコメづくりをせず、片手間に稲作をしている兼業農家のコメが市場に出回るためだ。

温暖な九州では、なんでもよく採れ、農家がコメ作りにこだわる必要はない。むしろ、コメを作るよりも、野菜やフルーツ、花弁《かき》類を作ったほうが収入はよくなる。そのため、九州では、稲作専業農家はどんどん減っているのだ。

一方、東北・北陸のコメどころでは、専業農家が気合いを入れてコメを作っている。どちらのコメがおいしいかは、いうまでもない。

◐長野県人が日記をよくつける理由

日本でいちばん日記帳が売れるのは、長野県である。それだけ、長野県には日記をつける人の数が多い。正確な人数はわからないが、日記帳の販売冊数からすると、長野県では二〇万人以上が日記をつけているのではないかと推定されている。県民の一〇人に一人は日記をつけている計算である。

そもそも、長野の小学校では、児童に日記を書くように指導している。それが習慣になって、大人になってからも、日記を書きつづける人が多いのではないかという。

なお、長野県は、さまざまな講演会で講師の話を聞くとき、メモを取る人が多いことでも知られている。これも、日記をつける人が多いことと関係しているとみられる。

◐那覇、神戸、高松で即席麺が売れないわけ

県庁所在地の中で、インスタントラーメンが売れないのは、那覇、神戸、高松の三都市である。

その理由は、これらの都市では、即席麺より、地元の麺類が好まれるからだという。沖縄には沖縄ソーキそば、神戸には手延べそうめん、香川には讃岐うどんがある。これらをよく食べるから、即席麺を食べる機会が減っ

てしまうのだ。

一方、インスタントラーメンをよく食べる新潟や東北はいずれも米どころ。ご飯をよく食べるのだが、麺類ですませるときは、手軽な即席麵に手が伸びる人が多いとみられている。

◐名古屋でカゼ薬がよく売れる理由

名古屋では、カゼ薬と胃腸薬がよく売れる。ご存じのように、名古屋は夏は蒸し暑く、冬は寒い土地柄。寒暖の差が激しければ、カゼをひいたり、体調をくずす人が増えるのも無理はない。

また、名古屋には中小企業が多く、家族中心で経営しているため、少しくらいカゼをひいたり、お腹を壊したくらいでは、仕事を休めない。売薬を飲んで頑張る人が多いことも、カゼ薬や胃腸薬が売れる理由となっている。

また、次のような分析もある。名古屋は、全国有数のケチな土地柄。カゼをひいて病院へ行くと、医療費と時間がかかる。そこで名古屋人は市販のカゼ薬を飲んだほうが得と、健康についてもソロバンをはじく。そこで、市販薬が売れるのだという。

◐宮崎県でやたらバレーボールが売れる理由

宮崎県ではバレーボールがよく売れる。宮崎県人のバレーボールへの参加率は二一・六パーセントと文句なしの日本一。とくに、女性の間で人気ナンバーワンのスポーツとなっている。

宮崎県でバレーボールが盛んになったのは、農民の胃腸病・腰痛対策だった。一九五〇年代、農村の女性は農作業や家事で前かがみになることが多く、胃腸病や腰痛が目立った。そこで、行政は、田畑にネットの代わりに縄を張り、バレーボールを勧めた。背すじを伸ばしてプレイすれば、健康が回復するだろうと考えたのである。

するとバレーボールはじょじょに盛んになり、東京オリンピックで日本女子チームが金メダルを獲得すると、バレーボール人気が爆発。宮崎県は日本一バレーボール好きの県になった。

◐桜島近くの住民は火山灰をどうやって捨てている？

地方にはそれぞれのお国事情があるものだが、桜島の近くの住民ならではの悩みというのが火山灰対策だ。

鹿児島市では、燃えるゴミ、燃えないゴミとは別に、月一回の「降灰」を捨てる日が設けられている。捨てる場所もゴミとは区別され、「宅地内降灰指定置場」なる場所がある。鹿児島市内に約五五七〇カ所設置されており、住民は市から配布される「克灰袋」に火山灰を袋詰めにして出している。

噴煙を上げる桜島は鹿児島のシンボルとはいえ、火山灰の収集・処理費用もバカにならず、市民にとっては頭の痛い話である。

◐男っぽい鹿児島県で花が売れる理由

日本でいちばん花が売れるのは、鹿児島県である。鹿児島県といえば男っぽい県民性で知られる土地柄。意外に思う人もいるだろう。

しかし、そこはやはり薩摩っぽである。鹿児島県人たちは、買った花をたいていは先祖の墓に供える。だから、より売れる花の種類は、バラでもカーネーションでもなく、菊である。

ふつう、墓地に花を供えるといえば、先祖の命日、彼岸、盆を思い浮かべるが、鹿児島では一年を通して墓前に花の絶えることがない。もし花がなければ、近所の人から「あそこの嫁は、何をしとるとね」と、いまでも白い目でみられるような先祖思いの土地柄である。

鹿児島では幕末から明治にかけて、廃仏毀釈運動が盛んになり、寺院は徹底的に壊され、墓参りも制限された。その反動もあって、先祖供養の気持ちが強まり、命日彼岸に限らず墓前に花を供える習慣が根づいたという。

◐赤坂が料亭の町になったわけ

赤坂といえば、料亭の街。ところが、この赤坂、明治の中頃までは、東京でも寂しい場所だった。

そんなところに料亭が並ぶようになったのは、国会議事堂が近くにあったからではない。明治の中頃、赤坂に軍隊の駐屯地ができたためである。

明治初期、陸軍部隊は、丸の内の元大名屋敷を駐屯地とし、日比谷を練兵場としていたが、やがて赤坂の大名屋敷跡へ移転することになった。

一八八四（明治一七）年には、第一師団歩兵第一連隊が赤坂檜町に移り、同時に兵隊用の料亭が増え始めた。

さらに、日清、日露戦争後、戦勝気分の中、軍人たちの羽振りはよくなり、料亭はますます軍人たちでにぎわった。

こうして、昭和のはじめには、赤坂一帯は完全な軍隊のための町となった。そして、料亭も大きくなっていったのである。

◐港区に大使館が集中している背景

各国の大使館は、なぜか東京都港区に集中している。とくに、南麻布一帯には四〇もの大使館が集まっているが、これだけの大使館が港区に集中したのは、それが明治政府の方針だったから。大使館を集中させたほうが、警備がしやすかったのだ。

そもそも、麻布一ノ橋にある善福寺は、江戸末期、最初のアメリカ公使館となった場所。同じ頃、港区高輪の東禅寺にはイギリス公使館が置かれていた。つまり、麻布界隈は日本で最初に公使館が置かれた地域だった。

さらに、麻布一帯は、江戸時代に大名屋敷があったところで、明治維新以降、空き地が増えていたことも、大きな理由だった。

◐広島湾でおいしいカキが育たなくなったわけ

カキといえば広島。全国で水揚げされるカキの約六〇パーセントが、広島湾で養殖されている。

ところが、その広島産のカキに異変が起きている。おいしいカキが育ちにくくなっているのである。その原因は、広島湾の環境の悪化である。

広島湾はもともと水深が浅く、十数メートルの海底ギリギリまでカキが吊られている。そのため、潮の流れが悪くなり、死んだカキや排泄物で、海底の汚れがひどくなっている。

また、海に流れ込む排水には、窒素が含まれているため、窒素を好むヘテロカプサという植物プランクトンが増殖しやすくなる。それが赤潮を発生させ、カキが死ぬ被害が相次いでいるのだ。

さらに、瀬戸内海は戦後埋め立てが進み、多くの干潟が失われてきた。それも海水の質を落とす原因になり、カキの成長を妨げているとみられている。

◐「九十九里浜」は、ホントは一六里しかない！

千葉県の犬吠埼から南西に伸びる景勝地・

九十九里浜。一里はだいたい四キロだから、四〇〇キロ近くあることになるが、じっさいの九十九里浜は、約五六キロ。一四里ほどでしかない。

しかし、看板に偽りあり、と思うなかれ。この「一里＝四キロ」という単位は、江戸時代の基準。九十九里浜と名付けられた鎌倉時代の長さの単位は「一町＝約一〇九メートル」「一里＝六町＝六五四メートル」というもの。

つまり、五六キロ÷六五四メートル＝八五・六二里というわけで、正確に九十九里ではないものの、かなり近い数字なのだ。

測量技術の未熟だった時代、一〇パーセント程度の誤差は、ご愛嬌だろう。それに、「八十五里半浜」というより、「九十九里浜」といったほうが、旅情を感じさせるというものである。

◐摩周湖は法律上は「大きな水たまり」

摩周湖は、法律上「湖」でも「池」でもない。

昔、摩周湖は皇室の御料地で、「宮内大臣」名義の土地とされていた。戦後、国有財産に移管されたものの、登記上は「宮内大臣」名義のままになっていた。

二〇〇一年、「いつまでも、宮内大臣名義のままではおかしい」という声が上がり、名義変更がおこなわれたのだが、このとき予期せぬ問題が発生した。

摩周湖は、国土交通省か農水省の所管になるはずだったのだが、「摩周湖を水源とする河川がない」という理由で、国土交通省名義では登記ができず、「樹木がない」という理由で、農水省名義でも登記ができなかったのだ。

結局、摩周湖は無登記のまま、国が管理することになったのだが、登記が存在しないため、法律上は「大きな水たまり」でしかないのである。

◐中央線が「Sの字」を描いているわけ

東京駅と新宿駅の直線距離は約六キロ。ところが、東京駅と新宿駅を結ぶ中央線の路線の長さは一〇・三キロ。これは、中央線が直線ではなく「Sの字」を描いて走るからだ。

東京発の電車はまず北に向かい、神田を過ぎたあたりで西へと進路を変える。そして、飯田橋まで行くと南に下り、四ツ谷を過ぎるとまた西へ進路を変える。そして、代々木から北上して新宿に達する。

このような「Sの字」になったのは、東京駅と新宿駅を結ぶ直線上に皇居が存在するから。そこで、外堀沿いに線路を敷いたわけである。

東京・新宿間は快速で一五分。各駅停車で約二〇分以上かかる。しかし、もしこれが直線だったら十分以内の距離になったはずである。

◐海はどこの国のものか?

国際海洋法条約によって、海は四つの区分に分けられる。「領海」「接続水域」「排他的経済水域」、そして「公海」である。

まず、「領海」は、海岸線から十二海里

（約二二キロメートル）までの海。この海域には沿岸国の主権が及び、他国の漁船が勝手に操業したりすることは許されない。

「接続水域」は、海岸線から二四海里（約四四キロメートル）までの海域。密航船や密輸船が領海に侵入することを防ぐため、沿岸国が必要な規制をすることができる海域だ。

「排他的経済水域」は、海岸線から二〇〇海里（約三七〇キロメートル）まで。この海域では、漁業権、石油、天然ガス等の採掘権などが、沿岸国の権利になる。ただし、船の航行については、どの国の船にも自由な航行が認められている。

沿岸国が権利を行使できるのは、この「排他的経済水域」まで。そこから先の「公海」はどこの国のものでもない。

◐小川のような「一級河川」があるわけ

河川には「一級河川」と「二級河川」がある。この一級、二級の違いは川の長さや幅だけで決められているのではない。

一級、二級の違いは、国民生活への影響力によって決められる。たとえば、災害が起きたときの被害が大きいと予想されたり、産業、灌漑《かんがい》、上下水道、発電など利用価値が大きい河川は、国が管理するという意味で、一級河川に指定されている。

また、その指定は、それぞれの水系ごとにおこなわれる。そのため、本流が一級に指定されれば、その支流や源流は、どんなに小さな川でも一級河川になる。たまに、「これが一級河川！」と驚くような溝川が一級河川に指定されているのは、そのためである。

◐「地図記号」は世界共通か？

地図記号は世界共通ではなく、各国がそれぞれ独自の記号を用いている。

日本の地図記号は、明治時代に地形図を作成したときに考案され、その後、少しずつ変わってきた。

たとえば、日本の郵便局は「〒」で表されるが、これは、逓信《ていしん》省の「テ」を図案化したもの。アメリカの郵便局は、国のシンボルマークとして使われているワシのマークで表されているし、ヨーロッパには封筒を図案化したマークを使っている国もある。

また、オランダには水車や風車の地図記号があるし、ドイツにはビールの原料となるホップ畑の記号もある。

地図記号は便利でなければ意味がない。そこで、その国の実情に応じ、実物を連想しやすいように作られているのである。

◐「琉球の王冠」をめぐるミステリー

琉球王国の王家だった尚《しょう》家には、長く王朝時代の財宝が保管されていた。しかし、太平洋戦争末期の沖縄戦の最中から、そのほとんどは行方知れずとなっている。王冠もいまだ行方不明である。

当時、沖縄の人たちは「米軍に琉球の宝物が奪われる」と考え、財宝を島のあちこちに

隠した。そして、王冠を排水溝に隠したところまでは記録に残っていたのだが、戦争が終わって探しにいったときには、すでに王冠は消えていたのだ。

王冠を持ち去ったのは、米軍とみて間違いない。その排水溝には琉球の古典文学の原本なども一緒に隠されていたのだが、それを持ち去ったことについては、米軍も認めているからだ。

また、ある米海軍将校が米国内で沖縄の財宝を売ろうとしていたことを裏付ける証拠書類も発見されている。となると、やはり王冠はアメリカに持ち去られた可能性が高いのだが、その米軍将校はすでに他界。依然、王冠の行方はまったくわからない。

◐大名行列を横切ってもよかった職業

江戸時代の大名行列は、足軽や人足も含めて総勢二〇〇〇人にものぼることがあった。

当然、長い行列になるが、庶民はその行列を目の前にしては、道路を横切ることもできなかった。しかも、江戸時代は、斬り捨て御免ということもあった世の中。庶民が大名行列を横切ったりしたら、斬り殺されても文句は言えず、運悪く大名行列に行き当たると、庶民は、行列が通り過ぎるまでじっとしていなければならなかった。

ところが、一般庶民の中でも、ある職業の人だけは、大名行列を横切ることを許されていた。

産婆さんである。たとえば、道路の反対側に、産気づいた妊婦がいる場合、大名たちの間をすり抜け、妊婦のもとへ急ぐことが認められていた。さすがの大名も、生まれてくる赤ん坊には勝てなかったというわけだ。

ちなみに、大名行列は、数日前から、通り道にあたる住民に知らされ、住民たちはその日の外出をなるべく控えたものだった。やむなく外出する用事があって、大名行列に出会ったときは、小路などへ逃げ込むのが普通だった。

◐織田信長が「サムライ言葉」を話さなかったワケ

織田信長といえば、戦国時代を代表する武将のひとり。大河ドラマなどにもしばしば登場するが、「それは失礼つかまつった」「拙者でござる」などの、いわゆる「サムライ言葉」を話していたわけではなかった。なぜなら、「〜でござる」などの「サムライ言葉」は、家康が全国を平定したから広まったものだからだ。

天下を取った家康は、言葉の違いで武士同士のコミュニケーションがうまくいかないことに気づいた。そこで、全国の武士に、いわば標準語としてこうしたサムライ言葉を広めたのである。

というわけで、家康以前に活躍した信長は、「ござる」のようなサムライ言葉ではなく、名古屋弁の原型といわれる、三河弁を話していた。

なお、津本陽の『下天は夢か』に描かれた信長は、ちゃんと三河弁で話している。興味のある人はご一読を。

◐人力車が庶民の人気を得た意外な理由

人力車が誕生したのは、明治三（一八七〇）年、東京でのことである。人力車の運賃はカゴの約二倍もしたが、わずか数年で全国に普及するほど庶民の人気を集めた。これには意外な理由があった。

たしかに、人力車はカゴより速く、乗り心地もよかったが、庶民にとって最大の魅力は、座席の高さにあった。人力車の座席は、地上から一メートルほどのところにあり、人々を見下ろしながら走った。これが、庶民にとってはじつに気分がいいことだったのである。

徳川幕府が倒れるまでは、参勤交代などに出くわすと「下に〜、下に」というわけで、庶民は道ばたに座らされて大名たちが通り過ぎるのを待った。また、馬に乗って颯爽《さっそう》と走り去るのも、武士だった。

庶民にとって、武士のように高いところから人を見下ろすのは、長年の夢だったというわけである。

◐大陰暦から太陽暦になった本当の理由

日本が大陰暦（旧暦）を現在の太陽暦に切り換えたのは、明治五（一八七二）年のこと。この年の一一月九日、明治政府はこの旨を発表し、旧暦の明治五年一二月三日を新暦の明治六年一月一日にすることにした。

明治五年はまだ二カ月近くあると思っていたのが、突然、二〇日あまりになったのだから、人々の混乱は想像に難くないが、これには、日本政府の差し迫った事情があったのである。

それは、政府が公務員に払う給料。当時の旧暦では、明治六年はうるう月で、一年が一三か月あることになっていた。しかし、財政難がつづく明治政府は、とても一三回も給料を払う余裕がなかった。しかし、新暦なら一年は一二カ月しかないから、給料の支払いも一二回ですむ。

というわけで、明治政府は、一カ月分の給料を払いたくないがために、新暦の採用に踏み切ったというわけである。

◐出発時の火打石は江戸時代にはなかった！

主人が外出するとき、奥さんが火打石をカ

チカチと鳴らして、道中の無事を祈る。といえば、江戸時代の習慣というイメージがある。ところが、この習慣は明治時代に始まったもの。明治時代、マッチが急速に普及して火打石の需要が急激に落ち込んだ。危機感をもった石業界は、宣伝用にこの「切り火」を考案。盛んに宣伝したところ、まず鳶職や左官など、屋外で危険な職業にたずさわる人たちの間で、災難を防止するためのおまじないとして広まった。

当初は、東京を中心に広がり、やがて全国各地の鳶職や花柳界など、縁起をかつぐ商売で、盛んにおこなわれるようになった——というのが事の真相である。

◐コンピュータ分析による川端康成の文体研究

情報システム研究機構統計数理研究所の村上征勝《まさかつ》教授（計量文献学）の研究によると、「ノーベル賞作家の川端康成の文体は、終戦を境に大きく変わる」そうである。村上教授は、川端作品をコンピュータで分析、戦前戦後で文体が変化していることを突き止めたのだ。

村上教授が注目したのは「読点」の使われ方。川端がどう読点をつけているかをコンピュータで分析したところ、戦前の『伊豆の踊子』や『雪国』では、「小一時間経つと、」というように、「と」につづく読点が多いことがわかった。一方、戦後に書かれた『山の音』『みづうみ』では、「し」「が」「に」につづく読点の割合が高くなる。

これまで研究者の間では、「川端文学は『みづうみ』（一九五四年）から作風が大きく変わる」とされてきたが、文体はその前に書かれた『山の音』（一九四九～一九五四年）から変わっていたことになる。

水平線は「はるか彼方」にはない!?

波打ち際に立って沖を見ると、水平線は「はるか彼方」にあるように見える。では、波打ち際から水平線までの実際の距離は、どれくらいなのか？

最低でも一〇キロくらいはありそうに思えてしまうが、仮にあなたの身長を一七〇センチとすると、東京周辺の海の場合、水平線までの距離は四キロちょっとしかないのである。

これは、早い話が地球が丸いからだ。人間の目の高さと地球の球面の角度を計算すると、四キロ先は球形の向こう側になり、絶対に見えない。すなわち、その境界線が水平線というわけだ。

ちなみに、海岸に高さ一〇〇メートルの展望台を作ると、水平線は三六キロも向こうになる。アメリカ大陸を最初に発見したのは、コロンブスではなく、マストの見張り人だというのは、充分にありえる話なのである。

春から夏の花になったタンポポ

いまや都市圏では、タンポポは、春ではなく、夏に咲く花になってきている。

日本のタンポポは大きく二種類に分けられ、春に花をつけるのは在来種の「カントウタンポポ」。一方、夏に咲くのは西洋産の「セイヨウタンポポ」。最近は、とくに大都市部で、このセイヨウタンポポが勢力を広げているのだ。

東京の都心部など、ほとんどすべてがセイヨウタンポポ。カントウタンポポは、新宿御苑や北の丸公園、上野公園あたりにしか残っていない。

セイヨウタンポポが都会で勢力を伸ばしたのは、一株だけで種子ができること。一方、カントウタンポポは、数株なければ種子ができない。つまり、繁殖力がまったく違うのである。

◐こんなに怖い！　いまどきの沢水

最近は、山歩きの途中、沢水を気軽に飲めなくなってきている。うっかり飲むと、命取りの病気になりかねない。

その原因は、「エキノコックス」という寄生虫。人の肝臓に寄生し、数年から数十年間、潜伏後、肝機能障害を引き起こす。そのまま放置すると、一〇年以内にほぼ全員が死ぬという恐ろしい寄生虫である。

そんなエキノコックスの虫卵が、沢水にまぎれ込んでいる危険性が出てきている。もともと、エキノコックスの心配があるのは北海道だけとされていたが、それが最近、本州にも侵入してきているのだ。

水量のある沢水なら、危険性は非常に小さい。が、貯まり水や地面からチョロチョロ出ているような水は、飲まないほうが安全である。

◐最近、夕立がやってこないわけ

以前は、夏の夕方、大雨が降りだすことが珍しくなかった。ところが、いまは夕立が降ることはほとんどなくなり、昼間や深夜に大雨が降ることが多くなっている。

東京管区気象台で、一九〇一～二〇〇〇年までの一世紀に、東京・大手町で七月～八月に降った強雨を調べてみると、五〇年までは、午後五時～八時までの三時間に約半数が集中していた。つまり、「夕立」である。

それが、五〇年以降になると「夕立」は四割を切り、それまでは、ほとんど強雨のなかった深夜（午後九時～〇時）と昼過ぎ（午後一時～三時）に、それぞれ二割を越える強雨が降るようになった。その傾向が、近年ますます顕著になっている。

専門家によると、深夜の強雨が増えたのは、夜になっても都心の気温が下がらず、雲ができやすい状態がつづくからだという。

〝赤い雪〟が降る理由

雪が白いのは、太陽が東から昇るくらい当たり前のことだと思っていると、さにあらず。

青森県や群馬県、長野県などの山村には、「赤い雪が降ると不幸が起こる」という伝説があり、実際に〝赤い雪〟が降ることがあるのだ。

しかし、この赤い雪、タネを明かせば、ちょっとした自然界のイタズラにすぎない。春先、気温が上昇してくると、降り積もった雪の表面には薄い水の層ができる。この水はある種の藻のかっこうのすみかになる。クラミドモナスという緑藻の一種もそのひとつだが、この緑藻、ふだんは緑色だが、強い日差しを受けると体内にヘマドクロームという赤い色素を大量に発生する。つまり、この緑藻の赤い色素が、じつは赤い雪の正体だったというわけだ。

こうした藻は、「紅雪藻」とも呼ばれているが、なかには褐色、黄色、黒色などに変色するものもある。

〝怠け者のアリ〟も存在する！

アリといえば、イソップ童話の「アリとキリギリス」でもおなじみなように、働き者の代名詞になっている。ところが、アリの中には、とんでもない怠け者もいる。

それは、「サムライアリ」。このアリ、どうやって食べているのかというと、クロヤマアリの巣を襲い、サナギの入った繭を略奪し、自分たちの巣へ運び込む。すると、やがて生まれたクロヤマアリは、「サムライアリ」を自分をさらった誘拐犯だとも思わず、一生懸命に巣を掘り、エサを集め、幼虫までも育ててくれるのである。

その間、「サムライアリ」は、ただじっとしているだけ。三食昼寝付きの生活を送っている。

こうなると、「サムライアリ」というより、「盗賊アリ」といったほうが当たっている？

カラス対策に案山子が役に立たない理由

カラス対策に案山子《かかし》を立てたところ、最初は近寄ってこなかったカラスも、しばらくすると案山子の上で羽を休めるようになる。

これは、カラスが案山子の正体を見破ったからというより、案山子から人間の臭いが消えるためだとみられる。

案山子は、たいてい人間の古着を着せられる。古着には、当然ながら人間の体臭がしみついているから、カラスは近づかない。ところが、雨や風にさらされるうちに、人間の体臭が消えてしまう。こうなると、カラスにとって、案山子はたんなる止まり木に化すというわけである。

◐「マナ板の鯉」が往生際がいい理由

「もうどうにでもしてくれ」という半ば開き直った心境を、よく「マナ板の鯉」という。

事実、マナ板に乗せられ、いよいよ料理されるというときの鯉は、ジタバタしない。鯉が、品格があり、また縁起のいい魚ともいわれる所以だが、じつはこのような鯉の往生際のよさにはワケがある。

鯉をさばくとき、プロの料理人はマナ板に乗せた鯉の側線を包丁の背中でなでる。側線とは、魚の体の脇にある特殊な感覚器のことで、ここをなでられると、鯉はいとも簡単に失神してしまうのだ。

かくして、鯉は苦しむことなく往生できるというわけである。

◐水族館でマグロも飼えるようになった〝水槽革命〟

マグロはとにかく泳ぎつづける魚。泳ぎをやめると、エラ呼吸ができなくなって死んでしまう。

そんなマグロを水族館で飼えるようになったのは、ドーナツ型水槽の製作が可能になったからである。水槽をドーナツ型にすれば、回遊が可能になる。これなら泳ぎつづけるマグロを一生（?）飼育できるというわけである。

もともと、水槽はガラス製が当たり前だったが、一九六六（昭和四一）年、世界初のアクリル製水槽が上野動物園に設置された。このアクリル製水槽が普及して、世界の水族館が一変した。

アクリルは、ガラスに比べて安全性が高く、接着が容易なため、巨大水槽を作ることができる。さらに、ガラスと違って曲げられるので、ドーナツ型水槽やトンネル型水槽も可能になったのである。

◐ブルドッグのようなぶさいくな犬を作った目的

ブルドッグは品種改良して作られた犬。では、なぜ、鼻ペチャ、頰の筋肉が垂れていて、短足という、ブサイクな犬を、わざわざ作ったのだろうか？

ブルドッグは、中世の英国で遊びのためにつくられた犬種。一三世紀から一七世紀のイギリスでは「ブル・バイティング競技」という遊びが流行していた。これは雄牛に犬をかみつかせる競技で、この競技のために、小型マスティフが改良され、ブルドッグが作られた。

ブルドッグが短足になったのは、背が高いと、雄牛の角で胸や腹を突かれる危険性が高いから。鼻ペチャなのは、かみつくとき、鼻が高いとジャマになり、呼吸がしにくいから。口幅が広いのも、そのほうがかみつきやすいためだ。

さらに、体の前半分が重くて、後半分が軽いのは、かみつかれた雄牛が簡単に振り飛ばせないようにしたため。

◐巨大水槽をかかえる水族館の地震対策

水族館の巨大な水槽を眺めていて、ふと、

「ここで地震にあったら、水槽が壊れて大惨事になるのでは？」という恐ろしい想像が頭をよぎったことはないだろうか。

しかし、そんな心配は無用。じつは、水族館は地震にはけっこう強いのだ。柱や壁に加えて、何百トン、何千トンという水を逃がさないようにしている分厚い水槽の壁が、水族館を支えているからだ。

水槽の透明な窓が割れたら危険、と思われるだろうが、現代の水族館の窓はガラスではなく、ほとんどがアクリル製。アクリルは重さはガラスの半分、強度はガラスの一五倍で、壁のように分厚いから、割れる心配はない。

さらに、水槽の水が重しとなって、建物をぐっと固定する役割を果たしてくれる。

実際、阪神淡路大震災でもっとも被害の大きかった地域にある神戸市の須磨海浜水族館では、地震で水槽のパイプが損傷して大量の水がもれたため、多くの生物が死んだが、巨大な水槽自体はびくともしなかったのだ。

◐恐竜の標本作りで骨が足りないときの処理法

いまから何千万年も前の生物だけに、恐竜の骨が一頭分すべて見つかることはほとんどない。そのため、足りない部分はそれまでの発掘例や、その恐竜に近い仲間から類推し、不足部分を樹脂で補って標本が作られている。

発見されたものがたとえ顎の骨だけでも、発掘例が多い種類なら復元は可能だ。逆に、もっとたくさんの部分が見つかっても、これまで発掘されたどの動物とも異なるような種類のものだと復元できないケースもある。

標本は、骨の型をシリコン樹脂でとり、その型に強化プラスチックを流し込んで骨を作って着色を施す。骨格標本の型を作るのは彫刻家、色つけは画家が担当。強化プラスチックの技術の進歩もあって、見た目だけでは専門家でも本物かレプリカか区別が難しいほどリアルな標本が作られている。

◐ペンの持ち方の変な人が増えた理由

近頃、ペンの持ち方が変な人が増えている。紙に対してペンを直角に構えたり、ペン先に極端に近い部分を握って書く人が多くなっている。ペンを正しく持てない人が目立つのは、なぜだろうか。

これにはいくつかの理由が考えられるが、女性の場合は、爪を伸ばす人が増えたことが原因のひとつに挙げられる。とくに長いつけ爪をしていると、爪が邪魔になってうまくペンが持てない。そこで、親指の指先を上に持ち上げ、人差し指にのせるスタイルでペンを持つ人が多くなったのである。

また、筆記用具の影響もある。かつて、筆記用具の主流だった万年筆は、約六〇度の角度に傾けて握らないとうまくインクが出なかった。だから、しぜんに正しくペンを持つようになったのだが、最近の筆記用具の主流は水性ボールペン。ボールペンは六〇度以上傾けると、インクがかすれてうまく書けなくなる。そこで、ペンを立てて書いたほうがスラスラ書けるというわけだ。

◐「美人は夜、作られる」理由

肌を美しくするには、新陳代謝が活発でなければならない。体の表面にある皮膚は、すでに成長が終わった肌で、放っておけばすぐにカサカサになってしまう。みずみずしい張りのある肌は、皮膚の下の細胞が新しく表面へ出てきたときに生まれるのだ。

そこで皮膚の成長スピードを促進し、新陳代謝を活発にするには、表皮細胞の分裂を活発にしてやればいい。

じつは、この表皮細胞が一日のうちでもっとも活発に分裂するのは、午後一〇時から午前二時頃。つまり若々しい肌を保とうと思ったら、夜の一〇時には床に就いている必要があるのだ。美肌を作りたいなら、夜、睡眠時間を削って化粧品をせっせと顔に塗るよりも、早くベッドに入るほうが効果的。「歴史は夜作られる」というが、美人もまた夜作られるというわけである。

◐居眠り運転が起きやすい時間帯

イスラエルのテクニオン睡眠研究所所長のペレツ・ラビィー博士が、自動車事故の中でも、とくに居眠り運転による事故が起こりやすい時間帯について調べたところ、「午前三時から六時」と「午後三時から六時」という二つの時間帯に事故が集中して起きていることがわかった。

明け方、睡魔に襲われて事故を起こすのは当然のことと言えるが、なぜ午後三時から六時にかけて、居眠りをする人が増えるのか？

理由は、体内時計に組み込まれたタイム・スケジュールと関係があるらしい。つまり、午後三時から六時の〝魔の時間帯〟に入ると、睡眠と覚醒に関する体内メカニズムに何らかの変化が生まれるためではないかと、博士は推測している。

いずれにせよ、午後三時から六時にかけて居眠りしやすいことはたしか。居眠り運転しないためには、あらかじめ仮眠をとって頭をすっきりさせておくのもいい。そういえば、世界には、午後に仮眠をとる習慣のある国が少なくないが、これは夕方の居眠りを避けるための生活の知恵なのかも。

◐あなたの寝室は「酸欠」になっていませんか？

最近は空気清浄器が売り上げを伸ばしているが、空気の質もさることながら、空気の量も大切である。じつは私たちがふだん寝ている寝室は、ひょっとすると「酸欠」状態になっているかもしれないのだ。

人間が一時間に吸う空気の量は、およそ三〇立方メートル。一日八時間眠るとして単純に計算すると、一晩で二四〇立方メートルの空気が必要になる。これは、ほぼ六〇畳分の部屋に相当する量で、六畳間で夫婦二人で寝ていれば、必要量の二〇分の一しかないことになる。

しかも最近の家は、昔のようにすきま風が吹き込むということもない。意識して換気しないと、部屋の空気は入れ換わらず、どんどんよどんでしまうというわけだ。

寝室の「酸欠」を防ぐには、眠るときも部屋のドアを開けておくとか、せめて朝起きたら窓を大きく開けて、できるだけ空気の入れ換えをおこなうこと。寝室の窓は一日中、締めっぱなしというのでは、いよいよ酸素が減るばかりである。

◐ベッドが狭いと眠りが浅くなる！

狭いベッドで恋人といっしょに眠る。けっこうな話ではあるが、健康のためにはお勧めできない。

こんな実験がある。幅が四〇センチから九〇センチまで、一〇センチ間隔のベッドを六種類用意し、女子大生に寝てもらう。そして、それぞれ体の動きや脳波の変化を調べるという実験である。

結果、体がもっとも動いたのは幅六〇センチのベッド。もっとも動かなかったのは九〇センチのベッドだった。人間は、体を動かさずに眠っているときほど、深い眠りに入っている。つまり、幅の広いベッドほど深い眠りが得られるというわけだ。

実験では、幅四〇センチのベッドでも体があまり動かないことがわかったが、これは狭いベッドで眠っているという意識が睡眠中にも働いて、無意識に体の動きを抑えたものと考えられている。

また、脳波から睡眠の深度を調べた際も、ベッドの幅が狭いほど睡眠が浅くなることがわかった。

二人でひとつのベッドに眠りたいなら、せめてダブルベッドのあるホテルへどうぞ。

本書は『ネタばらし！』（アルファベータ刊／２００４年）に、
項目の追加・削除・修正を施し、改題して文庫化したものです。

知恵の森
KOBUNSHA

裏《うら》ネタ全書《ぜんしょ》
どこか怪しい世間のカラクリ551

著　者——エンサイクロネット／編

2006年　6月15日　初版1刷発行
2008年　2月25日　　　13刷発行

発行者——古谷俊勝
印刷所——慶昌堂印刷
製本所——ナショナル製本
発行所——株式会社光文社
東京都文京区音羽1-16-6〒112-8011
電　話——編集部(03)5395-8282
販売部(03)5395-8114
業務部(03)5395-8125

落丁本・乱丁本は業務部でお取替えいたします。
ISBN978-4-334-78427-0　Printed in Japan

お願い

この本をお読みになって、どんな感想をもたれましたか。「読後の感想」を編集部あてに、お送りください。また最近では、どんな本をお読みになりましたか。これから、どういう本をご希望ですか。

どの本にも誤植がないようにつとめておりますが、もしお気づきの点がございましたら、お教えください。ご職業、ご年齢などもお書きそえいただければ幸いです。当社の規定により本来の目的以外に使用せず、大切に扱わせていただきます。

東京都文京区音羽一・一六・六
（〒112-8011）
光文社〈知恵の森文庫〉編集部
e-mail:chie@kobunsha.com